Les chemins de l'éducation
Articles et conférences - 2

Collection Françoise Dolto
dirigée par
Catherine Dolto-Tolitch

FRANÇOISE DOLTO

Les chemins
de l'éducation

TEXTES RECUEILLIS, ANNOTÉS
ET PRÉSENTÉS PAR
CLAUDE HALMOS

GALLIMARD

Note de l'éditeur

Si nous avons choisi, pour inaugurer la collection consacrée à Françoise Dolto, de réunir les articles et conférences qui ont jalonné quarante ans de son itinéraire, c'est que nous tenions à ce que cet aspect fondamental de l'œuvre devînt plus facilement accessible à ceux auxquels elle s'adressait dès l'origine. Autour des questions d'éducation, ces textes témoignent de la cohérence maintenue de la démarche de Françoise Dolto dans son souci constant de prévention.

Nous remercions ici le docteur Catherine Dolto-Tolitch, Colette Percheminier, le Comité scientifique Françoise Dolto qui nous ont soutenu de leurs conseils et du souvenir qu'ils ont d'elle, ainsi que Claude Halmos qui a réuni ces textes.

Pour garder le ton de Françoise Dolto, jamais plus concrète, pratique, humaine que dans ses conférences ou ses émissions radiophoniques, nous avons tenu à respecter le rythme, le vocabulaire si personnel, les « créations langagières » et l'humour qui faisaient tout le charme de sa parole. Nous retrouvons dans ces textes cette voix inimitable par laquelle elle provoquait parents ou éducateurs à l'écoute et à la remise en cause d'une éducation qu'elle jugeait trop souvent contraire à l'intérêt des enfants.

Françoise Dolto voulait mettre la psychanalyse en actes, et personne ne s'adressait à elle en vain, travailleurs sociaux, médecins, psychanalystes, parents ou écoliers. Elle se consacra vers la fin de sa vie à de nombreuses activités de prévention qui trouvèrent leur apogée dans la création de la Maison-Verte, lieu de socialisation pour les très jeunes enfants qui trouvaient là, accompagnés par leurs parents, écoute et accueil.

Moi-même, je peux témoigner de l'enthousiasme avec lequel, pendant les toutes dernières années de sa vie, elle entreprit, en compagnie de sa fille Catherine, cet ouvrage d'éducation que fut *Paroles pour les adolescents ou Le complexe du homard*. Je fus frappée par son esprit de jeunesse, son écoute particulière qui lui faisait dire qu'elle apprenait toujours, attentive à ce que Catherine apportait de sa pratique et qui nourrissait leur réflexion commune.

Dans *Les chemins de l'éducation* et *Les étapes majeures de l'enfance*, Françoise Dolto nous ouvre une nouvelle fois les voies de l'autonomie et de l'âge adulte, et nous rappelle qu'« éduquer, c'est susciter l'intelligence, les forces créatives d'un enfant tout en lui donnant ses propres limites pour qu'il se sente libre de penser, de sentir et de juger autrement que nous-mêmes, tout en nous aimant ».

C. F. P.

Préface

Les textes de Françoise Dolto rassemblés dans ce volume sont ceux d'articles et de conférences destinés à ce qu'il est convenu d'appeler « le grand public ». On pourrait s'attendre à lire des textes mineurs destinés à vulgariser certains aspects de son travail. Il n'en est rien. Ces textes sont d'une richesse étonnante. On y découvre des notations cliniques d'une précision remarquable. Au fil des pages, Françoise Dolto développe sa pensée avec le souci constant de fournir des réponses qui soient le plus utile possible au lecteur ou à l'auditeur, et par là même aux enfants.

Ces textes réussissent la performance d'être à la fois une sorte de guide pour des parents aux prises avec les difficultés de l'éducation de leurs enfants et une formidable réflexion sur le statut de l'enfant dans notre société. Ils s'inscrivent dans la partie que l'on peut dire « orale » de l'œuvre de Françoise Dolto, celle dont l'impact sur la société a été considérable, parce qu'elle touchait un public qui n'aurait pas eu accès, d'emblée, à ses livres. Françoise Dolto aimait ce public souvent plus ouvert à la vérité de la psychanalyse qu'on n'aurait pu le croire. Ce public de parents, d'enseignants, de travailleurs sociaux était aussi celui qui avait affaire aux enfants ; lui faire entendre leurs désirs et leurs souffrances était une tâche qui la passionnait, d'autant qu'elle avait, en écoutant les enfants, découvert la place que leur fait la société : les enfants n'ont droit très souvent ni à la parole ni au respect. On les juge incapables de décider de ce qui les concerne. On leur cache la vérité sur leur histoire, sur leurs origines. L'infériorité qu'on leur suppose sert de prétexte à leur mise en tutelle.

Françoise Dolto se fera, toute sa vie, l'avocate de leur cause. Pour la défendre, elle n'hésitera pas à braver les critiques, à sortir de la réserve habituelle des psychanalystes. Elle commencera très tôt, par une chronique, en 1946, au sortir de la guerre, dans le journal de l'Union des femmes françaises, pour former, disait-elle, une nouvelle génération de parents, plus aptes à comprendre les difficultés de leur enfant. Cette rencontre avec un public qu'elle ne cessait de « mettre au travail » — puisqu'elle créditait chacun d'une capacité à résoudre par lui-même ses difficultés ou celles de son enfant — se poursuivra à travers la presse mais aussi sur les ondes (« Docteur X » sur Europe 1, « Lorsque l'enfant paraît » sur France-Inter).

Le public, habitué à « comprendre » des explications psychologiques, se mettra, tout à coup, à « entendre », au sens analytique du terme, une parole qui permettait à chacun de mettre des mots sur des questions restées jusque-là en souffrance, sur des douleurs innommées des profondeurs de son enfance. Des mots incontournables qui frappaient juste et rendaient toujours justice à l'enfant. Des mots qui ne ressemblaient à rien d'autre... Françoise Dolto deviendra un personnage médiatique.

On peut se demander aujourd'hui si, paradoxalement, ce succès n'a pas quelque peu nui à son œuvre. Le visage, la voix, le style de Françoise Dolto sont dans toutes les mémoires, son œuvre, cependant, reste encore pour partie méconnue malgré son audience.

Françoise Dolto fut une psychanalyste d'enfants et d'adultes. Son apport théorique et clinique à la psychanalyse des adultes est considérable. Ses travaux sur la sexualité[1] font date dans l'histoire de la psychanalyse.

Dans le domaine de l'enfance, l'œuvre de Françoise Dolto est « double ». Elle s'inscrit dans le champ de la psychanalyse et, au-delà de ce champ, dans celui, plus

---

1. *Sexualité féminine.* Ce travail fut présenté par Françoise Dolto en 1960 au Congrès de la Société française de psychanalyse, à Amsterdam. Il fut publié aux éditions Scarabée & Co/A. M. Métailié, 1982.

général, du savoir sur l'enfance. Elle a fait évoluer la théorie, la pratique et l'éthique de la psychanalyse des enfants, en modifiant d'abord la vision que l'on avait de l'enfant : elle le décrit vivant et réel, et apporte à son sujet un savoir concret. Elle ne parle pas uniquement de l'Œdipe, par exemple mais montre comment peut se traduire, concrètement, une problématique œdipienne dans la vie d'un enfant. À travers un matériel clinique considérable, elle fait apparaître, entre les grandes étapes structurales de son développement comme le sevrage et l'Œdipe, des moments dont on n'avait pas mesuré l'importance. Elle parlera, par exemple, de la période du « touche-à-tout[1] » et de l'« adresse acrobatique » qu'elle situe entre quatorze et dix-huit mois.

Elle révèle ainsi chez l'enfant des questions et des souffrances dont l'existence était passée inaperçue et assigne par rapport à elle un rôle à l'analyste qui, s'il n'a pas à intervenir dans la réalité de l'enfant, se doit cependant d'être actif, de l'aider dans la recherche qu'il fait des causes de son mal et d'énoncer, pour lui, les repères symboliques nécessaires à sa vie : son identité, son sexe, sa place dans la généalogie et les interdits fondamentaux — celui du meurtre, de l'inceste et de la sexualité entre adultes et enfants. À cet analyste, elle enseigne aussi la « lecture » du dessin d'enfant qu'elle apprit de Sophie Morgenstein[2], dans le service du professeur Heuyer[3] où elle avait fait un stage d'internat.

Enfin, elle pose les bases d'une éthique de la psychanalyse d'enfants, affirmant qu'adultes et enfants sont, face à l'analyse, égaux. L'enfant en analyse est, pour Françoise Dolto, un être majeur quant à son désir. Il est le seul à pouvoir dire s'il a ou non besoin d'une cure, quoi que puissent en penser ses parents et la société. Une fois le traitement entrepris, il a droit au même respect et aux

1. Voir « Situation actuelle de la famille » in *Les étapes majeures de l'enfance*, Gallimard, Paris, 1994, et aussi « L'enfant touche à tout », in *Lorsque l'enfant paraît*, p. 209, Seuil, Paris, 1990.
2. Sophie Morgenstein (1875-1940), psychanalyste formée par Eugénie Sokolnicka, devint membre de la « Société psychanalytique de Paris » en 1929. Elle était médecin mais son diplôme, obtenu en Russie, ne lui permettait pas d'exercer en France. Georges Heuyer l'accueillit dans son service et préfaça son livre, *Psychanalyse infantile, Symbolisme et valeur clinique des créations imaginaires chez l'enfant*, Denoël, 1937.
3. Georges Heuyer fut le fondateur de la première chaire de Neuropsychiatrie infantile en France. Françoise Dolto fit un stage dans le service qu'il dirigeait à l'hôpital de Vaugirard.

mêmes égards qu'un adulte. L'analyste n'a pas à diriger sa vie. Elle va même plus loin, affirmant que, si l'enfant a les mêmes droits qu'un adulte, il a les mêmes devoirs. Il a, lui aussi, un « prix à payer » pour son désir, un « prix à payer » s'il veut se soigner. On a rarement relevé cette idée — pourtant essentielle — dans l'œuvre de Françoise Dolto. Elle est sans doute trop révolutionnaire et trop subversive. Ce « prix à payer » se matérialisa dans une invention : le « paiement symbolique », un objet anodin, caillou ou timbre, que l'enfant doit apporter pour « payer » sa séance.

Cet enfant, dont le désir est le seul moteur possible de la cure, Françoise Dolto va aussi le poser comme « celui qui sait ». Jamais, comme elle, on n'avait renversé les positions au point de dire que, de l'analyste et de l'enfant, c'est l'enfant seul qui sait.

Françoise Dolto a donc inventé une forme de psychanalyse des enfants. Mais elle ne s'est pas arrêtée là. Son œuvre dépasse largement le champ de la psychanalyse. Son enseignement a agi de façon diffuse en induisant, dans les mentalités, des changements qu'il est difficile d'évaluer avec précision. Médecins, avocats, magistrats, travailleurs sociaux utilisent aujourd'hui l'apport de Françoise Dolto comme ils utiliseraient une encyclopédie sur l'enfance. Françoise Dolto ne s'est pas contentée, en effet, de parler des enfants. Elle les a fait entendre, utilisant pour cela son exceptionnel rapport à l'enfance ; un rapport d'une telle proximité qu'il n'en est pas d'autre exemple et qui s'exprimait en un talent particulier : celui de parler la « langue des enfants ».

L'expression « langue des enfants » est approximative et ambiguë car il n'existe pas de signifiants propres aux enfants. Elle rend cependant compte d'un fait patent : les enfants ont une façon particulière de s'exprimer. Les adultes le remarquent souvent sans en percevoir l'importance. Ils s'en émerveillent, en rient ou se racontent les « mots » de leur progéniture : les « têtes d'oreiller », « gros codiles » et autres « rhinoféroces ». Ils oublient parfois que ce langage est un extraordinaire révélateur de la façon dont les enfants ressentent les événements car ils parlent au plus près de ce qu'ils vivent. Et cela n'a, la plupart du temps, que fort peu à voir avec ce qu'en imaginent les « grandes personnes ». Les enfants « fabriquent » des mots, des expressions qui expriment une sensibilité qui leur est propre. Leurs constructions langagières traduisent leurs angoisses, leurs certitudes et leurs interrogations. Elles témoignent des repères qu'ils ont mis en place et de ceux qui leur manquent encore. Quand ils emploient le mot juste, celui dont se servent les adultes qui les entourent, c'est souvent en lui donnant un sens qui leur est personnel. Un beau-père pour un enfant, dit Françoise Dolto, c'est souvent seulement un père qui est beau... Cela n'a pas le sens d'une place dans la parenté.

Les adultes méconnaissent ce risque de malentendu parce qu'ils ont perdu en grandissant ce rapport au langage en même temps que les traces de leur sensibilité d'enfant. Sur le divan d'un psychanalyste, au prix d'un travail lent et laborieux, quelque chose en revient parfois qui s'est accroché à un mot. Mais l'essentiel en est à tout jamais perdu.

Si l'adulte essaie « d'entendre » un enfant pour ce qu'il est et s'il ne pratique pas la « confusion des langues », force lui est de constater qu'un enfant sera toujours pour lui, un étranger surgi d'un passé auquel il n'a pas accès. Un étranger certes « étrangement familier[1] » mais dont il ne peut plus percevoir les réactions qu'au travers du filtre de son vécu d'adulte avec toutes les déformations que cela suppose. Avant Françoise Dolto, des psychanalystes, rapportant des « cas » d'enfant, avaient souligné la façon dont il s'exprimait parce qu'ils y entendaient un rapport avec leur problématique. Mais personne n'avait vraiment accordé d'importance aux constructions et aux mots qu'emploient les enfants, tous les enfants. Ces mots, Françoise Dolto va les remarquer et entendre qu'ils expriment l'irréductible spécificité de l'enfance. Elle va même aller plus loin : elle va les enseigner aux adultes pour qu'ils parviennent à se faire comprendre des enfants : « J'ai écouté la façon dont les enfants me parlaient de leur malheur, et je me suis servie de leur vocabulaire après pour d'autres enfants. Par exemple, un enfant adopté ne dit pas "je suis adopté" quand on lui révèle, quand les parents lui révèlent. Il dit "j'ai eu une autre maman de naissance"... Beaucoup d'autres mots aussi m'ont été donnés par les enfants. »

Cette faculté de parler leur « langue » a permis à Fran-

1. Freud développe cette idée d'une familiarité étrange ou d'une étrangeté familière dans son article de 1919, « Das Unheimliche » : l'inquiétante étrangeté, in *L'inquiétante étrangeté et autres essais*, Gallimard, Paris, 1985.

çoise Dolto d'être de plain-pied dans le monde des enfants. Elle a pu ainsi percevoir l'importance de ce qui, pour d'autres adultes, n'aurait été qu'un détail. Pour la première fois, avec Françoise Dolto, les enfants ne sont pas vus d'« en haut » ou d'« à côté ». Ils sont vus de l'intérieur. Elle entendait ce qu'ils disaient comme un autre enfant l'aurait entendu et elle nous l'a restitué.

La révolution doltoïenne — car il s'agit bien d'une révolution — consiste à conjuguer l'enfance au présent et, à ce titre, son œuvre s'apparente à une découverte. Les articles, conférences et interviews publiés dans ce volume couvrent une période qui va de 1946 à 1989.

Parler à l'enfant, tel est le maître mot de l'enseignement de Françoise Dolto. Parler de tout, des petites et des grandes choses, aux grands comme aux petits. Parler même aux bébés qui ont, dit-elle, une compréhension intuitive de ce qui leur est dit[1].

Pour Françoise Dolto, l'éducation ne consiste pas à imposer à l'enfant une série de comportements. Il s'agit de l'aider à se construire en lui apprenant d'abord le respect de lui-même et il ne peut l'acquérir que si les adultes qui l'entourent le respectent[2]. L'enfant est un individu à part entière, si distinct de ses parents que ceux-ci doivent toujours l'« adopter », c'est-à-dire faire sa connaissance et l'accepter tel qu'il est. L'éduquer, c'est le respecter dans son corps, dans ses rythmes, dans ses désirs, lui faire connaître dès son plus jeune âge, son identité, son état civil, même et surtout si l'un de ses parents lui manque[3]. On lui doit la vérité sur son histoire, quelle qu'elle soit, même dans les situations les plus dramatiques[4]. À chaque étape de sa vie, on l'informe de ce qui le concerne[5].

Éduquer un enfant, c'est lui apprendre son corps, le monde, les règles[6] et les interdits de la vie en société. C'est l'aider à développer son sens critique[7] qui doit pouvoir s'exercer, même aux dépens des parents. C'est lui donner les moyens de se situer par rapport à toute sa parenté, dans le respect mutuel de l'inceste. Chaque enfant est un être

1. Cf. *infra*, « Le métier de parent », p. 7.
2. Cf. *infra*, « Comment former la conscience de nos enfants », p. 157. Voir aussi : « La première éducation est ineffaçable », *Les étapes majeures de l'enfance*, p. 47.
3. Cf. *infra*, « "Père et mère", "Papa(s)" et "maman(s)" », p. 35.
4. Cf. *infra*, « Dialogue avec les mères à Fleury-Mérogis », p. 253.
5. Cf. *infra*, « L'enfant et l'hospitalisation », p. 99.
6. Cf. *infra*, « Parler l'argent », p. 87.
7. Cf. *infra*, « L'enfant et les marchands », p. 93.

unique qui ne pourrait sans dommages être comparé à un autre de sa fratrie[1]. Une fois situé, l'enfant doit comprendre ce que Freud appelait « le principe de réalité ». Tous les désirs, en effet, sont légitimes et doivent être dits comme tels, mais tous ne sont pas réalisables.

L'enfant, aidé par les paroles parentales, doit mener avec lui-même une lutte pour renoncer aux satisfactions à court terme qui l'empêchent d'aller plus loin. S'il dérape et transgresse un interdit, il ne doit pas être assimilé à son acte : faire une chose méchante, ce n'est pas être méchant. L'enfant doit être instruit des limites et des dangers sans jamais être culpabilisé ou dénarcissisé.

Françoise Dolto s'attache aussi à expliquer l'importance du rôle des parents. Elle rappelle leur responsbilité et n'hésite pas à dénoncer quelques « idées reçues ». Une mère, par exemple, n'est pas forcément « bonne ». Elle peut, inconsciemment, donner à son enfant la place d'un objet fétiche ou celle d'un animal familier[2] sur lesquels elle exercera sa toute-puissance[3]. Mais, pour Françoise Dolto, tous les parents peuvent comprendre les problèmes de leurs enfants et résoudre nombre d'entre eux en étant simplement à leur écoute. Pour les aider dans cette tâche, elle évoque des situations qu'ils peuvent rencontrer : les caprices, les vols, les punitions, les séparations...

On retrouve dans ces articles et ces conférences ce style qui fascinait l'auditoire et que nous avons tenu à respecter le plus possible. On se rend compte d'ailleurs en le retrouvant combien ce langage sans fards, plein de vigueur est nécessaire à la compréhension de sa pensée.

Les néologismes ne sont pas rares. Ils évoquent à la fois le fonctionnement du mot d'esprit qui permet, comme Freud l'a montré[4], que du sens jaillisse tout à coup d'une construction de langage et la façon dont parlent les enfants avec des mots construits tout exprès pour dire ce que, ce jour-là, ils ont à dire.

Ainsi parlait Françoise Dolto, au plus près des enfants, au plus près de l'enfant en elle, au plus près de la vérité d'un combat, au plus près de l'inconscient.

Claude Halmos.

1. Cf. *infra*, « Que dire à nos enfants, comment agir avec eux ? », p. 107.
2. Cf. *infra*, « Le deuxième cordon ombilical », p. 153.
3. Cf. *infra*, « Les mères », p. 45.
4. Sigmund Freud, *Le mot d'esprit et ses rapports avec l'inconscient*, Idées, Gallimard.

Le métier de parents

« Questionnaire », TF1, 4 décembre 1977.

JEAN-LOUIS SERVAN-SCHREIBER : *Nous allons évoquer ensemble le plus passionnant et le plus délicat des problèmes : nos rapports avec nos enfants... Les faire n'est pas très difficile, surtout pour les hommes, mais les élever... Entre le moment où le bébé refuse de manger et celui où l'adolescent claque la porte de la maison familiale, les parents vivent des années d'inquiétude. Comment les discipliner sans les traumatiser ? Comment les aider à devenir autonomes sans perdre le contact ?*

Pour parler de ce métier de parents auquel nous ne sommes guère préparés, j'ai invité ce soir Françoise Dolto, médecin pédiatre et psychanalyste. Seule fille d'une famille de sept enfants, elle a dû elle-même lutter contre ses parents qui trouvaient normal que leurs fils fassent des études supérieures mais l'interdisaient à leur fille. Françoise Dolto s'acharna et devint, en 1937, une des premières psychanalystes françaises. Mais c'est par sa chronique à France-Inter que son nom et sa voix sont aujourd'hui connus du grand public. Chaque après-midi, elle répond aux lettres de mères et de pères qui vivent une difficulté avec leurs enfants. Françoise Dolto dit elle-même que ses conseils sont plus souvent ceux d'une grand-mère que d'une psychanalyste. Est-ce pour cela que son émission remporte un grand succès ? Des extraits de cette émission viennent d'être publiés dans un livre paru au Seuil sous le titre Lorsque l'enfant paraît. *C'est déjà un best-seller.*

Françoise Dolto, Freud, votre maître, a dit un jour à une femme, à propos des rapports avec les enfants : « Quoi que vous fassiez, ce sera mal. » Comment pouvez-vous encore donner des conseils ?

FRANÇOISE DOLTO : Parce qu'il faut bien faire quelque chose et y croire. Pendant que l'on réagit à une attitude d'enfant, il faut y croire, croire à ce qu'on fait. Mais il faut aussi savoir, lorsque c'est terminé, que la bonne éducation, c'est-à-dire l'éducation nécessaire, celle qui a fait un être humain, cette éducation-là doit être toujours contestée par celui qui a été éduqué. C'est en ce sens-là que Freud pouvait dire : « Il n'y a pas de bonne éducation. » C'est-à-dire que le jeune ne la trouvera jamais bonne. S'il la trouve bonne, c'est qu'il n'est pas devenu un adulte, c'est qu'il continue à être soumis, imaginairement, à la façon de faire de ses parents, comme si lui n'était pas devenu totalement autonome.

J.-L.S.-S. : *N'y a-t-il pas quand même des adultes qui se rendent compte et qui pensent* a posteriori — *je dois dire que je suis dans ce cas — que l'éducation que leur ont donnée leurs parents était bonne ?*

F.D. : Oui, mais très *a posteriori*. Il est probable que, vers quinze ans, vous aviez beaucoup de choses à critiquer de vos parents. C'est probable. Il y en a qui ont davantage de choses à critiquer, d'autres moins ; et puis, plus tard, on se rend compte surtout que les parents ont fait ce qu'ils ont pu, étant donné ce qu'ils ont reçu comme éducation, étant donné tout ce qui se passait autour d'eux, étant donné le milieu socio-économique, étant donné les barrages que chacun de nous rencontre et dont, adultes, on se rend fort bien compte. On se rend compte que les parents ont fait ce qu'ils ont pu et, finalement, on n'a plus rien du tout contre son éducation. Pourtant, si on avait gardé des bandes magnétiques de ce qui se disait, entre quatorze, quinze ans, entre jeunes : tous les parents étaient des monstres. Tous les adolescents sont Polyeucte.

J.-L.S.-S. : *Ce qui signifie ?*

F.D. : Il faut brûler les dieux qu'on a adorés.

J.-L.S.-S. : *Mais c'est un feu plus ou moins intense.*

F.D. : C'est un feu plus ou moins intense, suivant la façon dont l'enfant a appris à critiquer, justement, savoir critiquer ses parents et ses professeurs, quand il est petit. Je crois que l'incitation à la critique, dans le sens « au nom de quoi on juge », c'est ça l'éducation très, très tôt.

J.-L.S.-S. : *Au nom de quoi on juge : vous voulez dire au nom de quelles valeurs morales ?*

F.D. : Non. Les professeurs héritent de ce qu'on a à dire sur les parents et qu'on ne dit pas sur eux : « Pourquoi dis-tu de ce professeur ceci ou cela ? Et par rapport à qui ? » C'est toujours relativement à quelqu'un qu'une autre personne est jugée. Et je crois que l'autorisation de juger depuis qu'on est petit, de réfléchir sur les raisons pour lesquelles les parents agissent comme ils agissent — ce qui ne veut pas dire que les parents doivent changer leur manière d'agir — est nécessaire, que les parents doivent laisser l'enfant contester verbalement, parler, juger ce que les parents font. Je crois que c'est très important. C'était une notion qui était interdite dans l'éducation, et je crois que c'est important pour les parents.

J.-L.S.-S. : *Vous dites : les parents doivent permettre aux enfants de juger un professeur et même leur demander de formuler ce jugement, de l'exprimer. Est-ce qu'il est aussi souhaitable qu'un parent le fasse à l'égard de l'autre parent ? Ou est-ce que vous trouvez dommageable, au contraire, que le père parle à l'enfant de sa mère en lui disant : « Qu'est-ce que tu en penses ? »*

F.D. : À la rigueur, pourquoi pas ? Si les parents s'entendent, c'est la meilleure des choses. Les êtres humains s'entendent vraiment quand ils acceptent toutes leurs différences. Alors, si on peut parler des différences, ce qui, pour l'enfant, est, au départ un crime de lèse-majesté, c'est extraordinaire. « Je les aime pareil, j'aime mon père et ma mère pareil. » Ce n'est pas possible. Et les parents disent : « J'aime pareil tous mes enfants. » Ce n'est pas possible. Tous les ~~gens sont différents,~~ donc il y a une ~~attitude émotionnelle, affective, qui est complètement~~ différente d'un être à l'autre. Ce n'est ni moins ni plus, c'est autre chose. Et je crois que, si on enseignait aux enfants que la différence n'est pas en valeur — plus et moins — mais autre chose, on aiderait beaucoup les enfants à devenir autonomes.

J.-L.S.-S. : *Votre émission sur France-Inter a maintenant un petit peu plus d'un an. Que vous a-t-elle appris par rapport à ce que votre carrière vous avait appris jusqu'à maintenant ? S'agit-il d'un type de problèmes différent ? Comment ressentez-vous ce que les gens vous écrivent, à travers cette émission ?*

F.D. : Ce que je ressens, c'est qu'il y a une très grande différence entre les gens des villes, où il y a un équipement pédagogique très nuancé, très varié, et un équipement médico-psychologique, et les gens qui sont dans les campagnes, qui sont dans des bourgades éloignées des centres. C'est d'ailleurs pour cela que j'ai accepté de faire cette émission difficile : c'est pour aider des parents qui se rendent très bien compte que quelque chose ne va pas, mais qui ne savent pas à qui demander de soutenir leurs intuitions. C'est pour les aider, en soutenant leurs intuitions, à sortir leurs enfants des difficultés qui sont les leurs.

Il ne faut tout de même pas oublier que l'éducation se fait par intuition. Tout à l'heure, vous parliez de métier. Ce n'est pas un métier, c'est la chair vive, les parents sont impliqués dans leurs enfants, et tout ce qui se passe pour leurs enfants les touche vraiment profondément. Et un éducateur ne peut pas être éducateur avec ses enfants au sens où il est éducateur avec les enfants des autres. C'est impossible.

J.-L.S.-S. : *Les médecins préfèrent faire soigner leurs enfants par d'autres médecins.*

F.D. : Non seulement ils préfèrent, mais ça devrait toujours être comme ça. Malheureusement pour certains enfants, leurs parents médecins les soignent, et c'est très dommage parce qu'ils mêlent une intersubjectivité inconsciente à ce qui devrait rester, autant que possible, objectif. Un médecin n'est jamais tout à fait objectif vis-à-vis d'un patient, mais quand c'est un parent ce n'est pas possible.

J.-L.S.-S. : *Je trouve qu'il y a une petite contradiction dans ce que vous venez de dire. Vous avez dit : « Ce n'est pas un métier, c'est une sorte d'attitude et d'instinct profond d'être parent », et, en même temps, vous expliquez que les parents qui sont dans un milieu urbain, un milieu plus riche, donc qui ont plus de conseils, plus de soutien à l'exercice de ce qui est une fonction, sont mieux placés et ont moins de problèmes.*

F.D. : Je ne dis pas qu'ils ont moins de problèmes. Ils sont moins anxieux devant leurs problèmes parce qu'ils savent, même s'ils ne recourent pas à des conseils, qu'ils pourraient y recourir. Mais ce qui est différent ce n'est pas que les parents seulement sont aidés, c'est que les enfants sont aidés aussi.

J.-L.S.-S. : *Vous voulez dire au niveau scolaire ?*

F.D. : Oui.

J.-L.S.-S. : *Mais, en principe, l'enseignement est assez proche. L'enseignement public permet d'avoir un enseignement pour tout le monde.*

F.D. : Mais ils sont aidés par des psychologues scolaires. Ils peuvent être aidés. Ils peuvent aussi être gênés, mais ils ne sont pas gênés de la même façon qu'un enfant qui ne voit qu'un médecin à la campagne qui, celui-là, n'a pas compris. Quand un médecin, dans une région urbaine, ne comprend pas très bien, les parents vont vers un autre. À la campagne, il y a l'avantage d'avoir le même médecin qui connaît bien la famille, mais qui, quelquefois, est passé à côté ou ne connaît pas les problèmes psychologiques profonds de cet enfant, par exemple. Combien j'ai eu de lettres de mères me disant : « Le médecin dit que je m'en occupe beaucoup trop, c'est pour ça qu'il y a des conflits. » Mais non, ce n'était pas cela, il s'agissait d'autre chose. Mais on ne sait pas.

Je crois que c'est ça la différence : c'est qu'il y a une très grande disparité entre les parents qui sont loin des centres urbains et ceux des centres urbains. Et c'est cela que la radio peut aider à combler, c'est cette disparité, pour que tous se sentent soutenus et, en même temps, ne deviennent pas la proie de ceux qui savent, parce que je continue à dire que les parents sont les premiers qui savent.

J.-L.S.-S. : *Ils sont les mieux placés.*

F.D. : Oui, ils sont les mieux placés.

J.-L.S.-S. : *Toujours pour rester sur cette différence d'attitude des parents, est-ce que le fait que les parents soient, par exemple, de niveau d'instruction assez élevé en fait de meilleurs parents que des gens qui sont restés à un niveau d'éducation primaire ? Ou est-ce que ça ne fait aucune différence ? Qu'avez-vous observé ?*

F.D. : La différence ne vient pas de cela.

J.-L.S.-S. : *En principe, ceux qui ont une instruction plus élevée peuvent s'informer, peuvent avoir un plus grand accès à tous les conseils.*

F.D. : Ça se passe dans le conscient. Or, ce n'est pas ça. Dans l'éducation, ce qui se passe, c'est le respect de la personnalité particulière de chaque enfant. Cela peut se faire aussi bien chez quelqu'un qui est illettré, mais qui a l'intelligence du cœur, le respect de la personne chez autrui, aussi bien chez son enfant que chez les autres. Et c'est en même temps, peut-être, le temps passé à donner de l'amour à son enfant. Très souvent, les gens intellectuels ou instruits consacrent beaucoup de temps à la lecture, à la culture, et pas assez de temps à écouter la vérité qui sort des difficultés de l'enfant et — pas toujours des difficultés — de ce que l'enfant dit pendant le temps qu'on met à avoir des relations avec lui et à être vraiment en échange avec lui.
Les gens qui ont fait des études supérieures ont tendance à vouloir que leurs enfants atteignent un niveau d'études supérieures et, tant qu'ils n'ont pas atteint ce niveau, ils poussent pour que les enfants arrivent à s'exprimer parfaitement. Or, nous savons qu'un enfant qui s'exprime par-

faitement dans le langage grammatical ne dit pas ce qu'il a à dire ; il faut, parfois, avoir des fautes grammaticales pour que ce qu'il y a à dire d'inconscient passe. Il faut écouter. Bien sûr que, pour la scolarité, pour le langage parfait, il faut bien que l'enfant arrive à parler sa langue parfaitement, je suis tout à fait d'accord, mais il l'apprend par l'exemple : c'est en entendant parler parfaitement sa langue que l'enfant arrivera à la parler. Mais ce n'est pas en la corrigeant, pour qu'il dise parfaitement ce qu'il a à dire, car ce qu'il a à dire est un peu aliéné dans la régularité de la grammaire au début de sa vie.

J.-L.S.-S. : *Là, vous parlez d'enfants assez jeunes, qui n'ont pas encore parfaitement maîtrisé le langage.*

F.D. : Je parle d'enfants assez jeunes. On voit des parents à qui leurs préadolescents parlent avec des mots que vous connaissez — « vachement », des termes qui ne sont pas encore des termes du dictionnaire, ils le seront peut-être dans trente ans — et qui les empêchent de parler : « Tu parles trop mal. » Cela s'entend dans les milieux cultivés. Quand l'enfant se met à être passionné par ce qu'il dit, il ne le dit plus dans des termes châtiés. Et, à ce moment-là, il y a une rupture d'échanges parce qu'on ne peut rien dire. Si, tout d'un coup, l'enfant, dans la passion de la conversation, dit à son père : « T'es con ! », il ne veut pas dire à son père qu'il est con, il ne veut pas injurier son père du tout, mais il est pris dans la vivacité de l'échange, dans la passion de ce qu'il a à dire, et il voit son père, à ce moment-là, comme un camarade. Si le père marque seulement par un petit sourire : « Tu sais, tu pourrais arriver à me parler sans le dire comme ça », ça va. Mais si, sur le moment, il lui dit : « Tu ne sais même pas de quoi tu parles et regarde comme tu m'injuries », c'est fini.

C'est cela que je vois chez les parents instruits et chez les parents cultivés : ils empêchent le direct de la relation, que les enfants soient petits ou que les enfants soient plus grands ou même adolescents.

J.-L.S.-S. : *Vous dites donc qu'il faut laisser les enfants s'exprimer le plus naturellement possible. Et puis, en même temps, on a l'impression qu'au centre de tous les conseils que vous donnez, il y a l'importance considérable que vous atta-*

chez au langage, et au langage de part et d'autre. Lorsque vous parlez de difficultés, vous parlez de malentendus entre parents et enfants, c'est encore un mot qui se réfère au langage. Est-ce que vous pouvez expliquer le rôle aussi central que vous attribuez au langage dans la relation entre les parents et les enfants ?

F.D. : Je vous l'ai déjà montré dans le petit exemple précédent et je vous le dirai ensuite.

Lorsque quelqu'un s'exprime par la parole, il se sert du langage qui va coller le mieux avec ce qu'il a à dire et, en même temps, les sentiments, les passions qui passent à travers. Ce qui se passe chez les adolescents, c'est ceci : ils ont des sentiments qu'ils estiment nouveaux par rapport à la génération précédente, et il leur faut des mots nouveaux. Ces mots nouveaux choquent les personnes d'âge adulte. C'est là que je dis qu'il y a une difficulté de langage parce que les parents croient que ce que pensent leurs adolescents est très simpliste du fait qu'ils le mettent dans les mots-valises de leur âge. Or, ce n'est pas vrai, ce n'est pas simpliste. S'ils commencent à parler de cette façon, peu à peu ils arriveront à nuancer leur pensée avec les parents qui respectent cette première manière de penser. Cela concerne les adolescents qui prennent, si je puis dire, un nouveau langage et peu châtié.

Mais je parle maintenant des enfants petits. Il y a des mots dont les enfants petits ne comprennent pas le sens et qu'ils utilisent. Et les parents pensent qu'ils parlent de ce mot comme les adultes en parlent. Mais comme ils n'ont pas l'expérience qui est en dessous, ce mot veut dire tout autre chose. J'ai vu des cas vraiment malheureux où des fillettes de douze ans étaient repoussées comme des traînées dans les familles dites bien pensantes parce qu'elles avaient raconté ce qu'elles avaient vécu de sexuel avec un jeune homme. Et cela a été un drame dans ces familles parce que la fillette tenait à ses mots, et personne n'avait pensé, même pas le médecin qui avait vu cette jeune fille en premier, que ça ne voulait rien dire quant au corps à corps qui s'était passé : c'étaient uniquement des mots, par exemple. Cela se passe assez souvent quand des jeunes parlent avec des termes qu'ils entendent à la radio, qu'ils lisent dans les journaux bon marché. Ils disent des mots qui, pour les parents, font une image de corps à corps et qui ne le sont pas du tout. Ou même l'inverse : flirter, ça veut dire n'importe quoi.

J -L.S.-S. : *C'est aussi vrai pour des adultes. Ils se servent des mots pour déguiser.*

F.D. : Oui. Pour les enfants petits : par exemple, « elle a perdu son mari », eh bien elle n'a qu'à le chercher. Pourquoi fait-elle tant d'histoires, pourquoi vient-elle ici pleurer ? L'enfant ne comprend pas, si on ne lui explique pas. Et il dit après : « Comme elle est bête ! » « Veux-tu ne pas dire ça ! », au lieu de savoir pourquoi il le dit. « Elle est bête, cette dame. » C'est un exemple personnel, pendant la guerre de 14, je me rappelle : « Comme elles sont bêtes, ces femmes, elles viennent pleurer ici qu'elles ont perdu leurs maris. » C'était tout à fait au début et je n'avais pas encore compris que le mot « perdre » son fils ou « perdre » son mari voulait dire qu'il était mort. Pour l'enfant, il y a tout le temps des choses comme cela.

J.-L.S.-S. : *Je parle de la réception du langage par l'enfant. Un conseil que vous donnez m'a étonné, c'est de parler aux enfants quand ils ne savent pas parler. Vous semblez penser que les nouveau-nés comprennent ce qu'on leur dit et vous dites : « Dans l'inconscient, l'être humain sait tout dès qu'il est petit. » Pouvez-vous expliquer sur quoi vous appuyez cette idée ?*

F.D. : Sur les faits qui suivent et qui, d'ailleurs, ne sont pas élucidés. Est-ce parce qu'on a parlé à l'enfant et qu'il a entendu d'une façon sonore, auriculaire, sensorielle la parole ? Ou a-t-il saisi la communication interpsychique consciente et inconsciente de cet adulte avec lui ? Je n'en sais rien.

Ce que je sais, ce que j'ai appris en traitant des enfants en psychanalyse — vous savez que la psychanalyse est un traitement qui fait remonter le sujet dans son histoire et à travers le langage —, c'est qu'il y a des enfants qui vous rendent, sans savoir du tout ce qu'ils vous disent, des bandes magnétiques qui sont entrées dans leur mémoire, dont ils ne savent même pas ce que ça veut dire. Ils vous les rendent comme ça. Et on se dit : « Comment peut-il se souvenir de ça dont il ne sait même pas le sens ? »

Un petit peu comme les essais qu'on fait, sur des gens endormis, de leur faire enregistrer un message. Ils ne s'en souviennent plus quand ils sont réveillés mais quand ils sont sous effet d'hypnose, ils peuvent le redire.

L'enfant est un somnambule comme cela : il entend, il est en état d'hypnose par ses parents, il est dans un état qui est entre l'inconscient et le conscient, tout le temps, et il y a des choses qu'il enregistre, et qu'il enregistre directement.

Alors, pour la communication avec l'enfant, si l'adulte lui parle, rien que ça, ça prouve que l'adulte le considère comme une personne dans le langage. Or, les humains sont conçus dans le langage. Il n'y a pas d'humains qui ne soient pas conçus dans le langage. Dès l'origine, nous sommes baignés dans la relation que nous avons narcissiquement à notre corps qui est un langage. Mais il s'agit d'un langage qui n'est pas verbal. En effet, le langage n'est pas que verbal, il est aussi mimique, gestuel, fonctionnel : quand on a la gorge serrée par l'émotion, c'est un langage, une crise de foie c'est un langage.

J.-L.S.-S. : *Excusez-moi, mais il peut y avoir une confusion de mots. C'est une expression. Mais quand vous, vous parlez du langage, vous employez très souvent le mot au sens littéral qui est que les mots peuvent être perçus par des nouveau-nés, par exemple, les mots eux-mêmes. Est-ce bien cela ?*

F.D. : La preuve, c'est ce que je vous dis.

J.-L.S.-S. : *Mais s'il entend plus la musique que les paroles...*

F.D. : Je ne sais pas quand il vous rend exactement ces paroles. Mais je vous dis : « J'ai eu ces cas. »

J.-L.S.-S. : *Des paroles dites à la naissance et qui ressortent après ?*

F.D. : Qui ressortent, qui ressortent dans des séances d'analyse, dont l'analyste ne comprend pas le sens. Il demande alors aux parents. « Comment ? Il vous a dit ça ? Mais ce n'est pas possible ! » Etc.

Ou une langue étrangère entendue avant neuf mois. J'en ai eu l'expérience.

J.-L.S.-S. : *Pendant les neuf mois avant la naissance ?*

F.D. : Pendant les premiers neuf mois d'un enfant élevé par une nourrice de langue étrangère. Cet enfant, bien entendu, ne se souvenait absolument plus de ce lieu qu'elle avait quitté à neuf mois, mais, dans un rêve très important, elle a entendu des syllabes qui n'avaient pas de sens pour elle, accompagnées d'un sentiment de bonheur. Cet enfant était d'origine indienne et, grâce à de jeunes étudiants indiens, nous sommes arrivés à savoir que cela voulait dire : « Ma petite fille dont les yeux sont plus beaux que les étoiles », chose qui était tout à fait banale pour les nourrices du lieu où elle avait été élevée entre un et neuf mois.

C'est cela : l'inconscient est riche de ce langage bien avant que l'enfant ne parle. Et il n'est jamais trop tôt pour parler de ce qu'on éprouve vis-à-vis d'un enfant et le dire en paroles. On le met dans la relation. Et, en même temps, c'est un appel à la communication. L'enfant est très formé par l'information qui lui est donnée, et c'est une information inconsciente. Si vous parlez à un enfant comme vous parlez à un chien : « Mange, tais-toi, va te coucher... », vous n'éveillez pas cet enfant à s'exprimer lui aussi. C'est très simple : les enfants qui ne reçoivent que des injonctions d'ordres comme ça parlent, à deux ans et demi, de la même façon à leurs parents, et ceux-ci en sont tout étonnés : « Veux-tu être poli avec moi ! » Mais, pour ces enfants, on était poli avec eux, et ils sont polis quand ils disent des insanités agressives à leurs parents : « Fais ci, fais ça ! », « Veux-tu me parler autrement ! »

J.-L.S.-S. : *Vous donnez une importance tellement centrale au langage qu'on a l'impression quelquefois que vous réduisez l'importance des contacts corporels. La mode est, depuis une vingtaine d'années, de dire qu'il faut retrouver la capacité de contacts corporels, y compris dans les familles. Et vous, vous déconseillez, par exemple — c'est une chose qui m'a frappé —, ce que vous appelez les câlins incendiaires, vous semblez toujours craindre que des rapports corporels évoquent quelque chose de libidineux.*

F.D. : Mais à quel âge ? Ne mélangeons pas les âges. J'ai dit entre six et huit ans, à l'âge où nous le comprenons depuis que la psychanalyse a éclairé ces problèmes de sexuation et de sexualité qui se dessine, et qui se prend en charge à partir de six ans, c'est-à-dire le complexe d'Œdipe. C'est à ce moment-là que, si l'enfant veut avoir des privautés sensuelles, nous ne savons pas ce que nous faisons en les lui laissant prendre. Au contraire, en les lui laissant dire tant qu'il veut, parler sa tendresse, parler son amour, parler son désir, même impossible à réaliser, pourquoi pas ? Mais ne pas l'accompagner, à ces âges-là, de ce corps à corps qui est justement une fusion et qui peut pervertir les réflexes sexuels d'un enfant.

J.-L.S.-S. : *Mais n'a-t-on pas trop souvent reproché à l'éducation par exemple victorienne, anglo-saxonne, de maintenir les parents et les enfants à une trop grande distance corporelle. Dans une certaine mesure, il manquait quelque chose aux enfants qui n'avaient pas eu, au minimum, une certaine souplesse de rapports physiques avec leurs parents ?*

F.D. : Bien sûr. Il ne s'agit pas de les traiter comme quelqu'un qui n'a pas de corps. Mais le corps se vit en échanges kinétiques, en échanges de caresses entre l'enfant et ses parents, bien sûr. Mais pourquoi — et là, c'est dangereux — un enfant va-t-il dormir avec ses parents ? Un garçon évinçant le père contraint d'aller dormir dans le lit du garçon parce qu'il ne peut pas dormir quand l'enfant fait tout, à coups de pied, pour mettre son père en dehors du lit, et la mère absolument éplorée disant : « Oui, mais s'il ne dort pas ici, il ne va pas dormir, le petit. » Nous voyons des enfants être pervertis par des actes animés par de bonnes intentions des parents qui n'ont pas su mettre un barrage à quelque chose de dangereux.

Les lettres qui me sont envoyées sont des lettres de parents en difficulté, bien entendu.

J.-L.S.-S. : *Ce n'est pas le cas général. C'est quand même un cas limite : un enfant qui n'est pas sevré à vingt-deux mois...*

F.D. : Il faut parler la tendresse, mais il ne faut pas seulement du corps à corps sans paroles. Et c'est ce que je dis. Les parents couvrent leurs enfants de baisers, ils croient que c'est ça l'amour. Mais non, l'amour se montre aussi par d'autres gestes que de dévorer son enfant de baisers. Un enfant a fait une bêtise et il va aller câliner sa mère pour se faire pardonner : c'est imbécile, ce n'est pas de l'éducation. Le père ou la mère qui flanque une raclée et qui, lorsque l'enfant pleure, va le cajoler et l'embrasser : c'est de la vie de chiots humains, mais cela n'a rien à voir avec l'éducation. L'éducation, ça se parle : pourquoi l'adulte est inquiet de ce que l'enfant ait fait quelque chose. C'est l'inquiétude dans la direction de la vie, c'est le souci affectueux pour son enfant, ce n'est ni le battre ni le caresser. Ça fait partie, quelquefois, des échanges entre parents et enfants, mais ce n'est pas de l'éducation.

J.-L.S.-S. : *Vous n'êtes pas tout à fait contre le fait de les battre à certains moments ?*

F.D. : Des parents qui se maintiennent parce qu'ils ont besoin de battre leur enfant, il faut croire que l'enfant a besoin d'être battu, mais on n'en sait rien. Ce que je veux dire, c'est que tout cela n'est pas de l'éducation ; c'est la vie en commun de gens qui se supportent plus ou moins mal, qui ont des tensions qu'ils ne peuvent pas maîtriser. Pourquoi pas ? Mais qu'on sache que ce n'est pas de l'éducation.

J.-L.S.-S. : *Vous dites qu'il faut respecter les enfants. Il est déconseillé de se taper dessus entre adultes, c'est une marque d'irrespect particulièrement désagréable ; pourquoi laisseriez-vous des enfants être battus, même si ce n'est pas comme plâtre ?*

F.D. : Je ne laisse pas les enfants être battus.

J.-L.S.-S. : *Mais vous ne dites pas que c'est scandaleux.*

F.D. : Justement, je connais des enfants qui sont beaucoup plus agressés en paroles qu'ils ne le sont par les taloches de leurs parents qui passent comme ça, et c'est fini. Ce n'est pas du mépris, c'est parce qu'ils sont à bout de nerfs. Être à bout de nerfs et ne pas pouvoir se maîtriser, c'est dommage, mais on peut le dire à l'enfant après : « Tu sais, je suis très mauvaise éducatrice, je n'aurais pas dû te donner une paire de claques. » Il y a des mères qui sont bien capables de le faire, et des pères aussi. « Mais je t'aime. »

J.-L.S.-S. : *Mais est-ce qu'il faut dire : « Je suis très mauvaise éducatrice ou mauvais éducateur »*, *ce qui est un peu dévalorisant ?*

F.D. : Mais ça ne dévalorise rien du tout quand c'est dit. Rien de ce qui est dit n'est dévalorisant. Ce qui est dévalorisant, c'est de ne pas parler avec un enfant.

J.-L.S.-S. : *Dévalorisant pour les parents.*

F.D. : Pour les parents. Quand le parent reconnaît son tort, en disant : « C'est bien dommage, je n'arrive pas à me maîtriser, tu me mets les nerfs en pelote, tu le fais probablement exprès », peu à peu, le père dit : « Non, je ne veux pas marcher dans ton jeu, tu veux me mettre à bout, allez va-t'en. » C'est fini. Sinon, évidemment, ils entrent dans un jeu pervers où c'est l'enfant qui maîtrise son père. C'est le maîtriser que de tirer sur la cloche et que ça sonne. Il faut donc l'éviter.

Ce que j'essaye de faire, dans cette éducation, c'est que les enfants deviennent autonomes par rapport à leurs parents, à l'âge où ils peuvent le devenir. Être totalement autonome, c'est possible pour un être humain entre sept et neuf ans.

J.-L.S.-S. : *Après aussi, non ?*

F.D. : Bien sûr, mais c'est déjà possible pour un enfant, entre sept et neuf ans, de s'automaterner, s'autopaterner, c'est-à-dire de savoir tout ce qui lui est nécessaire dans ses besoins et de savoir se conduire dans ses désirs en reconnaissant ce qui est le plus important et le moins important. Mais tout cela s'apprend, d'une part, par l'exemple des parents et, d'autre part, par des conversations avec les parents à l'occasion de ratés de maternage et de ratés de paternage.

J.-L.S.-S. : *Vous attachez une grande importance — cela revient à plusieurs reprises dans vos explications — à la prohibition de l'inceste. C'est quelque chose, au fond, dont on parle peu, c'est un tabou, et je rapproche de cela le fait que vous déconseillez — ce qui a provoqué le courroux d'un certain nombre de naturistes — la nudité des parents devant les enfants, alors qu'on avait l'impression, de nos jours, que*

*c'était tout à fait naturel puisque cela fait partie de la vie
normale de se promener chez soi nu, dans la salle de bains, et
de ne pas avoir l'air de cacher quelque chose aux enfants.
Alors, qu'en pensez-vous ?*

F.D. : Oui, c'est extrêmement complexe. Et je dois dire que
je suis venue à cette idée à cause du courrier et à cause des
incidents que j'ai vus. Si la nudité est obligatoire, c'est aussi
pire, pour ne pas parler français, que si c'est obligatoire
qu'il n'y en ait jamais. Or, dans les familles naturistes, le
naturisme est une religion, et c'est dans ce sens-là que ça
devient dramatique dès qu'un enfant, lui, exprime de la
pudeur et ne veut pas, lui, faire du nudisme à la maison.
   Voici le courrier que j'ai reçu. « Mon fils ne veut plus
qu'on entre dans le cabinet de toilette quand il fait sa
toilette », « Mon fils ne se promène qu'habillé », « Mon fils
devient renfermé », etc. C'est une question d'âge. Il faut
dire que, lorsqu'il est petit, cela n'a pas d'importance
puisque l'enfant ne voit pas les formes, il voit de façon
globale. Mais l'âge auquel les formes deviennent intéressantes pour l'enfant, c'est l'âge de trois ans. À ce
moment-là, vraiment, la séduction et la beauté du corps des
parents sont immenses, même si les parents ne savent pas
qu'ils sont beaux. À cet âge, les parents sont ce qu'il y a de
plus séducteur pour l'enfant. Donc, sans que les parents le
sachent, ces enfants deviennent intéressés, beaucoup plus
tôt que les autres, par l'émotion sexuelle — la porte
d'entrée esthétique — qui se fixe, selon l'enfant, sur le père
ou sur la mère.

J.-L.S.-S. : *Là, vous parlez de deux problèmes différents.
D'un côté, vous dites qu'il y a des enfants qui ont besoin de
pudeur...*

F.D. : La pudeur apparaît à ce moment-là.

J.-L.S.-S. : *Mais est-ce que les parents peuvent se comporter
en fonction de ce qu'ils trouvent naturel ?*

F.D. : Pourquoi pas ? Justement, ce qu'il faut, c'est que les
parents se comportent comme ils ont envie de se comporter, mais qu'en même temps ils laissent les enfants faire
une défense passive devant le fait de les voir. Quand les

parents édictent ce naturisme et ce nudisme comme une religion qu'il faut donner aux enfants, on ne sait pas l'effet que cela provoque chez les enfants. Je ne le savais pas mais je l'ai appris par le courrier : j'ai appris par le courrier qu'ils arrivaient juste à l'opposé de ce à quoi ils voulaient arriver. Alors qu'un enfant qui n'est pas élevé dans le nudisme passionnel, c'est-à-dire le naturisme et que ses parents se promènent nus ou pas, il n'y fait même pas attention. Lui aussi, de temps en temps, il dit : « Tu pourrais peut-être faire attention. » Et puis c'est tout. Mais je crois qu'il y a un respect de l'enfant, comme d'un hôte à la maison. Si ses parents, avec un hôte à la maison, se promènent dans une totale nudité, pourquoi pas ? Ils le font devant leur enfant et devant l'hôte à la maison. L'enfant et l'hôte s'en défendront comme ils voudront, le jour venu, le jour où la pudeur de l'enfant arrive.

Sinon, on assiste à cette évolution d'enfants qui se ferment totalement à la relation avec leurs parents, en commençant à se fermer à leur nudité de corps ; et après, c'est la nudité des sentiments qui est une métaphore du corps. Les sentiments sont une métaphore du corps, mais le corps peut être une métaphore des sentiments. Voilà ce qui est dans la logique de l'inconscient.

J.-L.S.-S. : *Au cours de quarante ans d'observations, comment avez-vous vu changer les rapports et les problèmes entre parents et enfants ? Comment ce qui se passe dans la société actuelle est différent ou non de ce que vous avez connu au début de votre carrière ?*

F.D. : D'abord, la guerre a beaucoup changé les parents d'aujourd'hui. Ceux qui ont entre trente et quarante ans ont été marqués, qu'ils le sachent ou non, par le problème qui a marqué leurs parents eux-mêmes quand ils étaient jeunes, c'est-à-dire cette dichotomie du penser français. Même quand les parents n'ont pas été séparés brusquement par la guerre. Ils ont été frappés par le fait que, lorsqu'ils avaient six, sept ou huit ans, leurs parents s'opposaient à d'autres personnes de la famille ou à des amis sur la question du patriotisme, soit qu'ils y étaient opposés, soit qu'ils l'exprimaient de façon différente : Pétain ou de Gaulle. Pro-Europe, la paix enfin, quitte à être englobé par la grande Allemagne, et puis tant pis, une fédération européenne, et puis qu'il n'y ait plus de guerres, et puis d'autres, au contraire : l'ennemi dehors, et nous les Français... Sans compter qu'ils ont tous été frappés par l'impuissance de leurs parents à un âge où on croit les parents tout-puissants.

J.-L.S.-S. : *Vous parlez de ceux qui vivaient déjà au moment de la guerre. Ceux qui sont nés en 45 n'ont pas vécu cette expérience.*

F.D. : Non. Mais je vous parle de gens d'une génération qui a eu entre cinq et dix ans au moment du début de la guerre. Ce sont des gens — ils ne le savent peut-être pas — qui ont été profondément frappés par cette notion : on ne sait pas ce qui est bien. Et on en voit le reflet aujourd'hui, dans l'éducation. Autrefois, les gens élevaient leurs enfants, ils savaient ce qu'ils faisaient, et ils le savaient consciemment. Maintenant, ils ne savent plus ce qu'il faut, ce qu'il ne faut pas, et puis les journaux disent tout ça. D'ailleurs, ils écoutent les journaux ; je suis sûre qu'autrefois on n'aurait pas tenu compte d'un article de journal, on n'en avait pas besoin, les parents étaient convaincus que leur façon d'élever leurs enfants était la bonne.

J.-L.S.-S. : *Parce qu'ils la tenaient de leurs propres parents.*

F.D. : Parce qu'ils la tenaient de leurs propres parents dont ils n'avaient jamais eu à douter. Tandis que, là, ils ont eu à douter. Leurs parents eux-mêmes leur ont dit leurs doutes. Ils ont vu, ils ont eu l'exemple de parents partagés et ne sachant pas ce qu'ils pensaient.

J.-L.S.-S. : *Mais les parents des jeunes enfants d'aujourd'hui n'ont pas quarante ans ; ils ont plutôt entre vingt-cinq et trente-cinq ans, ils sont nés après...*

F.D. : Ils sont nés après, mais ils ont eu des parents qui ont été marqués par cette chose, d'une part. D'autre part, ils ne savent plus, étant donné qu'il n'y a plus le même style de vie familiale, ce qui est bien et ce qui n'est pas bien. Ils ne savent plus avec leur savoir et ils n'osent pas retourner à leur propre intuition.

J.-L.S.-S. : *Mais est-ce que, au fond, ce n'est pas un progrès de ne pas gober tout cru ce que disent les parents ?*

F.D. : Mais si. Vous me parliez de différences, je ne dis pas que c'est en mieux ou en moins bien.

J.-L.S.-S. : *Ça a l'air de les perturber.*

F.D. : Il y en a que ça perturbe. Mais comment voulez-vous comparer une génération de maintenant, qui vit dans d'autres conditions, à une génération d'autrefois ? Ce qui a changé c'est qu'ils n'ont plus de certitude comme en avaient autrefois les parents. Et c'est partout pareil : il n'y a plus de certitude pour la pédagogie, nous sommes dans une époque où chacun doit retrouver à la fois confiance dans son intuition et savoir s'autocritiquer tout en gardant des certitudes. C'est très difficile.

J.-L.S.-S. : *Mais trouvez-vous que, pour l'éducation des enfants, pour leur épanouissement, il est préférable d'avoir des parents qui donnent l'impression d'avoir des certitudes ou des parents qui expriment leurs doutes de manière tout à fait détendue ?*

F.D. : Je ne crois pas que ce soit préférable, parce que les parents sont comme ils sont. Mais ce qui serait souhaitable, qu'ils aient des certitudes ou des doutes, c'est que tous les adultes sachent que, lorsque l'enfant exprime quelque chose, cela a un sens et qu'ils essaient de le décoder, un sens de communication. Le moindre caprice a un sens. Il ne s'agit pas d'en empêcher la symptomatologie. Pourquoi pas calmer l'enfant ? En fait, cela n'avance à rien, il va recommencer après parce que c'est l'effet d'un malentendu. Or, il n'y a pas de malentendu qui résiste à la communication de ce que chacun pense. Mais, pour cela, il faut être dans les conditions pour pouvoir le dire. Il est certain que, quand un enfant est barré dans sa manifestation immédiatement, il ne pourra pas dire quelle était sa motivation, pourquoi il voulait faire ce qu'il fait et que les parents lui interdisent.

J.-L.S.-S. : *Mais très souvent, c'est un problème de temps. Vous avez dit : «Il faut que les parents donnent du temps à leurs enfants. » C'est ce qui leur est souvent le plus difficile, en particulier en milieu urbain. La plupart des femmes travaillent, dans une proportion presque des deux tiers. Comment peut-on pallier le manque de temps ?*

F.D. : Peut-être par la vérité dans le peu de temps des rapports qu'on a avec l'enfant. Il y a des moments importants, celui des repas que tout le monde est obligé de prendre ensemble. C'est peut-être à ce moment-là que la vérité pourrait passer.

Je ne crois pas que ce soit la longueur du temps qui compte mais l'intensité de la vérité dans quelques échanges, même très courts. J'ai vu des enfants dont les pères étaient extrêmement présents moralement pour eux, et qui étaient des gens en théâtre d'opérations extérieures, comme on disait. Ils recevaient une lettre de leur père ou ils écrivaient à leur père une fois tous les deux mois, mais le père était très présent. Pourquoi ? Parce que jamais il n'y avait aucun reproche ni aucune morale dans la lettre. Le père racontait ce qu'il faisait et il ne faisait pas de reproches à l'enfant, qui écrivait des lettres squelettiques, dans lesquelles il n'y avait presque rien : « Tu ne me racontes rien. » Mais le père, lui, il racontait, il écrivait personnellement et il n'écrivait pas sous le couvert de sa femme.

Je crois que, quand les parents ont une relation personnelle avec chacun de leurs enfants, il y a une vérité qui passe et, même s'ils ont très peu de temps, c'est très important. De même, quand un enfant confie quelque chose à un de ses parents, que ce parent, jamais, ne le redise à l'autre. C'est fantastique la confiance qui s'établit entre l'enfant et des parents qui disent : « Si tu veux que ton père le sache, ou si tu veux que ta mère le sache, je veux bien t'aider pour que tu arrives à le lui dire, mais ce n'est pas moi qui le lui dirai. » Ou bien : « Ce que tu m'as dit à moi, ce ne sera répété à personne. » C'est là que la confiance vient, même si les parents ont très peu de temps avec les enfants. Et si l'enfant a quelque chose d'important à dire, il trouvera toujours le moyen de se glisser, de fermer la porte : « Tiens, je veux te dire quelque chose. — Eh bien, tu as bien fait de me le dire. » Et puis c'est tout.

J.-L.S.-S. : *Vous disiez tout à l'heure, à propos des lettres, que ce qui crée des liens c'est qu'il n'y ait pas de reproches. Est-ce que cela veut dire que, quand on n'a pas beaucoup de temps, il ne faut pas faire de reproches ?*

F.D. : Quand on n'a pas beaucoup de temps, il ne faut pas faire de reproches. De même des mères disent : « Tu verras ça quand ton père va rentrer ! » Et puis l'enfant ne voit rien du tout ou, quelquefois, il voit quelque chose, c'est-à-dire que le père doit faire le gendarme et punir les enfants pour ce qui s'est passé quand il n'était pas là, alors que, justement, dès qu'il est là, cela ne se passe plus. À ce moment-là, on peut dire aux enfants : « Je sais que, si ton père était là, ça ne se passerait pas comme ça. Est-ce que tu ne peux pas arriver à faire comme si ton père était là, le reste du temps ? Parce que moi ça m'épuise. » Il y a des mères qui savent le dire, et quand le père arrive : « Alors, est-ce qu'ils ont été bien sages ? — Écoute, tu es là, on ne parle plus de rien. » Et, à ce moment-là, le père peut prendre à part un de ses enfants : « Vraiment, ça s'est bien passé aujourd'hui ? » Et très vite, cela s'arrange.

J.-L.S.-S. : *Mais vous donnez une image extraordinairement classique de la relation entre le père et la mère. C'est d'ailleurs une des choses que j'ai notées très souvent dans vos écrits : le père c'est l'autorité, la mère est à la maison et un peu débordée. Or, actuellement, ce n'est plus le cas pour la majorité des gens.*

F.D. : Et pourtant, il se passe la même chose, le peu de temps pendant lequel les parents sont là.

J.-L.S.-S. : *Comment peut-on concilier cette réalité avec le rôle de la mère que vous recommandez et qui est très traditionnel. Vous dites que c'est avec les mères que vous avez le plus souvent le dialogue, que ce sont elles qui, au fond, sont les véritables éducatrices, le père est beaucoup plus lointain. Est-ce que tout cela n'est pas en train de se démoder ? Est-ce que cela ne correspond pas, justement, à une génération précédente ?*

F.D. : Ce n'est pas démodable. Ce n'est pas démodable parce qu'on ne changera pas la biologie. On n'arrivera pas à greffer des fœtus dans le péritoine des hommes. Pour l'enfant, depuis qu'il est né, la mère le représente, lui, à l'état d'adulte. Aussi bien la fille que le garçon. Le premier visage et la première forme qui est bicéphale pour lui, c'est le maman-papa, qui devient après le papa-maman, mais c'est toujours le maman-papa devenant le papa-maman pour l'enfant, avant dix-huit mois.

J.-L.S.-S. : *Quelle est la différence entre le maman-papa et le papa-maman ?*

F.D. : La différence, c'est qu'il met en premier papa ou en premier maman. Aucun enfant ne dit : « La chambre de mes parents. » Ils disent : « la chambre de maman » ou « la chambre de papa ». Vous pourriez croire que les parents ne couchent pas ensemble. C'est parce que, s'ils disent maman, cela veut dire papa ; s'ils disent papa, cela veut dire maman. Il y a une triangulation inconsciente chez l'enfant qui fait que, quand il dit la mère, cela implique le père, à condition qu'il y en ait un, même s'il n'est que dans l'imaginaire de la mère et même si l'enfant ne le connaît pas. Il y a une situation triangulaire parce qu'à l'origine, l'être humain naît d'une situation triangulaire.

J.-L.S.-S. : *Mais pour revenir au rôle de la mère ?*

F.D. : Le rôle de la mère reste celui, fondamental, du sentiment de responsabilité de la mère. Vous ne pourrez pas le changer. Les femmes se sentent responsables continûment de l'enfant. Les pères ont une responsabilité discontinue, parce qu'il en a toujours été ainsi biologiquement.

J.-L.S.-S. : *On a dit aux filles qu'elles devaient se comporter comme cela et on a dit aux garçons qu'il était possible de se comporter autrement.*

F.D. : Mais le rôle peut être différent. Après quatre ans, l'enfant le comprend très bien. Nous en voyons beaucoup d'exemples. Quand les parents veulent élever leurs enfants à la maison et que, pour des raisons économiques, c'est le père qui interrompt son travail un temps parce que le travail de la mère ne peut pas être suspendu ou rapporte plus, tout naturellement, le bébé appelle son père « maman » et sa mère « papa ». Il sait très bien que l'un est un homme et l'autre une femme.

J.-L.S.-S. : *Cela veut donc dire qu'il y a une personne qui, pour l'enfant, a une relation plus intense avec lui : c'est celle qui s'occupe de lui.*

F.D. : Je ne sais pas si c'est une relation plus intense. La relation corps à corps n'est pas une relation plus intense, c'est autre chose.

J.-L.S.-S. : *Une relation plus fréquente, qui n'est pas nécessairement corps à corps.*

F.D. : Mais qui est peut-être beaucoup moins remarquée que la relation qui est discontinue. La relation au père, enfin à la personne qu'on ne voit pas très souvent, si cette personne a une présence effective avec l'enfant, cette relation donc est plus importante que la relation à celle qui fait partie des meubles, parce qu'elle est là tout le temps.

J.-L.S.-S. : *Oui, mais la vérité de la plupart des jeunes enfants urbains aujourd'hui c'est que, leur mère travaillant, très rapidement, au bout de quatre mois au maximum, ils ne la voient pas beaucoup plus que leur père.*

F.D. : Ce n'est pas cela qui compte. C'est que leur mère est à l'intérieur d'eux. Vous parlez toujours des choses qui sont conscientes, mais ce ne sont pas elles qui sont déterminantes pour un être humain.

J.-L.S.-S. : *Non, des choses vécues. Je ne sais pas quel est le terme exact.*

F.D. : Vécues dans le conscient, vécues dans les perceptions ?

Mais il y a une résonance de la voix de la mère que l'enfant a toujours entendue, du rythme de la mère qui résonne dans l'enfant jusqu'au plus profond de lui-même. La mère, de naissance, est quelque chose qui est irremplaçable, même pour celui qui ne l'a jamais connue. Je veux dire pas seulement mère de naissance, mais mère des premiers mois, celle qui a, la première, été la médiatrice du monde. Cette mère est vraiment conjointe à l'existence du monde.

Donc, ça ne m'étonne pas de donner l'impression d'être rétro. Mais ce n'est ni rétro ni pas rétro, c'est éternel : la mère est le continuum inconscient de l'enfant, il projette sur l'image maternelle ce continuum, et il projette sur le père un discontinuum enrichissant, tout en étant discontinu par rapport au continuum maternel. Cela est inconsciemment inscrit dans notre biologie à tous.

J.-L.S.-S. : *Mais, en disant cela, vous ne faites que renforcer la culpabilité qui existe un peu chez toutes les femmes qui travaillent en ayant des jeunes enfants, parce qu'elles ont...*

F.D. : Non, puisque ça ne change rien.

J.-L.S.-S. : *Si, ça change quelque chose puisque vous décrivez la relation à la mère comme plus centrale dans la vie de l'enfant que sa relation avec le père.*

F.D. : Mais c'est déplaçable sous une autre forme.

J.-L.S.-S. : *Ah bon. Mais, en même temps, c'est la mère de naissance — vous venez de le dire — qui est essentielle.*

F.D. : La mère de naissance reste essentielle pour l'enfant dans ce qu'elle va lui dire de la nourrice, par exemple. Il va chez une nourrice ; si la mère juge mal la nourrice, et est jalouse de l'affection de l'enfant pour la nourrice, elle peut, en effet, gêner cet enfant. L'enfant doit appeler la nourrice « maman ». Il y a des mères de naissance qui ne supportent pas que leur enfant appelle « maman » la nourrice. Un enfant a trente-six mamans, il n'a qu'une mère. Et c'est pourtant cette voix-là et la façon dont cette mère va parler de sa relation à sa nourrice qui vont frapper l'enfant, beaucoup plus que si c'est le père qui le dit.

J.-L.S.-S. : *Donc, le même type de rapports féconds et nécessaires peut s'établir avec des personnes de substitution ?*

F.D. : Mais bien sûr ! Surtout si la mère est reconnaissante à cette femme de la remplacer. Et, si elles ne changent pas trop souvent, ce ne sont pas ces femmes qui vont nuire à la structure unitaire à l'intérieur de l'enfant. Si c'est un kaléidoscope, cela prouve que la mère n'a pas une relation élective avec la personne de remplacement. En revanche, si la personne de remplacement est bien vue par la mère, comme quelqu'un qui fait ce qu'elle a à faire en suivant son intuition tout en le faisant différemment de la mère, l'enfant admet tout à fait que la nourrice, pendant la semaine, fasse d'une certaine manière et que, le week-end, la mère fasse autrement quand elle le lui dit : « Oui, elle fait très bien pour elle, moi je fais autrement. » L'enfant se structure très solidement quand on lui dit les différences en paroles au lieu de lui dire : « Il y en a une qui est mieux ou moins bien. » L'enfant dit : « Moi, j'aime mieux comme fait une Une Telle. — Bon. Ça, c'est ton affaire de trouver que c'est mieux. Moi, je trouve très bien les deux. »

J.-L.S.-S. : *Vous attachez beaucoup d'importance, effectivement, au triangle parents-enfant. Que se passe-t-il dans le cas, qui se pose maintenant de manière un peu plus fréquente, lorsque des femmes décident d'avoir des enfants, seules, parce que cela leur convient mieux et qu'elles ont envie d'avoir un enfant sans vivre en couple avec un homme ? Est-ce que cela pose un problème important et quel type de problème pour l'éducation de l'enfant ?*

F.D. : Oui, cela pose de graves problèmes pour l'enfant si la femme n'a pas, dans sa vie personnelle, des hommes. Si elle en a, l'enfant a en lui son père de naissance, il en a une projection. Ce qu'il faut comprendre, c'est que l'être humain, mâle ou femelle, à sa naissance, cherche, dans le monde extérieur, des êtres adultes qui, à son idée, le présentifient devenant adulte. C'est ce qui se passe. Quand cet être humain — par exemple, l'homme pour le fils — qui représente pour lui cette image de lui devenant adulte change trop souvent, quand il est tout petit, l'enfant ne se construit pas.

J.-L.S.-S. : *Mais il peut se construire...*

F.D. : ... ensuite et tardivement. Il se construit dans un état kaléidoscopique et il a un retard : un retard langagier, un retard moteur. Puisque le moteur, c'est du langage, le psychomoteur, c'est aussi du langage. Donc, il a un retard langagier dans différents secteurs, pas toujours les mêmes. Il peut ne pas avoir de retard verbal et avoir un retard psychomoteur, il peut ne pas avoir de retard psychomoteur et avoir un retard gustatif, par exemple, vouloir rester aux goûts d'un bébé, ne pas accepter la variété des goûts. Il faut qu'il garde quelque chose d'archaïque et de stable parce que ça bouge trop dans les identifications. Mais, à partir d'un certain âge, quand il sait qu'il a été conçu par sa mère grâce à un homme et que, pour cet homme, cela a eu un sens de donner un enfant à sa mère, à ce moment-là, la vie a un sens pour lui et il s'autonomisera peut-être beaucoup plus vite, c'est possible. En revanche, il y a un gros risque si la mère ne voit que des femmes, et que la relation triangulaire se fait avec deux femmes pour le garçon ou deux femmes pour la fille, quelque chose se retarde au point de vue du langage émotionnel génital. Bien sûr que les génitoires vont mûrir, mais ils vont mûrir comme des génitoires sans langage, c'est-à-dire animal debout, espèce humaine anonyme, parce que l'être aimé de la mère, l'être élu pour des relations sexuelles, c'est un être qui n'est pas du sexe de l'enfant ou qui, s'il est du sexe de l'enfant, est un rival insupportablement fort. Par exemple, une petite fille dont la mère a des relations homosexuelles avec une femme est dans une situation de déréliction par rapport à son sexe.

J.-L.S.-S. : *Qu'est-ce que cela veut dire, la déréliction ?*

F.D. : C'est une situation de désespoir, et jamais la petite fille ne s'en sortira. Parce que l'affection qu'une femme donne à une autre femme est autant une affection de type filial, maternel, sororal que conjugal. Donc l'enfant, l'enfant-fille n'a pas de place là-dedans. Quant à l'enfant-garçon, il projette ce que nous appelons le Phallus — la valeur pour sa mère — sur une femme, ce qui le fausse. « Il faudra que je devienne femme, elle est formidable cette femme. » Il s'identifie à une femme pour devenir homme. C'est-à-dire que c'est un mot qu'il ne comprend pas très bien mais qui est celui-là : c'est un homme lesbien. Les enfants se structurent avant sept, huit ans. Après, ça n'a plus aucune importance.

J.-L.S.-S. : *Mais la liberté des parents, sur le plan sexuel, est assez limitée dans ce domaine, s'ils sortent des cadres classiques.*

F.D. : Mais qu'est-ce que cela veut dire ? Les enfants seront différents, mais ils ne seront ni plus malheureux ni moins malheureux pour cela. Ils seront différents.

J.-L.S.-S. : *Vous dites par exemple que, dans ce cas, un garçon peut devenir ce que vous appelez un homme lesbien.*

F.D. : Pourquoi pas ? Il sera peut-être très heureux.

J.-L.S.-S. : *Donc, vous ne considérez pas que ce soit négatif ?*

F.D. : Ce n'est pas une critique. Ce n'est pas une critique en bien ou mal, ce que je dis. Je dis que cela structure autrement l'adulte dans ses choix éventuels. Il y a un certain déterminisme qui se joue. Mais tout peut se vivre et cela ne veut pas dire que les gens seront malheureux.

C'est difficile, quand on parle en psychanalyste, parce qu'on n'a aucun jugement de valeur. Ce n'est ni bien ni mal, c'est un jugement énergétique, c'est une structure qui se développe. C'est comme un poirier en espalier ou un poirier en liberté : je ne dis pas que c'est bien ou mal.

J.-L.S.-S. : *Une dernière question. Dans une interview à* Lire-Magazine *vous dites : « Pourquoi ne pas être névrosé si cela vous aide à vivre ? » C'est surprenant dans la bouche d'une psychanalyste. Qu'est-ce que vous entendez par là ?*

F.D. : Il y a des névroses qui sont constructives et des névroses destructives pour l'individu qui a cette névrose. Nous parlerons ensuite de la relation de cet individu aux autres. J'appelle une névrose constructive une névrose dans laquelle il y a des refoulements de pulsions mais au travers de laquelle les pulsions s'expriment et apportent au sujet du plaisir, de la puissance, et est, en même temps, utile au groupe.

J.-L.S.-S. : *Une création, une sublimation dans l'écriture.*

F.D. : La créativité vient d'une localisation des pulsions et donc d'un choix, parfois, inconscient. Or, le choix inconscient se passe avec des refoulements qui sont une certaine épreuve pour la totalité économique énergétique de cet individu, mais qui peuvent s'exprimer d'une façon tout à fait créative. La civilisation est portée par des gens névrosés qui réussissent. Personne ne peut vivre sans jouissance, je veux dire sans jouissance inconsciente. Par exemple, être hypocondriaque, se croire malade de partout, c'est être très malheureux d'être malade de partout, mais grâce à cela, l'individu a sa jouissance, en termes psychanalytiques, en termes de psychologie dynamique. Un hypocondriaque, ce n'est pas mal, il fait travailler les médecins, s'il a de l'argent, il fait aussi travailler la Sécurité sociale, malheureusement d'ailleurs — l'hypocondrie est, avec la retraite, une des choses qui fait le malheur de la gériatrie — mais c'est, par exemple, une névrose qui se déclare au moment de la retraite. Pourquoi ? Parce que la focalisation des pulsions ne se fait pas dans la direction qui était créatrice, tout se retourne sur le corps si le retraité n'a pas quelque chose qui l'intéresse sur le plan des échanges culturels avec autrui. Voilà une névrose qu'on peut dire expérimentale.

J.-L.S.-S. : *On peut dire que ce n'est pas forcément mauvais pour lui puisqu'il trouve son équilibre.*

F.D. : Voilà. Alors, là, c'est par rapport à lui-même. Il y trouve son équilibre. Mais il y a des névroses où les gens se minent, se détruisent, ne restent pas créatifs et font des régressions soit psychosomatiques, soit intenses de déstructuration et avec une espèce de contamination de déstructuration pour leur entourage. C'est en ce sens-là que la névrose peut être douloureuse à vivre pour les enfants de névrosés parce que, les parents s'interdisant le plaisir dans une direction, ils se mettent à interdire à l'enfant le plaisir dans cette même direction, ou se l'interdisent sans même le savoir. C'est tabou, pour eux. Vous disiez tout à l'heure que l'inceste est, en fait, le seul tabou de notre société parce que, si l'inceste n'était pas tabou, nous ne serions pas des êtres de langage, nous serions des êtres de corps si, constamment, et dès le début, nous avions la possibilité du désir de corps à corps total avec les parents. Mais c'est dans toutes les sociétés, même en Orénoque-Amazone et c'est extraordinaire, ce tabou, chez l'être humain. Dans la névrose, il y a des tabous qui prennent autant d'importance que l'inceste et qui n'en sont absolument pas. Et c'est cela la névrose : c'est de bloquer les énergies des gens dans un imaginaire qui interdit de vivre, il n'y a même plus alors de place pour un imaginaire créatif.

J.-L.S.-S. : *Françoise Dolto, je vous remercie.*

« Père et mère »
« Papa(s) » et « maman(s) »

Avec l'aimable autorisation de
Francis Martens et Rachel Kramerman,
juillet 1979.

Il faut expliquer aux pères et aux mères de jeunes enfants ce que, pour un enfant, signifient ces mots : « père », « mère », « papa », « maman ». Ce que parler veut dire, chez un enfant, n'est pas du tout la même chose que ce qu'imaginent les adultes. De nos jours, la plupart des jeunes enfants sont mis, très tôt, au contact d'autres personnes, une nourrice, une personne à domicile qui garde l'enfant pendant que la mère travaille, à la crèche et, extrêmement tôt, à la maternelle, souvent dans une garderie, dans des groupes d'enfants et dans des colonies de vacances. De nombreux parents souffrent de ce que leur bébé nomme « maman » les personnes qui prennent soin d'eux pendant la journée, à l'école ou dans des petits groupes d'enfants, et « papa » les compagnons de ces personnes ou les autres éducateurs mercenaires qui travaillent dans ces divers lieux de garderies d'enfants. Or, cette souffrance de jalousie est tout à fait hors de propos. Il faut que les parents comprennent ce que veulent dire pour un bébé, pour un jeune enfant, les mots « papa » et « maman ».

« Maman » et « papa », cela signifie l'homme et la femme qui, au moment où l'enfant parle, sont ressentis comme une sécurité, présente dans un corps de femme ou dans un corps d'homme. Tous les adultes sont, pour les enfants, des papas et des mamans. La mère de naissance, le père de naissance sont irremplaçables. Ils sont les géniteurs, ils

35

sont responsables de l'existence de cet enfant face à la société et au monde. C'est cela qui doit être expliqué à l'enfant. Il faut lui expliquer que, même si le père est absent de la maison, même si l'enfant ne porte pas le nom du père mais celui de la mère restée célibataire, malgré le divorce de ses parents, l'union de son père de naissance et de sa mère de naissance, qu'il les connaisse ou non, cette union est indéfectible, une union dont son corps vivant est la preuve vivante, et que cette indéfectibilité ne sera dissoute qu'avec la mort physique de l'enfant. Un père et une mère de naissance sont aussi ceux qui reconnaissent leur responsabilité de cet enfant vis-à-vis de la loi et qui l'assument. Ils sont père et mère légaux.

Deux adultes vivent ensemble de façon momentanée ou durable. La mère de naissance est célibataire, elle vit et partage le lit et le quotidien avec un homme. Eh bien, si la mère n'explique pas à l'enfant que cet homme n'est pas son père de naissance, il y a confusion pour lui, car il sait intuitivement que sa mère est sa génitrice. Ce monsieur, compagnon de sa mère, c'est un papa, mais ce n'est pas son père. Peut-être deviendra-t-il son père de cœur, son père légal, son père adoptif, mais ceci doit être expliqué extrêmement tôt à l'enfant : « Je suis ta mère et ta maman, lui n'est que ton papa, pour l'instant il n'est pas ton père. » Ou bien, au contraire, le papa est son père, dans le cas où le père géniteur et la mère génitrice vivent ensemble — ou séparément — mais où l'enfant les connaît tous les deux. Il est essentiel que l'enfant, de nos jours, soit informé très tôt du sens qu'a le mot « père » par rapport au mot « papa », du mot « mère » par rapport au mot « maman ». On a trente-six mamans, on n'a qu'une mère. On peut avoir trente-six papas, on n'a qu'un père. On peut aussi ne jamais connaître son père de naissance et, pourtant, avoir dans son for intérieur, dans sa vie imaginaire et dans sa vie symbolique, une notion très juste de ce qu'est le père, précisément parce que tout être humain a été conçu d'un père et d'une mère de naissance, même si l'un des deux disparaît quant à la prise de responsabilité de cette vie, née de lui avec un autre. Dans la réalité, le père fait défaut à l'enfant, mais l'important c'est que l'enfant puisse en parler et connaître son histoire.

« Père et mère de naissance », cela doit aussi être expliqué très tôt, au jour le jour, devant lui et à lui, à un bébé.

Cela se fait d'ailleurs tout à fait spontanément, sans que les parents s'en aperçoivent, par l'exemple des amis et des connaissances, quand ils forment des couples dont naissent des enfants et que cela donne des familles. Mais il arrive un jour où tout enfant pose la question : « Où étais-je avant ? où m'as-tu pris ? d'où est-ce que je viens ? où étais-tu avant de connaître papa ? où étais-tu avant de connaître maman ? », etc. L'éducation très précoce, facilitée d'ailleurs par les photos, a pour rôle d'expliciter à l'enfant ce qu'est une mère génitrice et un père géniteur, ce qu'est une mère qui accouche, une mère qui nourrit son enfant au sein ou au biberon, un père qui assume la responsabilité de son enfant, un père qui lui donne son nom devant la loi au moment — ou non — où il donne ce même nom à sa femme, en l'épousant. Tout cela est dit très tôt devant les enfants par les personnes responsables des crèches et des écoles maternelles. L'état civil fait partie de tout ce que l'enfant entend dire, mais on omet souvent de le dire, à lui, on parle de lui mais non pas à lui, et c'est un tort car il peut en conclure qu'il ne doit pas savoir. Il ne faut pas le laisser dans le flou, le laisser croire n'importe quoi sur ce qu'il entend dire. Chaque enfant doit très tôt, au plus tard à l'entrée à la maternelle, connaître l'histoire de sa naissance, dans quelles paroles, dans quels sentiments familiaux et individuels se sont enracinées, chez ses parents, les prémices de sa vie, c'est-à-dire comment son histoire a commencé. Cela d'ailleurs devrait être raconté dans toutes les maternelles, à tous les enfants, pour que chacun puisse en parler à la maison, et reparler ensuite à l'école de ce qui lui aura été dit à la maison. C'est à la maîtresse alors d'expliquer, à tous les enfants, les cas particuliers afin que chacun soit enraciné dans sa propre histoire qui aboutit à ce qu'il y ait un citoyen qui commence à vivre sa vie sociale. C'est une histoire belle et noble puisqu'un être humain en est né. C'est de cette façon que nous aiderions les enfants et les parents à comprendre les différents sens des mots « papa », « maman », « tonton », « parrain », « marraine ». C'est à l'école que ce vocabulaire pourrait être explicité. Je souhaite vivement qu'il y ait une modification de l'école autour du vocabulaire de la parenté et de l'état civil. Dès la maternelle, dès les premières classes, c'est-à-dire au moment où l'enfant doit répondre à l'appel de son nom, il doit savoir pourquoi il a ce nom-là, apprendre à écrire son nom et son prénom, celui de sa mère, de ses frères et sœurs qui, parfois, ne portent pas le même patronyme, le nom de son père qu'il connaît comme tel, qui ne l'a pas reconnu et qui néanmoins est son père. Être un garçon ou une fille de trois, quatre ans jusqu'à cinq, six ans, c'est savoir dans quelle famille ce corps a pris naissance, et c'est connaître les vocabulaires de la parenté qui rendent compte des relations que l'enfant a avec les diverses personnes qui ont assumé sa vie jusqu'à ce moment présent où l'enfant est — ou pourrait être — capable de se subvenir à lui-même et de vivre en société, pour peu que l'éducation que l'école donne à tous l'y aide. Il n'y a d'éducation à la sexualité et à la morale sociale que par la délivrance à la fois du vocabulaire de la parenté, personnalisé pour chaque enfant, et des devoirs, des droits et des interdits liés au fait de porter tel nom, ou d'être désigné par telle parole par les adultes que l'enfant connaît, qui l'entourent et qui lui ont appris à se connaître.

Tout papa et toute maman, qu'ils soient ou non le père ou la mère de naissance d'un enfant, sont des délégués actuels, implicites ou explicites, des parents géniteurs pour l'entretien et la tutelle de leur enfant. Lorsqu'il s'agit de personnes autres que ses géniteurs, et que l'enfant les nomme « papa » ou « maman », il faut que les adultes qui fréquentent ces familles aident les pères et mères de naissance à comprendre ce que leur enfant exprime de reconnaissance et d'affection aux personnes qui l'ont pris en charge, pendant que ses parents, eux, gagnaient la vie de la famille. Il faut aider les pères et les mères pour qu'il n'y ait plus de rivalité entre eux et les personnes qu'ils chargent d'élever leur enfant. Quand un enfant nomme « maman » sa nourrice, il prouve qu'il va bien et il exprime au jour le jour, « à l'heure l'heure », sa relation saine et confiante avec cet adulte qui s'occupe de lui. Cela n'entache en rien son amour et sa connaissance de sa mère de naissance et de son père de naissance. Il ne faut donc pas que les parents soient jaloux, mais qu'ils soient compréhensifs et qu'ils parlent avec leur enfant de ce qui a précédé sa naissance, leur amour, sa conception, leurs sentiments lors de sa gestation et la joie ou l'angoisse — si c'est la vérité — de voir leur union se réaliser, se concrétiser sous la forme de ce bébé, lui, et, quand il est né, leur joie, leurs difficultés aussi pour l'avoir mis au monde, de lui avoir donné ou de n'avoir pas pu lui donner leur nom, et tout ce bonheur en échange qui s'est vécu autour de lui et qui a fait, au jour le jour, la santé de ce petit bonhomme ou de cette petite bonne femme, sa relation aux autres qu'il a rencontrés et aimés grâce à ses parents.

J'ai eu à connaître, ces dernières années, de nombreux cas d'enfants qui nommaient leur père « maman » et leur mère « papa ». Les parents qui m'ont parlé de ces anomalies du vocabulaire de leur enfant en étaient très soucieux. Il s'agissait de cas où le rôle maternant était tenu par le père parce qu'il travaillait à domicile, et le rôle paternant était, si l'on veut, tenu par la mère, en ce sens que c'était elle qui partait au travail le matin et qui revenait le soir. Il y a maintenant un certain nombre de couples qui vivent ainsi, dans la vie moderne, et pourquoi pas ? Un homme peut s'occuper d'un bébé aussi bien qu'une femme. Il ne faut pas non plus que les parents soient étonnés ni inquiets de l'enfant qui intervertit ces mots « maman » et « papa » pour les désigner. C'est une linguistique affective de bébés. C'est tout de même très curieux. En avoir tant de témoignages m'a, moi-même, beaucoup étonnée et appris sur le langage premier. Ce qui est très intéressant, c'est qu'à tous ces parents inquiets de la sorte, j'avais dit : « Demandez à votre petit garçon ou à votre petite fille qui est le monsieur, qui est la dame. » Eh bien, dans tous les cas, il n'y avait absolument aucune erreur : « maman » c'était le monsieur, « papa » c'était la dame. Il n'y avait donc aucune confusion quant au père de naissance et quant à la mère de naissance. Il s'agissait seulement du vocable « maman », une labiale douce, et du vocable « papa », une labiale dure. Celui qui assurait la vie continue de l'enfant, la nourriture, les soins physiques était associé à une labiale douce, et la personne qui assurait « le quitter et le retrouver » avec cet adieu du matin, cette retrouvaille du soir, était nommée par une labiale dure, une façon de parler un ressenti relationnel distinct et différent. Pas d'erreur en ce qui concerne le sexe de chacun, pas d'erreur sur qui était le mari et qui était la femme de l'autre. Ces cas particuliers nous font comprendre que jamais un enfant ne confondra père et mère de naissance si cela lui est explicité à temps, et que nommer quiconque « maman » ou « papa » est un signe de confiance d'un enfant pour un adulte, qui ne signifie absolument pas une erreur sur la personne ni sur son lien de sang, son lien d'amour génétique et familial avec elle.

J'entends déjà les réticences. Il est vrai que certains enfants ont été, au moment de leur gestation et de leur naissance, un véritable problème pour leur famille. Je ne parle pas seulement des enfants qui ont été « donnés » — je préfère ce mot à celui d'« abandonnés » — à l'Assistance publique en vue d'être éventuellement adoptés plus tard. Lorsque, à l'école, la maîtresse peut parler en confiance avec la personne qui amène un enfant, cette personne dont la vie de l'enfant dépend en dehors des heures scolaires, elle peut apprendre, pour en instruire l'enfant, les éléments de son histoire première. Eh bien, beaucoup d'entre vous seront peut-être étonnés, mais aucun enfant perturbé par un début d'histoire douloureux pour lui comme pour ses géniteurs, quelle qu'en ait été la suite, aucun enfant à qui la vérité est dite sur les complications que sa venue au monde et son existence ont provoquées pour les parents qui ont accepté sa gestation et sa naissance, aucun enfant pour qui ces complications ont abouti à être confié à une institution d'Assistance publique, aucun de ces enfants ne conserve de perturbations lorsque la vérité lui est dite sur le début de sa vie par quelqu'un qui, en lui parlant personnellement, ennoblit son existence qui a résisté aux difficultés et qui, ainsi, fait honneur à ses géniteurs puisqu'il a pu survivre aux difficultés de la réalité dont sa naissance a été le signe pour ses géniteurs. Il n'y a donc aucun obstacle, ni pour la vie inconsciente ni pour la vie consciente de l'enfant à ce qu'il soit instruit de cette réalité dans le sens que je dis. Au contraire, ce sont les enfants à qui on ment depuis qu'ils sont petits en leur racontant n'importe quelle histoire fausse sur ce qu'ils ont vécu et dont tout leur corps a inconsciemment la mémoire, ce sont ces enfants-là, qu'ils vivent ou non en famille, qui sont perturbés précoces. Maintenant que nous avons compris cela par la psychanalyse, nous sentons, nous les psychanalystes, que notre devoir est de parler aux enseignants et à la société en général qui prend très tôt, en tout cas à partir de trois ans, le relais de la famille nourricière, que ce soit la famille génétique de l'enfant ou non. Nous avons compris que cet enfant a le droit de savoir qui il est et quelles épreuves il a vécues et surmontées pour être là. Les mots sont libérateurs de joie et d'amour interhumain, même si ces mots sertissent dans leur vérité une peine qui a été intégrée par cet être humain corps, intelligence et cœur. Mais lui retirer le savoir qui le concerne, c'est le priver non seulement de sa vérité, mais de son authenticité émotionnelle et du levier qui est le sien pour atteindre aux plénitudes de ses potentialités.

Tout ce vocabulaire et ces paroles délivrés par les instances éducatrices à l'âge de la maternelle puis plus tard au début des classes primaires quand l'enfant apprend à écrire, d'une façon qui fait sens pour lui, son prénom et son nom, le prénom et le nom de ses parents, de ses frères et sœurs, de ses oncles et tantes, de ses grands-parents, cela devrait être explicité dans les classes où l'enfant sait déjà lire et écrire, c'est-à-dire vers sept ou huit ans ; puis il devrait apprendre ce qu'est un arbre généalogique. Le vocabulaire de la parenté c'est pour le début de la vie, ensuite c'est l'arbre généalogique. Pourquoi ? Parce que beaucoup d'enfants confondent de nos jours les familles paternelle et maternelle, ce qui n'arrivait jamais dans les campagnes autrefois. Maintenant, dans les villes où les familles vivent d'une façon nucléaire, père, mère, enfants, un ou deux ou trois, et appellent les voisins « tonton », les voisins âgés « grand-mère » et « grand-père », les enfants sont « paumés » en ce qui concerne la famille génétique et la famille d'amis, si l'on peut dire. C'est à l'école d'apprendre aux enfants la différence entre ces mots et des mots enracinés dans une vérité biologique, affective et légale. Pourquoi ? Mais parce que c'est le seul enseignement fondamental de la seule loi fondamentale — seule loi aussi de la sexualité — qui est l'interdit de l'inceste. De nos jours, lorsqu'on s'intéresse à cette question, il est banal de constater que beaucoup d'enfants scolairement « normaux » confondent les familles maternelle et paternelle, parlent d'un frère de la mère qui est marié avec une sœur de la mère, d'un grand-père maternel qui est marié avec la grand-mère paternelle. C'est tellement banal que cela commence à inquiéter des psychanalystes, et nous nous demandons si ce désordre de la logique génétique n'est pas, pour beaucoup d'enfants, une des causes du désordre dans l'assemblage de la lecture, des lettres et l'écriture. Et c'est tout à fait inconscient, mais des études ont montré, par exemple, que lorsque des grands-parents habitent loin, que les enfants les voient rarement, si les grands-parents habitent un petit pavillon à la campagne, alors il n'y a aucune erreur, ce grand-père ou cette grand-mère qui habite à tel endroit, ils savent que c'est le père ou la mère de leur mère, ils le savent d'une façon très émotionnelle et inconsciente, sans doute parce que, en visitant ce grand-père ou cette grand-mère, leur père ou leur mère racontent leurs souvenirs d'enfance dans ces lieux où habitent leurs parents. Au contraire, les enfants dont les grands-parents habitent des grands ensembles, des immeubles à étages qui n'ont pas été les lieux d'enfance de leurs parents, sont aussi les enfants qui mélangent complètement les notions et croient que le grand-père maternel est l'époux de la grand-mère paternelle. Il faut donc que les éducateurs redressent, par des paroles, des confusions qui sont dues à un manque d'explications par les parents lorsque l'enfant était petit. Nous ne pouvons pas toucher tous les parents pour qu'ils comprennent cela et c'est dès la maternelle et dès les premières classes de l'école qu'il faut éclairer les enfants sur les confusions qu'ils peuvent faire. Il est impossible à un citoyen ou à une citoyenne d'atteindre la maturité d'un enfant de neuf ans, c'est-à-dire une autonomie sociale dans la morale sociale, si ces notions ne sont pas claires pour lui. Le commencement, l'origine du tien et du mien se fait dans le corps mien. Le corps mien n'est devenu mien que parce que ma mère et mon père miens me l'ont dit être le mien par l'affection qu'ils avaient pour moi, parce que j'étais à eux, leur enfant. Je pense que pour beaucoup de mes lecteurs, cela paraît très spécieux. Mais qu'ils observent, qu'ils interrogent, qu'ils s'observent eux-mêmes et qu'ils se souviennent eux-mêmes de la confusion qui était la leur par rapport aux familles latérales s'ils vivent dans des villes depuis qu'ils sont petits et qu'ils connaissent à peine leur famille maternelle et paternelle. Ils confirmeront qu'ils ont mis longtemps pour comprendre l'interdit de l'inceste à travers ce qu'ils savaient des relations des familles génétiques et latérales de leurs parents qui, eux, étaient dans un flou total.

Ajoutons, pour comprendre les difficultés de l'insertion profonde de cette loi de l'interdit de l'inceste, que dans beaucoup de familles les parents se nomment l'un l'autre « papa » et « maman », comme s'ils étaient eux-mêmes les aînés de la famille. Parlant à son conjoint, si l'homme appelle sa femme « maman », l'enfant à ce moment précis le croit grand frère, fils aîné de la maman commune à tous.

Lorsque c'est la mère qui nomme son mari « papa », à ce moment précis l'enfant la perçoit comme sa sœur aînée qui nomme cet homme « papa » comme lui le fait. J'ai déjà beaucoup parlé à des parents en leur conseillant de dire dès la toute petite enfance, « ton papa », « ta maman », et non pas « papa » et « maman ». Mais c'est, pour ainsi dire, une loi affective profonde. Il suffit de se promener dans les jardins publics et de voir des personnes qui n'ont pas d'enfant, mais un petit chien, appeler leur conjoint « papa » ou « maman » du petit chien. Cela en dit long sur la façon dont les enfants sont perçus par leurs parents lorsqu'ils sont petits, c'est-à-dire comme origines d'un fonctionnement maternant et paternant, et non pas comme des êtres sexués « allant devenant » hommes et femmes qu'il faut constamment respecter à travers les paroles comme futur homme et future femme dans la loi de la sexualité.

Cette loi n'interdit qu'une chose, c'est l'inceste entre frère et sœur, entre engendré et engendreur. C'est donc à l'école que cette loi de la sexualité doit être donnée, précocement. Comment ? Dès les premières classes par le vocabulaire puis, lorsque l'enfant sait lire et écrire, par la constitution, pour chaque enfant, de son propre arbre généalogique, établi d'après un arbre généalogique type que la maîtresse pourrait construire avec tous les enfants de la classe. Et que d'intérêt alors pour les familles où on peut le faire, quel intérêt que les parents parlent enfin des choses importantes avec leurs propres enfants ! Ce qu'on a appelé jusqu'à présent l'éducation sexuelle, c'est-à-dire une information sur le coït, la fécondation ou les évitements de la fécondation n'est pas une éducation sexuelle au sens humain du terme. C'est une éducation fonctionnelle au sens animal, au sens mammifère du terme. Or, ce que nous avons à donner à nos enfants, c'est une éducation de la vie affective, de la vie émotionnelle et sexuelle, de la vie émotionnelle pour le cœur et physique pour le corps, c'est une éducation de la maîtrise de ce corps au nom d'une éthique, ce n'est pas simplement une information au sens de l'histoire naturelle, des organes de la génération, de la gestation, du plaisir orgastique. Il faut bien sûr parler des suites d'une fécondité éventuelle au moment où ces problèmes se posent, c'est-à-dire à partir de la nubilité. Mais les problèmes affectifs sexuels liés à la filiation et à la génération dépassent de beaucoup, chez l'être humain, les phénomènes physiques.

Il est certain que la filiation symbolique est, chez les humains, dominante par rapport à la filiation charnelle. Un enfant adoptif, un père adoptif, une mère adoptive, un fils ou une fille adoptifs sont liés par un lien symbolique dans lequel la chasteté est inscrite encore plus, si l'on peut dire, qu'avec des enfants de sang, et cela n'existe que dans la loi humaine, pas dans la loi des mammifères domestiques ou sauvages. L'ordre humain, enraciné dans la tendresse et la joie des affections familiales, doit être enseigné aux enfants, aujourd'hui, avec des paroles justes portant sur leur relation aux êtres dont leur corps dépend pour la conception, pour la naissance et pour l'éducation. C'est par un vocabulaire juste sur le corps à corps que nous formerons les enfants d'aujourd'hui à l'ordre de l'humanisation de leurs pulsions sexuelles. Il faut y penser. Tout cela était inutile dans les sociétés tribales parce que tout était orienté pour instruire très tôt les enfants des réalités humaines. Le langage n'était pas que de paroles, il était de comportement dans le folklore, dans les fêtes, dans les jeux. Actuellement, l'isolement des géniteurs et des engendrés laisse les enfants des villes dans la confusion par rapport aux lois de la vie morale et linguistique, c'est-à-dire par rapport au langage de comportement, le langage de tendresse, le langage d'amour qui reste confondu innocemment avec n'importe quel corps à corps « pervers ». Le flou ou l'ignorance liés à l'absence du vocabulaire de la parenté induisent chez ces enfants la plus grande confusion face à leur relation familiale et sociale, sans l'enracinement structurant d'être conscients et inconscients de la loi de l'interdit de l'inceste, loi devant laquelle ils sont les égaux de leurs parents.

Les mères[1]

Entretien réalisé et réécrit par J.-B. Pontalis,
Les Temps modernes, janvier 1963.

J.-B. PONTALIS : *Peu d'événements récents auront été aussi commentés, auront fait l'objet d'autant de conversations, de débats publics ou privés, que cet acte de Mme Vandeput[2] supprimant son enfant, ou ce « quelque chose » qui lui était insupportable. Votre première réaction à vous ?*

FRANÇOISE DOLTO : La première ? Qu'il fallait un amour fantastique pour arriver à donner la mort à son enfant... C'est peut-être pourquoi il eût mieux valu condamner Mme Vandeput. Elle avait couru le risque de la prison, c'eût été pour elle, pour les autres aussi, le signe qu'elle avait agi par amour. Puis je me suis souvenue que rien n'arrive tout à fait par hasard. Dans le cas de Mme Vandeput, il s'agissait d'une grossesse non désirée ; la mère trouvait que cet enfant venait trop tôt — le docteur Casters l'a dit au Tribunal. C'est du fait de ses réactions d'intolérance à sa gestation qu'elle a reçu du Softenon, elle était hypernerveuse, alors qu'une femme qui accepte sa grossesse, elle, est hyperdétendue !

J.-B.P. : *Oui, mais ici seul le médicament était à l'origine de la malformation. N'est-ce pas même ce qui a pu forcer la décision de Mme Vandeput ?*

F.D. : Elle ignorait le rôle du Softenon.

J.-B.P. : *Elle a donc pu croire que c'était elle qui avait créé, produit cet « enfant-monstre ».*

F.D. : Absolument, elle l'a cru ; elle s'est crue mère maudite. Et puis, qui peut savoir ce qu'il y a d'autonome dans une mère ? Se sent-elle libre de refuser nourriture et soins à cet être humain qui est là, toute demande, et qui, dans certains cas extrêmes, peut susciter les réactions contradictoires d'aide à mourir ?

J.-B.P. : *Dès qu'on parle de cette affaire, sans qu'il soit même question des problèmes juridiques ou moraux qu'elle soulève, on est en pleine confusion, et rapidement en pleine incohérence. Par exemple, tout le monde a évoqué à cette occasion l'amour maternel : en était-ce, n'en était-ce pas ? Mais nous ne savons plus bien ce qu'est l'amour maternel.*

Nous n'avons pas renoncé à toute une imagerie de la mère et l'enfant *selon laquelle l'amour d'une mère relève à la fois de la nature (le seul* instinct *humain, disait-on, et on parlait de mère* dénaturée*) et de la grâce (c'est le modèle du don désintéressé). Mais, en même temps, l'émancipation de la femme, le contrôle des naissances ont fait que nous ne voyons plus la maternité avec ces yeux-là. Chacun professe aujourd'hui que la maternité ne doit pas être vécue comme un destin mais comme une responsabilité. Et puis nous sommes devenus beaucoup plus méfiants à l'endroit de la façon dont les mères déclinent le verbe aimer. Nous savons ce que l'amour maternel peut recouvrir de désirs agressifs, destructeurs, pathogènes, qu'en tout cas il n'a ni dans ses motivations ni dans son déroulement la simplicité et la relative harmonie d'un processus instinctuel. La psychanalyse a joué là son rôle.*

F.D. : Et avant elle, l'hygiène. Il n'y a pas si longtemps — avec la généralisation des règles de l'asepsie — qu'on a vu apparaître des titres de manuels du genre : *Ce qu'une mère doit savoir pour son enfant.* On s'est mis à enseigner aux mères un métier, une science, à les transformer en infirmières. Tout n'est pas bénéfique dans cet apport de connaissances de puériculture : il fait souvent disparaître ce qu'il y a de spontanément sain dans l'attitude, les soins d'une mère.

J.-B.P. : *Vous pensez à l'allaitement, au bercement ?*

F.D. : Oui, pourquoi interdire le bercement — qui diffère pour chaque enfant — et construire des berceaux fixes sinon pour accentuer la brutalité du sevrage du corps maternel et de ses rythmes propres ? Et pour l'allaitement, les horaires prennent trop souvent une valeur obsessionnelle. D'ailleurs, c'est plus général : ainsi, quand je travaillais dans des consultations postnatales, j'ai vu des nourrissons souffrir — après une épreuve douloureuse comme une vaccination par exemple — d'un manque de contact maternel. Et les mères expliquaient : « Je croyais que c'était défendu. » Il y avait toujours un livre entre elles et l'enfant.

J.-B.P. : *Et aujourd'hui on ne fait pas qu'enseigner des principes d'hygiène. On explique ce que doit être une mère, comment on devient une bonne mère, en même temps qu'on dresse inlassablement le catalogue des carences maternelles et des attitudes défectueuses. À croire que toutes sortes de démons risquent d'exercer leurs maléfices dans la* nursery *! Qui plus est, avec des conséquences irréparables.*

D'ailleurs, nous disons les mères. C'est peut-être là une découverte assez horrible de notre époque, ce chœur dissonant de mères rejetantes, gavantes, castratrices, hyperprotégeantes... À moins que pour une part au moins ce ne soit seulement notre création, presque un artefact. Je veux dire que nous identifions les mères un peu comme les recensements de population étiquettent ménagères toutes les femmes qui n'ont pas de profession déclarée.

Par exemple, réunir, comme on le fait en consultation médico-psychologique d'enfants, des groupes de mères, n'est-ce pas transformer une femme qui a des enfants en une mère — et rien qu'en une mère — et ainsi renforcer le couple qu'elle forme avec l'enfant dont elle vient se plaindre ?

F.D. : C'est un fait que les femmes viennent plus souvent se plaindre de leurs enfants que de leur propre insuffisance.

J.-B.P. : *Telle cette jeune femme jalouse, et consciente du caractère quasi délirant de sa jalousie, qui vient consulter le jour où son enfant, très perturbé, ne peut être gardé à l'école. Elle vient seulement pour parler de ses troubles à lui et*

demander qu'on le soigne. C'est d'ailleurs cette méconnais-
sance qui a favorisé l'implantation des centres de guidance
infantile. C'est par là que les psychanalystes ont acquis droit
de cité, par là aussi qu'ils risquent de répondre à côté...

F.D. : Peut-être, mais il faut bien commencer par là. Et puis
notre travail consiste précisément à faire prendre conscience aux femmes de la fonction de symptôme que peut
avoir pour elles leur enfant, à les faire sortir de la relation à
deux qu'elles entretiennent avec lui... Vous savez que les
pères sont très étonnés si je demande à les voir quand leur
enfant m'est amené à la consultation. Mais ils viennent.
Plus la mère nous assure qu'il n'est pas question qu'ils se
dérangent, plus vite ils accourent.

J.-B.P. : *C'est bien la preuve que les mères tiennent souvent*
leur enfant — et parfois très tard et peut-être dans leur
inconscient toujours — pour leur objet, voire leur produit, et
que les pères respectent ce vœu de leur femme.
  On a souvent reproché à Freud d'avoir surtout insisté sur
le rôle de la mère comme objet des désirs œdipiens mais
d'être moins explicite sur l'autre pôle de la relation : qu'est,
que veut dire l'enfant pour la femme ? Sur ce point, son
œuvre établit des équations inconscientes mais ne nous décrit
guère comment se vit la relation mère-enfant. Il y a bien
quelques lignes des Trois essais sur la sexualité *qui nous*
montrent comment la mère qui allaite, berce, embrasse,
soigne son enfant y trouve quelque satisfaction sexuelle...

F.D. : Ce qui est décrit là, ce n'est pas le désir maternel
mais une manipulation qui évoque les jeux d'une petite
fille avec sa poupée.

J.-B.P. : *Et pour vous les poupées...*

F.D. : ... ne sont certainement pas des substituts d'enfants.
Ce sont des fétiches.

J.-B.P. : *Et vous donnez ici au mot de fétiche sa signification*
précise, érotique ?

F.D. : Absolument. L'arrivée de la poupée dans la vie des
petites filles coïncide avec la perception de la différence

anatomique des sexes : elles n'ont pas de robinets, et elles seront des mamans.

Vous voulez un exemple ? En voici un que je crois assez éloquent. Toute la famille est à table ; aux hors-d'œuvre, dans un moment de silence, Catherine (vingt-six mois) claironne : « J'ai tiré la kékette à papa ! » Coup d'œil tacite des parents : on n'a rien entendu. Deuxième assaut de Catherine : indifférence générale. Troisième déclaration identique. Père et mère se regardent très ennuyés — d'autant que la scène se passe en présence de la grand-mère, qui n'est pas très « moderne » —, mais Catherine, elle, ne regarde personne. Elle repousse son assiette, dit à son père : « J'ai assez mangé (elle en est aux premiers ronds de tomate et elle montre habituellement un solide appétit), ôte-moi ma serviette, je vais aller jouer. » Puis, descendue de son siège, elle se colle tout contre son père, tourne son visage vers lui, lui caresse le dos et dit avec une moue de séduction : « Dis, papa, tu m'apporteras une poupée ce soir ? » C'est vraiment là le désir de poupée qui apparaît. La petite avait déjà des poupées dans la caisse à jouets mais ce n'était qu'un attirail bon à tout faire. À partir de ce jour, le jeu de poupée fait partie intégrante de sa vie.

J.-B.P. : *Mais, dans ce jeu, ce qu'on voit habituellement, c'est une sorte d'apprentissage de la maternité future, il sert même classiquement à prouver l'existence d'un instinct maternel ; il n'est pas besoin d'être un freudien résolu pour admettre que le père est le premier élu, le prototype de l'homme, tout comme la poupée est le prototype de l'enfant souhaité. Où est le fétichisme dans tout cela ?*

F.D. : Il y a plusieurs significations mêlées. La poupée, c'est d'abord un objet à manipuler, sur quoi exercer sa maîtrise, quelque chose à soigner, à caresser, à agresser, sans qu'il y ait de référence œdipienne : le père n'intervient absolument pas dans ce premier temps où le jeu de poupée est seulement marqué de la puissance de la mère sur son enfant. La poupée est une chose qui prolonge l'enfant comme, dans la fonction maternante, sa mère se prolonge en lui. Mais, en même temps que fétiche de soi-même, pris tout entier dans la relation à la mère, la poupée est, pour la fille, fétiche du pénis manquant et comme un moyen de se le représenter. « Je ne te la donnerai pas, même si tu me la demandes », disait à son frère la petite fille dont je vous parlais à l'instant. Enfin la poupée peut être le substitut phallique de tout le corps. Je me souviens d'une enfant à qui on avait fait cadeau d'une poupée habillée ; elle s'en empare fébrilement, la déshabille puis la jette à terre : « Elle n'a même pas de boutons ! — Mais si, dit la mère, et si tu veux, je te ferai des boutonnières. » Comme s'il s'agissait de couture !

Quand l'enfant devient vraiment œdipienne, ce n'est plus de poupées qu'il est question mais d'enfants véritables. D'où le plaisir de pouponner, de régenter les petits, souvent désarmés devant ces interventions intempestives. Le fétichisme n'est pas dépassé pour autant ; il subsiste une fois abandonnées les poupées. On le retrouvera chez la femme adulte.

J.-B.P. : *Cela reviendrait à dire, comme certains analystes l'ont soutenu, que dans certains cas la maternité s'apparente à une perversion.*

F.D. : C'est très exagéré. Mais il est vrai que nous disons souvent trop vite, imprudemment, qu'une femme est maternelle quand nous la voyons pouvoir et savoir s'occuper de n'importe quel enfant. Que de prétendues éducatrices professionnelles qui ne font guère que manipuler des objets-fétiches, occasion pour elles de manifester leur puissance ! Mais ce n'est pas en cinématographiant des gestes qu'on peut décider de leur sens inconscient, ni du plaisir que prend la mère à s'occuper du corps de son enfant. Il a besoin de ce plaisir ! En fait une femme ne peut être « maternelle », c'est-à-dire donner pour qu'un enfant se développe, que si elle est dans une relation satisfaisante avec le père de son propre enfant.

J.-B.P. : *Avez-vous eu l'occasion de suivre des cas de voleuses d'enfants ?*

F.D. : Non. En revanche, j'ai souvent vu des mères qui se laissent proprement voler leur enfant, qui trouvent tout à fait normal que leur propre mère ou une tante ou une sœur les leur raptent, comme si elles s'identifiaient à cette femme, se sentaient coupables d'être mères et cherchaient à se faire pardonner.

J.-B.P. : *On voit souvent de nos jours de jeunes couples faire élever leurs enfants par les grands-parents ; les raisons objectives paraissent fortes : logement insuffisant, travail ou études de la femme. Pensez-vous que joue cette culpabilité ?*

F.D. : Plus souvent qu'on ne croit... Il y a une sorte de connivence. En donnant l'enfant, on console les grands-parents et on obtient la tranquillité. Quoi qu'il en soit, si la grand-mère s'occupe de l'enfant pour aider vraiment le jeune couple, elle fait référence au père et à la mère, elle les nomme. Ce qu'on rencontre fréquemment, au contraire, c'est la grand-mère qui appelle du nom de ses propres enfants celui qui lui a été confié, ou dont elle s'est emparée.

J.-B.P. : *Si connivence il y a, elle trouve ses motifs en chacun. Chez l'homme, surtout s'il se marie jeune, comme c'est souvent le cas désormais, on peut penser qu'il y a une difficulté particulière à faire se rejoindre l'image de la jeune femme qu'il aime et celle de la mère.*

F.D. : Mais les femmes sont formatrices de la responsabilité paternelle de leur mari ! Pas directement, bien sûr : plus elles l'obligent à s'occuper de l'enfant, plus, en fait, elles l'en séparent. Mais beaucoup jouent à tort un rôle neutre de père-mère, de femme régente, qui empêche toute relation libre du père avec son enfant.

J.-B.P. : *Le langage courant atteste bien un décalage, une opposition entre femme et mère. On entend dire souvent : je suis plus femme que mère, ou l'inverse. Et quand nous parlons d'une mère admirable, nous ne sommes pas loin de penser femme frigide. Je me souviens d'un homme — c'était un Américain — qui, sortant de son portefeuille la photographie de sa femme, me la désigne ainsi : « La mère de mes enfants. » Je me suis dit : il ne doit pas être bien assuré, celui-là, qu'elle est d'abord, qu'elle est encore sa femme. Il y avait là de sa part comme une abdication.*

F.D. : Il se peut que l'homme craigne de perdre une partie de sa virilité en devenant père.

J.-B.P. : *Ou en faisant de sa femme une mère. Ce n'est pas pareil. Et le réveil de l'interdit œdipien n'explique sans doute pas tout. D'ailleurs vous avez écrit vous-même : « La mère génitrice devient pour elle-même comme pour les autres l'image d'un phallus autochtone et ceci non seulement à l'époque de la gestation. » C'est bien admettre que ce qu'il y a de créateur dans la maternité peut induire chez l'homme le sentiment d'être exproprié ou du moins exclu. Vous l'avez aussi noté : « La paternité n'apporte à l'homme que charges et responsabilité morale, en même temps qu'une frustration sexuelle momentanée de la femme... L'homme doit subir le rival et officiellement aimer l'intrus. » Tout un folklore d'histoires obscènes témoigne de cette rivalité : le pénis paternel rencontre le fœtus pendant le coït, etc.*

Vous avez eu sans doute eⁿ analyse des femmes enceintes ?

F.D. : Oui, et il est vrai qu'on voit alors les femmes fantasmer la jalousie de l'enfant à l'égard du père tandis que les hommes de leur côté produisent le fantasme complémentaire que l'enfant est quelque chose comme l'amant sérieux. Aussi bien est-il rare de voir une femme enceinte se mettre à détester son conjoint, tandis que, dans l'autre sens, c'est fréquent.

En tout cas, il existe le plus souvent, sinon jalousie ouverte, du moins un malaise qui répond, je crois, à une angoisse profonde. On parle toujours de l'envie qu'a la petite fille du pénis qu'elle n'a pas. Mais il y a aussi une angoisse du petit garçon qui découvre que jamais les pères ne sont porteurs dans leurs propres entrailles d'un enfant vivant. Le fait de la grossesse peut réveiller chez l'homme adulte ce deuil ancien et ce que j'ai désigné là comme angoisse de castration primaire. D'autant qu'il se sent délogé, qu'il lui semble que le fœtus prend la femme plus profondément et plus longtemps qu'il ne le pourra jamais dans aucun coït...

J.-B.P. : *De tels fantasmes ne traduisent-ils pas sur le mode imaginaire une divergence plus profonde entre maternité et paternité ? Ce que la psychanalyse, il me semble, a montré — même si elle l'a parfois oublié —, c'est que le père intervient sur un tout autre plan que la mère, comme porteur de la Loi qui interdit l'inceste à la femme : tu ne réintégreras pas ton produit, tout comme à l'enfant : tu ne posséderas pas ta mère.*

Dans l'évolution de la féminité, le désir d'enfant s'inscrit très tôt. Le désir de paternité, s'il existe, n'est certainement pas symétrique.

F.D. : La souffrance majeure d'un homosexuel, c'est de ne pas être père.

J.-B.P. : *N'est-ce pas précisément un fantasme homosexuel, qui forme le père à l'image de la mère, et résulte de l'exclusive fascination exercée par celle-ci ? Que cette fascination puisse être assez vive pour susciter un rite comme celui de la* couvade *prouve seulement que le père peut chercher à s'identifier à la mère qui met au monde et à s'insérer dans le lien corporel qui s'institue entre elle et son enfant.*

F.D. : L'enfant est gesté par le corps de la mère, puis du fait de sa prématuration, de son inachèvement, par l'affectivité maternelle ; il en reçoit même le langage. Mais le père n'en est pas moins présent très tôt, et même dès la vie fœtale. Un fœtus à partir du septième mois réagit à la main de son père, ses mouvements obéissent à la voix de son père. Cela paraît extravagant mais je l'ai observé.

Il ne faut pas perdre de vue que par la suite, si l'enfant est directement en rapport avec la mère, il est par elle indirectement en rapport ou non avec son père. Elle est ou non en relation de désir avec le géniteur de son enfant. Bien sûr, il y a un piège de l'amour maternel : donner la première place à l'enfant et non au géniteur adulte qui servirait à l'enfant d'image lui permettant de devenir un adulte.

J.-B.P. : *Ne nous plaçons pas d'emblée au terme du développement. Autrement, c'est inévitable, nous ne pourrions qu'adopter une perspective normative, qualifier des étapes de maturation. C'est pourquoi j'aimerais revenir sur le cas des femmes enceintes et des mères d'enfants infirmes car là nous pouvons voir jouer, plus près de sa source, le désir de la mère, ce désir d'avoir un enfant, désir dont les psychanalystes ont su marquer le rapport avec les fantasmes infantiles de la mère, comme s'il ranimait l'enfant qui en elle a désiré et n'a pas eu son compte.*

F.D. : Certains enfants sont conçus dans un passage à l'acte libérateur et non pour eux.

J.-B.P. : *Pour eux ?*

F.D. : Disons : pour le couple, comme expression d'une surabondance de désir. Vous tiquez sur « pour eux ». Je ne l'entendais pas au sens d'un oubli de soi, encore moins d'un sacrifice. Une femme qui parle de sacrifices pour son enfant signe par là même qu'elle n'est pas mère. Une mère, quoi qu'elle fasse de pénible pour ses enfants, sent que c'est nécessaire, sans discussion possible.

J.-B.P. : *Pour eux, pour moi... Nous n'en savons jamais rien. Rappelez-vous toutes les fadaises qu'on a pu écrire sur l'amour prétendu oblatif. Peut-être n'y a-t-il que des mères abusives s'il est vrai qu'elles cherchent dans leur enfant ou au-delà de lui ce qu'il n'est pas.*
J'ai lu récemment une étude sur des enfants morts in utero. *Les auteurs notaient que, dans les cas qu'ils avaient observés, l'enfant était dès la conception assimilé à un mauvais objet interne, à la fois persécuté et persécuteur. Ils notaient aussi parmi d'autres traits que la femme était, à l'égard de sa propre mère, dans une relation du type domination-soumission et, à l'égard de son mari — personnage souvent effacé, extrêmement « gentil » — alternativement souveraine et passive.*
Bien sûr, ce sont là des cas extrêmes d'une maternité assez pathologique pour entraîner les troubles biologiques les plus graves. Mais enfin de telles données ne se retrouvent-elles pas, latentes, dans toute maternité ? Est-ce que la femme ne risque pas alors d'être replacée à la fois dans sa propre constellation œdipienne, dans sa relation préœdipienne à sa propre mère et dans une image très archaïque de son propre corps ? L'enfant, surtout avant qu'il ait figure humaine, est le lieu de toutes les projections.

F.D. : Les comportements pathologiques qui se déclenchent autour d'une grossesse concernent toujours la relation à la génération précédente. Tout le travail de dégagement œdipien est remis en cause, ce qui induit une culpabilité dans le jeune couple, chez la femme surtout par rapport à sa famille d'origine.
J'ai vu plusieurs cas de femmes dont le père est mort pendant leur grossesse. « Mon père ne le verra pas », telle

fut leur première réaction, suivie d'une sorte de déréliction
de l'enfant à naître, d'autant plus surprenante que le grand-
père avait déjà des petits-enfants. Autre exemple : il est
difficile à une femme dont la mère est morte en la mettant
au monde d'avoir des *filles* ; il y a une très grande culpabilité. D'ailleurs on voit celle-ci jouer continuellement : des
femmes dont la grossesse se passe très bien prennent des
mines dolentes devant leur mère, tiennent des propos fort
exagérés sur leurs malaises. Il y a aussi quelque chose qui
est curieux dans nos mœurs : c'est la présence de la grand-
mère maternelle à l'accouchement de sa fille. Il serait
beaucoup plus naturel que le mari soit présent. Eh bien
non ! et d'ailleurs ça choque les sages-femmes. Les médecins qui pratiquent l'accouchement sans douleur essaient
de remonter la pente mais il semble que les femmes aient
besoin de l'autorisation de leur mère au moment de la
procréation.

Vous évoquiez les fantasmes de mauvais objet interne, ils
sont banals en effet : c'est le Polichinelle dans le tiroir, le
singe. On évite souvent de lui donner un sexe.

Au début il est bien vrai que l'enfant se distingue peu
d'une part de soi ou plutôt est assimilé à un objet partiel.
Nous voyons apparaître des émois particuliers vers le cin-
quième mois quand le cœur du fœtus commence à battre ;
à ce moment la femme enceinte fait place à la mère, elle ne
parle plus de sa grossesse, elle parle de l'enfant. Mais, dans
le fait d'être enceinte, bien des femmes ne voient d'abord
qu'une situation « intéressante », comme on dit, qui les
valorise. Elles sont sensibles alors au rythme de la grossesse, à la force ou à la faiblesse qu'elle apporte à leur
impression de santé, c'est tout.

Quant aux mères d'enfants anormaux... Tenez, j'ai eu à la
maison un couple de canaris (un couple, du moins je l'ai
cru, en fait c'étaient deux femelles, ou une femelle et un
eunuque !). Toujours est-il qu'un de ces canaris a pondu
des œufs clairs qu'il s'est épuisé à couver tandis que l'autre
restait au bord du nid. Cette femelle serait morte d'épuise-
ment, d'immobilité pour couver. Eh bien, c'est un peu ça
que nous voyons auprès des femmes qui ont des enfants
anormaux, un mécanisme de ce genre, une perte totale de
leur image dynamique de femme adulte. Ce sont des ges-
tantes perpétuelles d'un fœtus qui jamais ne naîtra. Et on
constate souvent une indifférence extraordinaire aux

maternités antérieures. En revanche, si un nouvel enfant est conçu et naît, la situation peut être sauvée : l'enfant anormal sera intégré dans la famille comme anormal ou confié à un établissement spécialisé où il a des chances d'être moins malheureux et mieux intégré à un groupe ; il ne gênera pas les autres comme il le ferait pour ses frères et sœurs en cours de croissance.

J.-B.P. : *Revenons donc à la famille « normale ». Il est étrange que la psychanalyse qui a commencé par révéler que toute famille ressemblait à celle des Atrides en conduise plus d'un aujourd'hui à prétendre tout y réconcilier : l'amour et la loi dans l'idéal monogamique, la femme et la mère, les enfants et les parents, comme si elle avait oublié le principe de sa découverte : que les désirs, en leur fond, sont irréductibles, qu'il n'y a nulle consonance entre eux. Qu'on songe seulement au complexe d'Œdipe tel qu'il fut d'abord énoncé : le père interdit à l'enfant la possession de la mère qui lui revient à lui de droit. Et c'est cette dimension de l'interdit qui engage l'enfant dans la voie de son propre accomplissement.*

F.D. : Vous voulez dire qu'aujourd'hui on rencontre surtout des Œdipes bâtards ? J'ai vu des garçons de treize ans, venus pour des troubles scolaires sans retard mental, manipuler les seins de leur mère devant leur père et devant moi.

J'ai vu des garçons de six à treize ans obliger leur père à coucher seul ; ils invoquaient un malaise organique ou de l'insomnie pour que leur mère les rejoigne dans leur lit ou pour prendre place, eux, dans le lit conjugal tandis que le père se retrouvait dans celui de l'enfant.

J.-B.P. : *Nouvel avatar du : « La mère appartient à son enfant. »*

F.D. : C'est toujours en définitive pour avoir la paix que l'homme l'admet. En refusant d'être castrateur, il devient pervertissant, il livre sa femme aux prérogatives abusives de l'enfant.

J.-B.P. : *Non sans y trouver de satisfaction : l'enfant lui sert d'interprète ou de bouclier. Curieux aboutissement d'une certaine diffusion de la psychanalyse : l'enfant à la fois proie et tyran de la mère, inséré dans la lignée maternelle tandis que les pères s'effacent : « Ce n'est pas leur affaire »... Il a fallu qu'un journal leur rappelle, l'autre semaine — mais c'était à la page féminine —, qu'ils avaient le droit de dire non !*

Quelles questions les parents se posent-ils sur les enfants et les enfants sur les parents ?

Le Lien[1], 9 juillet 1978.

— Je sais tout le travail que vous faites « sur le tas », dans les familles où se passent des événements importants de la vie. Il est nécessaire qu'à l'occasion d'un incident de santé, d'un départ momentané de la mère pour une maternité, pour une opération ou pour un deuil au loin, il y ait quelqu'un pour empêcher que les enfants soient brusquement disséminés n'importe où, comme cela se passe trop souvent dans les villes. Il est important que quelqu'un vienne pour remplacer momentanément cet axe familial qu'est la mère afin de permettre à la famille de rester ensemble.

Nous les psychanalystes d'enfants, nous voyons les dégâts considérables causés par la séparation des familles, quand les enfants ont moins de six ans. Les effets à long terme de ces séparations sont quelquefois si dramatiques que, même si les conditions ne sont pas merveilleuses dans la famille, le fait de rester tous ensemble sous le toit familial est, en lui-même, une prévention contre la plupart des troubles graves de la personnalité à partir de seize, dix-huit ans.

Voilà pourquoi il me semble que vous êtes beaucoup plus importantes que moi. Je ne dis pas du tout cela par modestie. J'ai vu, depuis mon émission à France-Inter, la demande énorme qui provenait des milieux ruraux, de personnes qui ne savaient pas se sortir de leurs difficultés. La plupart des lettres sont mal écrites, difficiles à comprendre, mais sont sûrement les plus intéressantes.

Une personne comme moi sur les ondes, ce n'est rien à côté de vous qui allez dans les foyers et aidez ainsi à faire la reprise pendant l'absence de la mère, de vous qui permettez à ce foyer de ne pas se « déglinguer » du fait d'un incident de parcours de santé de la mère.

Vous êtes au cœur de tous les problèmes puisque vous allez au cœur des familles. Là, on touche à tout : aussi bien aux problèmes de la loi, de la vie sexuelle, de la solidarité, de la préparation à la vie d'adulte qu'aux problèmes du respect de la nature de chacun. Si on vit sans aucune notion des lois qui régissent le pays, les enfants deviennent facilement des délinquants. Si on vit dans un milieu qui ne communique absolument pas, on n'a qu'une idée : c'est d'en sortir par n'importe quel moyen. Et à ce moment-là, on croit que l'on va tout casser et on se brise soi-même. C'est pour cela que votre rôle, malgré son aspect ponctuel, a une grande importance pour chacun. Même si ce milieu n'a pas communiqué directement avec vous, il a écouté ce que vous avez dit, justement parce que vous n'êtes pas là tout le temps. On écoute plus quelqu'un qui est de passage.

Quand vous arrivez dans une famille, c'est dans une période de crise. C'est peut-être la présence d'une personne qui a laissé les choses aller et vous avez un travail de remise en ordre qui est très difficile puisque vous ne connaissez pas la maison. Souvent lorsque la mère est très fatiguée, quelqu'un dans la maison a « pris la place » et s'est mis à faire le « caïd ».

Vous arrivez dans une « société » en crise parce que l'un des enfants (l'aîné le plus souvent) s'est mis à faire la loi. Cela a ébranlé l'équilibre des autres enfants. Ou bien, c'est le fils aîné qui, parce qu'il a soutenu la mère, parce qu'il est en « bisbille » avec le père, qui lui souffre d'angoisse de voir sa femme fatiguée, s'est mis à l'agresser. C'est une réaction banale chez quelqu'un d'angoissé : agresser la cause de l'agression, au lieu de comprendre la cause de l'angoisse. Le fils aîné veut vous manipuler. Je pense toucher des problèmes particuliers que vous avez rencontrés et qui viennent du fait que vous arrivez dans une période de crise, annoncée depuis quelques semaines par des difficultés psychologiques, de santé, ou des difficultés émotionnelles qui remontent encore plus loin, mais qui ont fait que, finalement, la personne centrale, la mère, a craqué. Pour elle, c'est pour ainsi dire purgatif : enfin elle est à l'hôpital, enfin elle va pouvoir se reposer. Mais cela n'arrange rien du tout, car à son retour, si on n'a pas rétabli les choses qu'elle n'a pas pu supporter, tout recommencera.

Je trouve votre rôle « épatant ». Vous ne dites pas seulement : « Cela va mal et ça fait déjà six mois que ce couple ne "marche" pas, qu'ils se battent, que l'un d'eux boit »... On met un enfant en aérium, l'autre dans un internat... On ne peut pas faire plus, car c'est une constatation, un fait.

Vous, vous faites plus, vous êtes là, vous écoutez tout. C'est énorme d'écouter, même si c'est trop lourd pour vos épaules. Je vous admire de rester en bonne santé, car je sais ce que c'est que d'écouter. L'angoisse des gens, vous la recevez de plein fouet, surtout celle des petits. Il faut savoir la tempérer, l'accepter, la reconnaître et les réconcilier avec eux-mêmes.

Les enfants se croient le centre du monde, ils croient que tout est leur faute : c'est normal. Un enfant a toujours à se reprocher d'avoir été méchant un jour, de n'avoir pas été à la hauteur d'un autre. Il se trouve que c'est un jour où il a fait une bêtise que maman est tombée malade et il est convaincu que c'est lui qui l'a rendue malade. On ne se rend pas compte à quel point les enfants ont des sentiments de culpabilité qui viennent de ce qu'ils se croient le centre du monde. C'est très important d'écouter chaque enfant quand vous entrez dans une famille, et même parfois le père. Cependant, vous ne pouvez rien faire d'autre et vous croyez que vous ne faites rien, mais écouter et rendre confiance à la personne qui vous a parlé, c'est faire beaucoup. C'est difficile quand on est jeune de rendre confiance à des citoyens de tous les âges. Lorsqu'on les a compris, il faut expliquer et simplement leur dire « courage ».

Je suis venue ici pour vous parler des différentes classes d'âge et des problèmes qu'ils vivent, quand la mère se met à manquer. Car la mère comme le père sont des individus sur lesquels les enfants projettent beaucoup plus et autre chose que ce qu'ils sont.

Grâce à votre présence, ils peuvent comprendre la différence entre la vie imaginaire et la vie réelle. Ils peuvent, grâce à vous, se mettre à aider dans la maison, bien que vous veniez justement pour aider. Votre rôle est énorme : écouter, ne pas faire la morale, mais être un être moral soi-même, être un individu qui sait que la vie n'est pas commode, que chacun doit l'inventer quotidiennement en essayant, dans son attitude personnelle, de ne jamais nuire à un autre du groupe. C'est en donnant cet exemple que vous êtes un personnage « clef ». Je suis sûre que vous avez des échos du fait que si vous n'étiez pas intervenues à ce moment-là dans cette famille, tout partait à la dérive. Vous y êtes passées, vous y avez rencontré beaucoup de difficultés, vous en êtes parties très fatiguées, vous avez fait ce que vous avez pu, en ayant l'impression que vous n'aviez rien fait du tout, sauf des besognes matérielles. Vous avez fait énormément. Je pense que le but important de réunions comme celles-ci, c'est de vous faire garder confiance, même quand vous pensez que vous ne faites rien. Le fait d'être dans une famille, c'est apporter ne serait-ce que des mains qui font quelque chose ; comprendre que lorsque les gens se mettent à se haïr ou quand ils tombent malades, c'est qu'il y avait déjà un problème avant ; être à l'écoute de tout cela, même si on ne peut rien changer, c'est faire beaucoup plus qu'on ne le croit.

Je pensais vous parler des petits, avant l'âge scolaire. À tort ou à raison, je pense qu'ils vous posent des problèmes. Je vais commencer par répondre à quelques questions rapides. Je crois que l'une d'entre vous aimerait me connaître un peu plus en tant que mère.

— Avez-vous eu des problèmes d'éducation avec vos enfants ?

— Certainement. Tout enfant a des difficultés à comprendre ce qui se passe dans le monde puisqu'il l'interprète d'une façon magique. J'ai eu ces problèmes d'éducation, mais, avec les uns comme avec les autres, jamais au-delà de sept ans. Je me demande, et c'est ce qui fait mon problème avec les parents qui viennent chez moi, ce qu'il peut y avoir comme problèmes entre la mère et les enfants après sept ans et demi, huit ans. Les enfants ont eu des problèmes avec leur père autour de douze, treize ans. Mais avec moi, après sept, huit ans, les relations étaient celles de convives, d'hôtes agréables à la maison, et c'est tout.

Mais avant cinq ans, surtout, j'ai eu tout un travail quotidien pour comprendre ce qui se passait dans la tête d'un enfant. Cela ne veut pas dire que mes enfants n'ont pas eu des problèmes avec moi, ils en ont eu. Mais il n'y en avait pas dans la famille. C'était toujours très gai. Je crois que lorsqu'une famille est gaie et qu'on peut tout se dire, qu'on peut se fâcher et que les autres l'acceptent, ce ne sont pas des problèmes, puisque c'est fini deux heures après.

Certains parents ont des problèmes avec des enfants entre huit et douze ans, parce que ce sont des problèmes de petits. Leurs enfants n'ont pas atteint ce que j'appelle l'âge de l'autoresponsabilité complète en famille, vis-à-vis d'eux-mêmes et vis-à-vis de ce qu'ils ont à faire dans la vie : l'école et leurs autres activités.

Ce sont des problèmes de petits, ou alors des problèmes de rivalités entre enfants. Il m'est arrivé, puisque c'était deux garçons (la fille est la troisième), de dire : « Ça fait trop de bruit, allez sur le palier juger vos différends ; s'il y a des "morceaux", vous sonnerez et je vous emmènerai à l'hôpital... », ça se calmait tout de suite. Quand les enfants sont petits, ça ne se calme pas tout de suite parce qu'il faut protéger le petit, le plus jeune, qui ne sait pas encore se défendre de l'agressivité de l'aîné. Mais, s'il faut protéger le petit, il ne faut surtout pas accuser l'aîné d'avoir agressé le petit : c'est une clef d'or. Il faut protéger le petit jusqu'à ce qu'il soit capable de se défendre.

Ce ne sont pas les grands qui sont en danger, c'est le petit. Votre travail est à faire avec le petit, en lui demandant : « Quand ta mère est là, est-ce que ça se passe de la même façon ? — Maman les gronde et les tape... » Finalement, c'est ce petit qui fait loi de son impuissance reconnue comme une valeur. Il faut faire très attention, car c'est justement de cette entente entre les générations que va dépendre la suite du développement de ce petit. Quant au grand qui est agressif avec le petit, il est vu comme un méchant, alors que simplement il n'est pas reconnu dans sa valeur. Généralement, il règle des comptes qui sont en retard depuis la naissance de ce petit, des comptes concernant ce qu'on appelle la jalousie du puîné, qui est un problème humain et pas du tout animal.

Quand on dit qu'un chien est jaloux d'un enfant qui vient de naître, ça n'a rien à voir avec la jalousie d'un enfant vis-à-vis d'un autre, parce que le chien ne peut pas répondre par son langage. L'aîné est en danger parce qu'un être humain ne peut pas en aimer un autre, regarder quelque chose, sans s'identifier à ce qu'il regarde, sans imiter ce qu'il voit. Or, imiter un petit parce qu'on le regarde, ça ne veut pas du tout dire imiter un petit comme les parents le croient, mais s'auto-imiter soi-même quand on était petit. C'est une réduction, une régression dépressive contre laquelle souvent l'enfant lutte par une agressivité vis-à-vis de ce bébé qui la lui provoque.

Toutefois, la jalousie est une épreuve structurante si elle est reconnue, valorisée par les parents ; il faut lui dire : « Tu as bien raison, ce petit frère (ou cette petite sœur) ça n'a aucun intérêt pour toi, ce n'est pas du tout intéressant pour un enfant de ton âge, tu n'as absolument pas besoin de t'en occuper, ni de l'aimer, il faut être une maman ou un papa pour s'intéresser à "ça" ; toi, c'est tout à fait autre chose... » À ce moment-là, l'Aide familiale peut le dire, puisqu'elle peut avoir vraisemblablement accès aux photos. Cet enfant se valorise quand il était petit et, en même temps, il se valorise lui-même maintenant, puisque vous lui dites : « Tu sais, il n'a pas du tout besoin de toi ; il te trouve formidable parce que tu es grand ; l'autre jour, tu l'as mordu, qu'est-ce qu'il te trouve fort maintenant ! » Il ne faut pas le gronder, c'est lui qui a peur que vous le grondiez. « Ah, tu croyais que j'allais te gronder ? Je ne trouve pas cela formidable puisque tu lui as fait du mal, mais je comprends que tu voulais qu'il sache que tu étais fort... »

Je vous ai dit comment faire pour aider un petit. Ce que vous aurez fait pendant trois semaines sera construit chez cet enfant, surtout si, en quittant cette famille, vous prenez congé de cet enfant.

Voilà un conseil dont vous ne verrez peut-être pas tout de suite les effets : quand vous entrez dans une famille, saluez tous ceux qui sont présents, le bébé d'un mois y compris, en l'appelant par son nom, et pas par son surnom. Présentez-vous en disant qui vous êtes. Votre voix sera le nom d'une personne. Quand vous partirez, n'oubliez pas de lui dire : « Je reviendrai demain, ou, je ne reviendrai pas demain, nous ne nous verrons plus, mais je penserai à toi. » Il faut dire cela à chaque enfant, même si vous ne devez pas le revoir de votre vie. Vous devenez ainsi l'élément de relation entre la mère et la société.

C'est très important, puisque vous avez été un substitut maternel émanant de la société qui est venu dans cette famille, et que ce sera peut-être très long avant qu'il soit en communication avec une autre « maman », comme ils disent.

Je vous dis cela parce que j'ai lu la question suivante :

« Je travaille dans une famille depuis trois semaines. La maman est décédée subitement à l'âge de trente-trois ans d'une embolie pulmonaire. Je suis confrontée à quatre garçons (six, sept, dix et quinze ans) ; c'est surtout l'adolescent de quinze ans qui me pose problème, car il est renfermé et n'a aucun dialogue avec son père. »

Lorsque vous êtes confrontée à des garçons de six à quinze ans, et dès que vous avez une relation interpersonnelle, n'oubliez pas que vous êtes femme ; c'est particulièrement difficile dans une famille où il n'y a que des garçons qui viennent à manquer de leur mère, vous avez l'air, en y étant, de montrer qu'elle est remplaçable. Votre seule manière de parler dans cette famille, c'est de dire : « Personne ne pourra jamais remplacer votre mère. Ce que je fais, moi, ce sont des choses matérielles : mais je ne fais rien comme elle faisait et vous devriez me dire comment elle le faisait, si vous voulez que je le fasse de la même façon qu'elle. » Immédiatement, ils vous parleront de leur mère.

— *Pourquoi les parents ne doivent-ils pas embrasser les petits enfants ?*

— Cette personne n'a pas compris, mais elle n'est pas la seule. Si c'est écrit dans mon livre, ce n'est pas du tout ce que je voulais dire. Pourquoi ai-je voulu faire comprendre aux mères que lorsqu'elles venaient reprendre leur enfant à la crèche, il ne fallait pas l'embrasser tout de suite ? La plupart des mères ont été privées de leur petit pendant huit heures ; l'enfant, lui, s'est mis dans une atmosphère un peu neutre, il a peut-être affabulé sa mère en lui, au moment du repas, il n'a pas reconnu l'odeur de la mère qui lui a donné le biberon, etc. Puis, voilà qu'arrive, tout d'un coup, quelqu'un dont il ne sait pas encore que c'est sa mère, mais qui se précipite pour le « dévorer », car, pour lui, c'est la même chose que prendre le biberon : il est le biberon de cette femme (personne). Il se sent agressé parce qu'il ne sait pas encore que c'est sa mère ; alors que si la maman lui parle, l'habille, le cajole... c'est la fête lorsqu'on arrive à la maison, parce qu'il sait alors que c'est bien sa mère ; là on peut s'embrasser. Le retour à la maison et la fête dans le cadre de la maison sont très importants.

C'est avant le moment où l'enfant met les choses dans sa bouche qu'il faut le mettre à la crèche, en général à trois mois. Dans son berceau, le bébé cherche à mettre quelque chose dans sa bouche et, par hasard, c'est son poing ; il est tellement content qu'il le lâche de joie. D'une tétée à l'autre, c'est le suçage de pouce, si on n'est pas attentif. Ça ne se passe généralement pas à la crèche car les voix des autres enfants sont une distraction.

Quand les enfants voient ce qui se passe autour d'eux, ils ne cherchent pas à se « bourrer » la bouche, puisque les yeux sont aussi des bouches, alors qu'à la maison ils en ont besoin. Si vous lui mettez au bout de cette main quelque chose : une cuiller, un hochet, un morceau de tissu, etc., au moment où le bébé la porte à sa bouche, dites-lui le nom de l'objet. Il rit que vous parliez en même temps qu'il a cette expérience et il lâche l'objet... il n'est pas content. Faites-le plusieurs fois en répétant les mêmes mots qui sont les vrais mots de la perception qu'il a. Le premier toucher vient de la bouche. Ce sont ces menus objets, leur couleur, leur toucher et le mot qui les qualifie qui amènent le vocabulaire. Au lieu de sucer son pouce, l'enfant cherchera ces objets, surtout si vous les avez mis tout près de lui. Cet objet sera la relation avec vous, une relation langagière à travers cet objet. Le suçage de pouce, qui commence vers trois mois, s'évite totalement si on a huit jours d'attention dans les après-tétées, jusqu'à ce que l'enfant s'endorme.

Le « touche-à-tout » arrive au moment de la marche debout. C'est un âge fantastique pour l'intelligence de l'enfant si la mère, le père ou toute autre personne tutélaire consacre à ce bébé, une ou deux fois par jour, dix minutes. On prend l'enfant dans ses bras et on fait « l'inventaire » de la maison. Il faut trois mois pour faire le tour de la maison de cette façon. C'est très intéressant car l'enfant possède le vocabulaire de tout, l'espace est un espace connu où l'enfant est totalement en sécurité : c'est un espace vivant, et durant ces dix minutes avec la mère et/ou le père, le vocabulaire est emmagasiné.

À partir du moment où il a la marche acrobatique, il ne fait jamais de bêtises. S'il casse quelque chose, exception-nellement, il ne faut jamais lui dire que c'est lui qui l'a cassé, car on le vexe. S'il peut parler, il vous répondra que ça n'est pas vrai et il a raison, c'est ses mains, ce n'est pas lui. Un enfant ne peut dire que c'est lui, et non ses pieds ou ses mains, que vers six ans, et uniquement s'il sait que ses parents vont parler avec lui et qu'il ne sera pas grondé parce qu'il a fait une maladresse.

En empêchant l'enfant de toucher à tout, on l'empêche de devenir intelligent, on l'empêche d'acquérir un vocabulaire, celui de l'expérience qu'il a acquise. (« Ah ! cet enfant, qu'il est bête ! » suivi d'une taloche. Aucune expérience, aucun vocabulaire.)

Pour une femme qui n'est pas de la famille, c'est beaucoup plus facile, à condition que vous parliez de la manière dont la mère tenait ce rôle que vous avez, pour qu'ils puissent comprendre que la mère n'est pas remplaçable.

Il faut également parler de la mort, dire que ce n'est la faute de personne. Les enfants ont besoin qu'on les conduise sur la tombe de leur mère. Les petits ont besoin de parler à la tombe.

— Quel comportement doit-on avoir vis-à-vis des enfants dont la maman n'a plus que quelques jours à vivre ?

— Tout dépend de ce que la mère vous dit. C'est avec la mère qu'il faut voir ce qu'elle veut que vous fassiez pour les enfants. Il ne faut pas cacher à cette femme mourante qu'elle va mourir ; elle aura la plus grande reconnaissance pour vous si vous lui parlez clairement. Si la femme sait qu'elle est en train de mourir, il faut parler aux enfants en disant : « La maladie qu'a votre mère est une maladie que les médecins ne savent pas guérir, mais ce n'est pas votre faute. » Il faut toujours dire aux enfants que leurs parents ne meurent pas par leur faute, car ils croient toujours que c'est leur faute. Il faut leur dire : « Elle a fini de vivre, et personne ne sait quand quelqu'un a fini de vivre. » C'est la seule façon de parler aux enfants de quelqu'un qui meurt, même si c'est un petit frère ou une petite sœur qui meurt.

Quand la personne est morte, il ne faut pas vouloir que l'enfant aille au lit du mort ni qu'il l'embrasse. Il faut le laisser totalement libre de faire ce qu'il a envie de faire. Il faut ensuite lui en parler, dire les choses les plus simples, les plus proches de la réalité : « Tu vois, c'est comme si elle dormait, mais elle ne dort pas, puisque quand on dort on est chaud, et elle est froide. » Ce n'est pas du tout cruel pour l'enfant, c'est la vérité.

Il faut emmener les enfants aux obsèques pendant quelques minutes, car un enfant qui n'a pas vu « se terminer » au cimetière le corps de quelqu'un qui a vécu et qu'il a aimé ne comprend pas encore la mort.

Il faut parler avec l'enfant des personnes chez qui il ira, le préparer en disant : « Je ne resterai pas, ton père ne peut te garder, car il faut une femme... » Parler aussi du remariage possible du père en disant : « Jamais personne ne remplacera ta mère, même si ton père se remarie ; ta mère sera toujours dans ton cœur, mais une autre personne pourra aider dans la maison... mais pas seulement. Tu l'aimeras ou pas mais si ton père l'a choisie, c'est certainement que ta maman serait d'accord. Il faut bien qu'un homme ait une femme, c'est normal. »

La mort est un sujet très formateur ; de même que la jalousie est structurante, avoir vécu la mort de quelqu'un de cher est tout à fait structurant chez un enfant, si on a vraiment pu lui en parler.

— *Quand la mère est absente pour une maternité, les enfants s'accrochent à nous ; réciproquement, nous nous attachons à eux. Comment faire au retour de la mère pour éviter les chocs ?*

— L'enfant s'attache à vous, surtout parce que vous vous attachez à lui. Je pense que celles qui s'attachent aux enfants sont celles qui ne sont pas encore mères. Sinon, vous vous occupez de cet enfant, déléguée par la mère, mais vous ne déversez pas sur lui votre désir de maternité. C'est difficile car les femmes jeunes ont des potentialités maternelles qu'un enfant réveille en elles. Il faut faire attention ; c'est nuisible pour l'enfant parce que ce n'est pas du tout maternel, bien que ça en ait l'air. Si vous vous attachez à un enfant sans avoir eu un vous-même, vous ne savez pas ce que vous faites et à quel niveau cela se situe. En général, l'enfant d'une autre personne, nous l'aimons en tant qu'être humain, et nous lui parlons de sa mère et de son père. Si vous faites cela, vous éviterez le problème de ce décrochage difficile. Chaque fois que vous vous occuperez d'un bébé, vous devez le référer à sa mère et à son père. Il est évident que votre déchirement de le quitter est mauvais pour l'enfant ; c'est une douleur tout à fait inutile. Le véritable instinct maternel n'existe qu'à partir d'une situation triangulaire avec le père de l'enfant. Sinon c'est un instinct de soins aux enfants, qui est tout autant un instinct de femme que d'homme, certes plus admis du côté des femmes, mais qui n'est pas maternel au sens féminin : c'est tutélaire-éducatif.

Il y a problème quand, à cause de cet attachement, vous vous sentez agressive contre la vraie mère. Difficile de vous aider dans cette situation ; peut-être qu'en le disant à la mère, c'est elle qui vous aiderait.

La plupart des conflits que vous avez avec les petits viennent du fait qu'ils peuvent croire que vous remplacez la mère, d'une façon globale. Alors que vous ne la remplacez que pour mieux parler d'elle. Vous devez toujours dire à l'enfant que sa mère faisait le travail mieux que vous, parce que pour lui c'est vrai, quelle que soit la façon dont la mère le faisait. Les enfants régressent : ils font semblant d'être petits afin que vous vous occupiez d'eux. Votre rôle est capital : chaque geste qu'il vous demande de faire pour lui (et qu'il a l'air de ne pas savoir faire) doit être montré par vous, sans le faire vous-même. Votre acte formateur doit être de vous mettre derrière lui pour, qu'avec ses mains, vous lui montriez comment le faire.

Les tout-petits apprennent à manger, à condition qu'on mange en même temps qu'eux. Un tout-petit peut arriver à manger à la cuiller vers neuf mois, à condition qu'on en mette très peu dans son assiette.

— *Quel comportement devons-nous avoir lorsqu'une jeune fille de quatorze ans prend la place de la mère hospitalisée ou décédée ?*

— À quatorze ans, elle est en effet en âge de prendre la place de la maîtresse de maison. Il y a bien des sociétés où, à quatorze ans, une fille est mère de famille. J'ai connu autrefois une femme qui est entrée dans une famille à l'âge de huit ans pour s'occuper du douzième enfant de la famille et qui est restée dans cette famille toute sa vie. Elle a entrepris des études en même temps que les grands enfants et savait tout faire dans la maison.

Si vous avez la chance d'être dans une famille où une fillette de huit ans veut vous commander, réjouissez-vous. Jouez le rôle de la bonne. Elle va apprendre, en vous commandant, à faire des choses. Faites les choses comme elle vous demande de le faire et dites-lui qu'à sa place vous auriez ajouté ceci ou fait cela, mais que son idée est très bonne.

Ce n'est toutefois pas une raison pour croire qu'elle est la « dulcinée » du père ou pour qu'elle se laisse avoir par lui. C'est là qu'est le danger d'une fille qui prend la place de la maîtresse de maison : elle devient parfois l'objet sexuel du père ou du frère aîné. Il faut lui parler de cela en lui conseillant de fréquenter le monde extérieur pour pouvoir fonder une famille un jour. Lui montrer qu'elle ne doit pas se laisser « dévorer » par le travail de la maison, qui lui fera lâcher pied avec les camarades de son âge ; sinon ses frères et son père trouveront tout naturel qu'elle fasse tout dans la maison et elle sera obligée de rester toute sa vie dans sa famille. Ce sont des choses vraies qui, même si elles évitent le problème de l'inceste, ce qui dépend du niveau de conscience de la famille, n'évitent pas le problème des exploitées qui ont l'habitude de tout faire à la maison, probablement parce que la mère le faisait.

Profitez de ce que vous rencontrez une fille qui veut vous faire jouer le rôle de la bonne pour jouer ce rôle et, en même temps, pour lui faire comprendre par les paroles qu'elle doit faire attention. La vie vient vite et il faudra qu'à dix-huit ans, elle ait formé ses petites sœurs (si elle en a) à pouvoir tenir aussi la maison si le père n'est pas remarié. Il faut parler du remariage du père, même si celui-ci n'en a aucune envie, d'autant moins qu'il voit la fille aînée tout faire. Cela peut être dangereux pour elle, mais pas pour vous, même si cela vous est désagréable d'être traitée comme une bonne. Réfléchissez au problème, vous êtes là pour aider la famille. Cela peut, en apparence, n'être qu'un métier de bonne, ce qui n'est pas si mal si la jeune fille sait prendre ses responsabilités. C'est en vous montrant « maternante » avec elle, c'est-à-dire en n'oubliant pas qu'elle est aussi femme en devenir, que vous l'aiderez.

— Y a-t-il des incidences sur les enfants, lorsque le père prend la place de la mère lorsque celle-ci est absente ?

— Un père peut très bien faire tout ce que fait une mère, lorsque l'enfant a quatre ans. Ce n'est pas qu'un travail de mère, c'est un travail d'intérêt pour un autre être en développement.

Dans certains couples, c'est la femme qui, dès l'accouchement, continue de travailler ; le père s'occupe des enfants parce qu'il est étudiant « en chambre ». Plusieurs d'entre eux m'ont écrit, très ennuyés, parce que les enfants appelaient la mère « papa » et le père « maman ». Cela n'a aucune importance. Les rôles de père et de mère sont neutres ; le père et la mère de naissance sont tout autre chose que « papa » et « maman ». On peut avoir trente-six papas et mamans, on n'a qu'une mère de naissance et qu'un père de naissance. Il faut dans le langage des enfants faire la différence entre « papa » et « maman » : « maman », c'est la personne continue qui assume la nourriture et le vêtement ; « papa », c'est le discontinu, qui part et revient et n'habite pas continuellement les lieux. Il n'y a aucune incidence quant à leur évolution dans la sexualité. Le père sera appelé « maman » pendant trois ou quatre ans.

Contrairement à ce que la plupart des gens croient, « maman » et mère sont deux choses différentes pour l'enfant. Il dira : « Maman, mon père ; papa, ma mère. »

La mère est celle qui réfère l'enfant toujours à son père : une mère génitrice. Après, c'est une femme qui fait fonction de mère, vis-à-vis de l'enfant qui ne l'est pas et dont les sentiments ne sont pas des sentiments de mère, mais des sentiments tutélaires, de maternante. Une mère peut être pseudo-mère avec d'autres enfants, mais une mère qui n'est pas encore mère, c'est une sublimation très difficile qui demande que, chaque fois que l'on est en contact avec un enfant, on le réfère toujours à sa mère de naissance ou à sa mère tutélaire habituelle. S'il trouve dans une personne féminine quelque chose qui correspond plus à son idéal de mère, il faut lui dire que c'est parce que sa mère n'a pas le temps ; qu'elle n'a pas été élevée de manière qu'elle comprenne que c'était important. Voilà comment vous pouvez vous sortir d'une situation qui devient flambante d'amour entre une fille et vous parce qu'elle a trouvé son idéal en vous, ou même parfois un garçon parce qu'il trouve son idéal de mère en vous.

— *Que répondre à un enfant, qu'on oblige à manger, qui vous dit : « Ce n'est pas toi qui commandes » ou « Tu n'es pas chez toi » ?*

— Il faut lui dire qu'il a le droit de ne pas manger. Vous

pouvez rendre agréable la vie à table : s'il a faim, il mangera. S'il ne mange pas pour vous « embêter », il se « cassera le nez » et mangera la prochaine fois. Il est pervers de faire manger un enfant qui n'a pas faim. Quand nous voulons qu'un enfant mange, alors qu'il dit ne pas avoir faim, nous ne savons pas ce que nous faisons. Peut-être le fait-il contre nous, parce qu'il ne veut pas « manger » notre personne et qu'en même temps, il ne veut pas nous faire plaisir.

La règle d'or, c'est de rendre le repas agréable sans jamais gronder l'enfant parce qu'il ne mange pas. Permettre à l'enfant de se servir tout seul sert parfois à lever l'anorexie (manque d'appétit).

— Que faire devant les caprices d'enfants ?

— Il ne faut surtout pas crier. Si l'enfant est de taille à être maîtrisé par votre corps et que d'autres enfants sont présents, il ne faut pas le rendre ridicule, le laisser faire son caprice devant les autres. Si vous êtes assez forte, prenez l'enfant, emmenez-le dans une autre pièce, asseyez-vous auprès de lui et baissez de ton. Le caprice qui est une régression subite ne dure pas longtemps. Il devient hystérique lorsque la personne présente en fait tout un plat. Certains enfants, si on ne les calme pas, vont avoir des spasmes qui peuvent être nuisibles pour eux. Il faut apprécier si c'est un caprice pour vous être désagréable. Si c'est le cas, dites-lui que vous n'êtes pas fâchée et qu'il revienne quand il sera calmé. Il ne faut jamais culpabiliser un enfant qui a fait un caprice, on lui donne ainsi de la valeur.

Il est très rare qu'il n'y ait pas deux ou trois caprices dans la vie d'un être humain. Ce sont des petits moments de dépression dus à un événement que nous n'avons pas compris.

Il en est de même des colères des grands. Certains enfants sont très coléreux, surtout au moment de l'absence de la mère pour hospitalisation ou autre, parce qu'ils ont des sentiments de culpabilité ou parce qu'ils ne peuvent admettre le départ de la mère. Certains enfants (de quatorze ans) sont très choqués de se rendre compte que leurs parents ont des relations sexuelles — la preuve est la naissance d'un enfant. Les enfants s'imaginent que les parents n'ont de relations sexuelles que pour la naissance d'un enfant. Ils s'imaginent que leur mère n'a pas été touchée par leur père depuis longtemps, parce que pour eux c'est dégoûtant (vers douze, quatorze ans) et voilà qu'ils ont la preuve que leurs parents font quelque chose de dégoûtant puisqu'un bébé est né. Pour eux, c'est terrible et ils font des colères de bébés.

Il ne faut pas humilier un enfant ; partez discrètement et laissez-le pour que la colère se passe toute seule. Si le père est présent, vous n'avez rien du tout à faire, si le père ne dit rien, vous n'avez rien à dire.

Certains enfants prétendent que leurs parents leur laissent faire certaines choses, ce qui s'avère faux lorsque la mère rentre...

Vous ne venez pas dans une famille pour libérer matériellement des enfants de l'autorité de leurs parents. Les parents sont comme ils sont. Vous pouvez, en parlant avec la mère, faire évoluer ses idées. Cela peut arriver dans des familles où il n'y a pas de père. S'il y en a un, n'autorisez jamais rien que le père n'ait autorisé. Il faut toujours que le père sache ce que font ses enfants lorsque vous êtes un substitut maternel momentané.

— Comment aider les jeunes qui en ont assez de la vie, qui sont en opposition avec leurs parents, qui parlent du suicide ?

— Vous ne pouvez que les écouter, c'est tout, et c'est déjà beaucoup. S'ils sont en opposition avec leur père, leur demander comment ils aimeraient que soit leur père et leur dire que c'est un père comme cela qu'ils veulent devenir ; leur dire que pour comprendre leur père, il faudrait qu'ils comprennent la façon dont il a été élevé. Il ne faut jamais donner tort au père, même si vous pensez que sa conduite est mauvaise. Il faut soutenir chez le garçon son idéal de père.

— Que faire lorsqu'on est témoin de relations sexuelles entre frère et sœur dans une famille ?

— Cela se passe de plus en plus, surtout dans les banlieues ou dans les familles vivant les unes sur les autres.

Je voudrais que cette éducation qui donne l'interdit de l'inceste soit donnée à l'âge de trois ans, à la maternelle, et pendant toutes les classes primaires. Malheureusement, cela n'est pas fait à l'école. C'est une chose qui marque très douloureusement les jeunes livrés à l'inceste par l'abandon de l'éducation de la part des parents. Il faut en parler avec sérieux, mais sans pousser de hauts cris. Chez les enfants jeunes, les possibilités de développement intellectuel sont souvent bloquées. La moitié des impossibilités scolaires viennent de privautés sexuelles des enfants, qui ne savent pas que cela leur est nuisible. Ils croient que papa et maman sont tout aussi bien frère et sœur et que la même grand-mère est la mère de leurs deux parents. Des statistiques ont démontré que ce phénomène se produit surtout pour les enfants dont les grands-parents vivent dans les H.L.M. ou dans des immeubles. Les enfants dont les grands-parents vivent dans des pavillons ne mélangent jamais les lignées ; cela a l'air d'être lié à un espace anonyme.

Comment comprendre le vocabulaire de la famille, s'il n'y a pas, d'une façon au moins intuitive, explicite, maintenant il le faut, l'interdit de l'inceste, entre engendrés et engendreurs et entre frères et sœurs. Les filles ne savent pas que c'est leur devoir de se dérober aux privautés sexuelles que leur père veut avoir avec elles lorsqu'il est ivre.

C'est le vocabulaire qui est maître de la morale. Lorsque vous parlez de son père à un enfant, dites : « ton père » ou « ton papa », et non pas simplement « papa ». Les parents ont très souvent l'habitude de dire « papa » et « maman » en parlant de leur mari ou de leur femme : « Va demander à maman », « Va voir papa ». Pour l'enfant, le père parle comme l'aîné des garçons, la mère parle comme l'aînée des filles. C'est comme cela que les enfants intègrent actuellement la prétendue autorisation de l'inceste dans notre société.

— *Est-ce que les difficultés des enfants de douze à seize ans ne sont pas enracinées dans les difficultés qu'il y avait avant ?*

— C'est tout à fait exact.

— *Une mère handicapée a une fille de quatorze ans qui ne veut plus aller à l'école et qui voudrait travailler. Comment faire ?*

— C'est bien dommage que l'école soit obligatoire jusqu'à seize ans et que les enfants soient obligés d'aller à l'école pour que les parents aient droit aux allocations familiales. J'aimerais qu'à partir de douze ans les allocations familiales soient envoyées à chaque enfant et que ce soit lui qui signe pour recevoir la moitié de ces allocations, et qu'à partir de quatorze ans la totalité des allocations familiales lui soit envoyée. Je crois que si l'on faisait cela, il y aurait moins de manque d'intérêt pour l'école parce que le jeune aurait un pouvoir pour aider ses parents. Le nombre de jeunes qui se désespèrent de ne pouvoir aider leurs parents est très grand. Dans les familles qui vraiment respectent leurs enfants, on donne à l'enfant une somme, à chaque anniversaire ou fête, et, à partir du moment où il écrit, on l'aide à porter cette somme sur un livret de Caisse d'épargne. Ce livret de Caisse d'épargne est à l'enfant dès qu'il a seize ans. C'est fantastique de savoir que cet argent sera à vous à seize ans. C'est un départ pour faire quelque chose : certains achètent une moto, un instrument ou font un stage pour jeunes, un apprentissage à la musique ; d'autres font des cadeaux à leurs parents. Pourquoi pas ? De cette façon, l'État reconnaîtrait la valeur de l'enfant, qui est une valeur future pour le pays, mais qui ne le sait pas. Il croit être une valeur par le fait qu'il va à l'école et il n'y a rien de plus démoralisant lorsqu'on n'est pas intéressé par les disciplines enseignées à l'école.

Si un enfant avait un budget par l'État, le calcul l'intéresserait : les jeunes ne connaissent pas le prix des choses, puisqu'ils ne manient pas l'argent.

Les jeunes pourraient faire des activités de jeunes qui les mettraient à l'abri du désespoir, du suicide ou du chômage qui entraîne aussi au suicide.

— *Comment réagir devant une fugue de jeune lorsqu'on est dans une famille ?*

— Je parlais, il y a quelque temps, avec une femme juge, qui me disait qu'il était dommage que la loi soit ce qu'elle est, car toutes les fugues sont salutaires aux jeunes. Ce qui annule parfois le côté salutaire de la fugue, c'est que, lorsqu'ils vont chez quelqu'un, cette personne est obligée de les déclarer à la loi. Une personne n'a pas le droit de garder chez elle un enfant en fugue. Si le jeune revient à la maison, cela prouve que ce qu'il cherchait dans l'imaginaire n'a pu être trouvé dans la réalité. Les parents ne devraient pas leur faire de remontrances mais admettre qu'ils ne savaient pas que leur enfant s'ennuyait tant à la maison. La fugue est un signal d'alarme. Quand l'enfant revient, il faut parler avec lui, car cela signifie qu'il n'a pas trouvé ce qu'il espérait de cette liberté. Quand les familles réagissent intelligemment, la fugue ne se reproduit plus : l'enfant va travailler d'arrache-pied pour se libérer le plus vite possible.

— Peut-il y avoir des problèmes pendant l'adolescence lorsque l'enfant n'a jamais connu son père ? Je pense à un enfant qui a actuellement trois ans et demi et chez qui il n'y a pas de présence masculine.

— L'important est que cet enfant sache qu'il a eu un père de naissance. Même si c'est un enfant adopté par une femme seule, il faut lui dire qu'il a eu un père et une mère de naissance.

Ce qui est important dans l'adoption, c'est que l'enfant sache qu'il peut aimer ses parents de naissance, qui n'ont pas pu l'élever, et qu'il peut rêver que ses parents de naissance sont reconnaissants envers ses parents adoptifs de l'élever à leur place.

— Un enfant de six ans, nerveux, n'a qu'une idée : jeter tous les objets à lui ou aux autres sur les toits. Cela dure depuis très longtemps. Comment agir ?

— Si ce n'est pas un enfant schizophrène, cela a un sens pour lui, un sens qu'il faut chercher. Peut-être, lorsqu'il était petit, voyait-il sa mère cacher sur le dessus de l'armoire tout ce qu'il n'avait pas le droit de toucher.

En définitive, je vous dirai que, lorsqu'il y a des difficultés dans une famille, vous pouvez toujours parler en justifiant les enfants qui paraissent en avoir le plus.

Beaucoup me demandaient comment faire avec les enfants qui ne veulent pas communiquer. Il faut les justifier de ne pas vouloir communiquer, mais il ne faut pas chercher à provoquer leurs confidences, et ne pas brusquer un enfant « fermé ».

L'enfant unique

L'École des parents, avril 1950.

En demandant à un médecin de parler de l'enfant unique, on peut craindre qu'il ne fasse part que de son expérience d'enfants uniques malades. Ce serait n'exposer qu'un seul aspect du problème, c'est-à-dire les inconvénients qu'entraîne la situation d'enfant unique pour la santé physiologique ou psychique. Or, hâtons-nous de l'affirmer : cela ne rend pas malade d'être enfant unique ! Mais peut-être a-t-on raison de s'adresser au médecin puisqu'il voit défiler devant lui beaucoup plus d'enfants que l'éducateur, et peut faire à leur sujet des enquêtes dans les familles, dans le milieu où ils vivent.

Les problèmes de l'enfant unique, en effet, pourraient être envisagés du point de vue sociologique ; ceux qui les connaissent s'accordent pour y voir des problèmes d'aîné perpétuel. À partir du deuxième enfant, en effet, la construction de la personnalité enfantine s'accomplit de façon tout à fait différente. Placé dans une situation non privilégiée par des parents qui ont généralement voulu cette situation en refusant l'offre plus généreuse de la nature, nous allons voir comment l'enfant unique réagit aux conditions spéciales d'isolement dans lesquelles il se trouve, et cherche à surmonter les difficultés qui leur sont liées.

L'ISOLEMENT DE L'ENFANT UNIQUE

Qu'il soit un enfant sain du point de vue psychique et social ou un enfant présentant des troubles psychiques, l'enfant unique se trouve dans une situation de fait : il est, jusqu'à l'âge scolaire, isolé dans un milieu d'adultes, qui sont pour lui des images achevées. L'enfant, lui, qui est protéiforme, épouse successivement les formes qui sont en face de lui. Il les imite, même si ce sont des choses. Ainsi, lorsqu'il regarde une table, il devient table véritablement. De même, l'enfant qui spontanément s'identifie à ce qui vit en face de lui, devant des animaux, s'identifiera inconsciemment à l'animal pour se sentir animal en ce qui, chez lui, peut rappeler l'animal. De cette différence d'être, entre lui qui change sans cesse et les adultes de son entourage qui sont statiques, l'enfant conçoit une gêne dans la libre expression de ses tendances. Il se sent comme en un pays étranger à l'intérieur même de sa famille.

Toutefois, l'enfant vit dans ce climat familial marqué par l'idée que cette famille représente le Bien auquel il l'assimile. Cela, à cause de ce que représente pour lui la mère, élément stable qui, jusqu'à cinq ou sept ans, lui est tout particulièrement nécessaire : elle lui a donné la vie et lui fournit la nourriture, répondant ainsi à son besoin vital le plus important. Il est remarquable que, jusqu'à cet âge-là, il n'y ait pas de distinction entre les mères. Pour l'enfant avant cinq ans, la maman, la sienne, est la seule qui compte. Que la mère soit bonne ou mauvaise, qu'importe : l'enfant est démesurément attaché à sa mère. Ainsi, chaque fois que l'on veut arracher un enfant à une mère indigne alors que, selon toute apparence, il serait plus heureux ailleurs, il se produit un drame, et l'enfant résiste farouchement afin de rester près de sa mère biologique.

Attaché à sa mère qui lui est indispensable, l'enfant, qui manque de société, croit que c'est cela la société. Or c'est un fait qu'il manque d'échanges, les adultes achevés avec lesquels il vit ne pouvant rien « échanger » véritablement avec lui. À ce propos, il y aura grand avantage à élever l'enfant unique en compagnie d'animaux avec lesquels il échangera des jeux, des mimiques : tel geste, tel phénomène voudra dire quelque chose. Cependant, le langage suggestif d'un animal n'est pas celui d'un petit d'homme et ne pourra pas être le véhicule d'une intercompréhension. L'importance du « petit camarade » sera justement, alors, de permettre l'intercompréhension. En face de l'animal, l'enfant ne se sent pas homme, tandis que, devant le petit d'homme, il se sent l'autre, il se projette dans l'autre, aboutit au contact vrai, quitte le narcissisme qui conditionnait sa conduite jusqu'ici, et l'empêchait, en n'ayant jamais que lui à comprendre, de saisir autrui en sortant de lui-même.

Dans le mythe de Narcisse qui est maintenant connu de tous et pas des seuls psychologues, nous rencontrons bien cette indication sur l'origine de l'isolement de l'être qui en vient à s'étreindre lui-même. S'il en arrive là, c'est parce qu'il a refusé d'entendre l'appel de la nymphe Écho l'invitant à la suivre, méconnaissant ainsi ce qu'il y avait de lui dans cet être humain autre que lui. Le narcissisme mène à la destruction de soi-même, à l'impossibilité d'aller « vers », de faire « pour ». L'enfant unique, ne pouvant se reconnaître dans l'adulte, ressent une sensation d'« isolation ».

L'enfant, privé d'échanges dans ce monde d'adultes, réagit de deux manières devant cette épreuve : verbalement, il devient un adulte ; d'un point de vue sensoriel et moteur, il reste très bébé. Aux tests Terman[1], par exemple, on se rend compte que le quotient intellectuel des enfants uniques est supérieur à la moyenne des autres enfants. En revanche, devant les tests moteurs, ils ont un comportement d'enfants nettement plus jeunes, et aux tests affectifs, ils réagissent comme des êtres participant au groupe sans aucune indépendance personnelle. De là résulte un certain nombre de difficultés dans le comportement.

Verbalement, l'enfant « rend » des mots, il a l'air de parler comme un adulte, il se croit véritablement un adulte ; il est sans cesse occupé à imiter l'adulte, à tirer les ficelles intérieures d'un « pantin-lui » qu'il veut réaliser. Il a, de ce fait, vis-à-vis des enfants de son âge, un sentiment d'infériorité : il se ressent de moins en moins lui-même.

En contact avec d'autres enfants, il sera toujours battu : il s'approche du cercle des autres parce qu'il a envie d'entrer en contact avec eux ; les autres le tapent pour voir si ça « répond » parce que, à ce stade, ils ne savent qu'agir, et non parler ; l'enfant unique recule, non habitué à ce traitement, et c'est le cercle vicieux.

Une façon d'élever sainement l'enfant unique, c'est de le mettre en contact avec d'autres enfants sans regarder ce qui se passe, c'est un conseil utile pour la promeneuse qui en aura la charge au square et qui, en faisant ainsi chaque jour, procure à cet enfant une chance d'échanges enfantins.

L'enfant unique ne raconte rien aux parents de ce qu'il a fait car il ne sait pas exprimer ce qu'il vit (l'enfance) mais sait exprimer ce qu'il ne vit pas (l'état d'adulte). Il ne peut pas dire en mots d'adultes ses jeux d'enfant, ses préoccupations affectives d'enfant.

Les différences entre l'adulte et l'enfant sont les suivantes : d'une part l'adulte est un individu à comportement génital dans la société alors que l'enfant ne l'est pas ; d'autre part l'adulte est un être responsable devant la société, tandis que l'enfant ne l'est pas. Ces différences amènent l'enfant unique à la solution suivante : n'étant ni sexué ni responsable tout en se croyant adulte, il sera un verbal qui parle comme s'il était autre qu'il n'est.

Ainsi, quand ils grandissent, les enfants uniques sont des hyperverbaux et des hyposensoriels, et, chez eux, la puberté n'arrive pas à se faire. À quinze ou seize ans, ce sont des sujets d'élite du point de vue scolaire, mais des êtres nuls du point de vue des échanges humains. Dans leur traitement analytique, il faut alors qu'ils retrouvent leur équilibre à partir d'une base sensorielle : ce sont des sensations de petits qu'ils ont à éprouver pour parvenir à une sexualité normale, d'où le drame d'inadaptation foncière quand ils veulent « contacter » des enfants avec leur sexualité d'adultes.

Ceux qui parviennent le mieux à trouver un certain équilibre normal sont ceux qui ont une monomanie sensorielle, telle que le Meccano, le découpage, la broderie pour les filles. Grâce à cela, ils ne deviennent pas malades car cette manie leur tient compagnie et leur permet d'avoir à cette occasion des échanges avec les autres. De même, la musique, mieux que la poésie, est une heureuse sublimation de ces forces inemployées.

LES TROUBLES DANS LA CONSTRUCTION DE L'ÊTRE

Quelles sont les conditions nécessaires à l'être humain pour qu'il se construise, quel que soit le milieu ? L'enfant unique bénéficie-t-il de conditions favorables ?

Le propre de l'enfant c'est de croître, et la construction de sa personnalité est un développement vers un achèvement. Nous allons voir comment cet élan de croissance est contrecarré chez l'enfant unique par sa situation de famille à trois : papa, maman et lui. Ici, nous faisons intervenir la notion que les psychanalystes appellent l'« imago », pour la distinguer de l'image au sens banal : l'« imago » est, pour chacun de nous, une image intériorisée. Chacun porte en lui, conforme à sa typologie, une « imago » du père et de la mère, image idéale d'un soi adulte qui correspond au besoin de développement de soi, une image idéale d'un « soi plus tard ».

La réalisation de cette « imago » est très difficile pour l'enfant unique parce qu'il se voit comme une donnée (il ne s'est pas vu naître et n'a pas vu naître de frère ou de sœur). Il pense son père et sa mère comme Monsieur et Madame, et non comme un père et une mère « géniteurs ». Il conçoit de son père et de sa mère une « imago » stérile et mutilée par rapport à l'image que l'on porte en soi ; en effet, il sent intuitivement que la croissance mène à la reproduction. Alors, l'« imago » de son père et de sa mère devient anxieuse parce que incomplète. L'enfant se demande : « Pourquoi sont-ils stériles ? » et il a tôt fait de le découvrir : « C'est parce qu'ils ne veulent pas d'autres enfants, trouvant cela pénible, ennuyeux, etc. » Si, au contraire, des parents ne peuvent plus avoir d'autres enfants, soit pour des raisons graves, soit à la suite de procédés anticonceptionnels[2], et cela en dépit de leur désir d'en avoir, l'enfant tôt ou tard le saura et comprendra qu'on aurait voulu mais qu'« on n'a pas pu ». Cela vaut mieux pour lui. Car dans le cas de parents stériles volontairement, il garde l'« imago » d'un adulte stérile, qui a peur d'avoir des enfants, donc peur de la vie, peur de tout, surtout égoïste.

C'est alors la valeur « avoir » et non le terme « donner, créer », qui prend la place numéro un dans l'esprit de l'enfant. Il sait que les parents ont eu un enfant et qu'ils refusent de donner la vie à d'autres. Il entendra dire : « Nous avons un enfant, il ne faut pas qu'on nous le prenne », et ce « on » désigne ses relations, sa situation future, sa vocation... La forme du soi-disant amour des parents pour l'enfant unique, souvent pathologique, renforce cette idée de la primauté de la notion d'« avoir ». Les parents transportent sur un seul être leur ambition personnelle et l'accablent de « travaille, c'est pour ton avenir ». Il faut, lui aussi, qu'il « ait », qu'il possède. Il n'a pas le droit de perdre ni de risquer, alors que la vie est tout au contraire un risque permanent, où, d'ailleurs, qui perd gagne.

Au lieu de donner une image vivante de l'adulte, on lui en offre une image stagnante. Dans la famille de l'enfant unique, on s'ennuie, il n'y a pas d'imprévus, comme ceux qu'apportent une naissance, l'arrivée et le développement dans la famille de plusieurs enfants. L'enfant unique ne saisit pas sur le vif les bouleversements de la vie et, plus profondément, de lui-même. Il finit par se sentir un « objet » précieux et par se regarder comme tel, avec les yeux des grandes personnes. Il sent alors cet irrespect de la valeur humaine, si fortement traduit par l'attitude de possession des parents et des grand-mères qui se disputent l'unique rejeton. Il est l'enfant de Monsieur et Madame X, le petit-fils de Madame Y, et non plus un être humain ayant droit à sa vie propre. Il devient de plus en plus un objet, et pourrait résumer ainsi son état d'esprit : « Que l'on me prenne ou que l'on ne me prenne pas, que ce soit l'un, que ce soit l'autre, je m'en fiche. » Il se produit alors chez lui, souvent, un durcissement qui peut s'accompagner d'une identification à cet objet.

L'histoire de cet enfant de seize ans, resté seul jusqu'à dix ans, met bien en lumière ce phénomène. Il se dessinait sous la forme d'une vieille chaussure dont il racontait qu'elle se durcissait de plus en plus. Il voulait faire comprendre qu'on exagérait en lui faisant jouer le rôle de trois paires de chaussures. Puis elle se racornissait, se déchirait enfin pour contraindre son propriétaire à l'abandonner. Celui-ci laissait la vieille chaussure pour une nouvelle. Mais alors la vieille se disait : « J'aimerais mieux être sur un pied, maintenant je meurs de froid. » Cet enfant, qui avait vécu en état de participation trop absolue à sa mère, avait vu arriver le petit frère comme celui qui le séparait définitivement de la tendresse féminine qui le faisait vivre. Il disait en « mourir de froid », au moment où il cessait d'être « l'unique », celui qui servait à tout.

Indépendants du milieu, ces troubles généraux de la construction de la personnalité sont accompagnés d'autres difficultés, venant du milieu, sur le plan du développement des instincts.

DIFFICULTÉS PARTICULIÈRES
DANS LE DÉVELOPPEMENT DES INSTINCTS

On sait que le pigeon ne peut devenir adulte que lorsqu'il a vu son image en face de lui, qu'il s'agisse d'un autre pigeon ou de sa propre image renvoyée par un miroir[3]. Le désir de compétition alors le conduit à son développement total. Pour l'enfant, il en est un peu de même : un enfant ne grandit pas sans but.

Les enfants uniques font toujours des « histoires » autour de la nourriture, et les débuts d'anorexie sont fréquents. À l'âge où ils se demandent pourquoi manger, ils répondent : « À quoi bon, on s'ennuie tellement. » Ou bien, devant les supplications de leur mère désireuse que son enfant grossisse pour en être fière, ils ne cherchent pas à « faire plaisir à maman », comme elle dit, mais trouvent enfin une belle occasion de s'opposer, mettant leur liberté à ne pas manger. Mais après ce « non » devant la nourriture, on peut voir le « non » devenir général : l'enfant refuse d'aller à l'école, de faire comme les autres. C'est alors un symptôme assez grave.

Devant l'enfant malade, la mère s'inquiète dès les premiers accès de fièvre. Au deuxième ou au troisième enfant, elle acquiert plus de philosophie. La mère de l'enfant unique demeure toujours aussi inquiète, et entretient ainsi autour de ces accidents de croissance une anxiété néfaste pour l'atmosphère de la vie de l'enfant. Il en est de même lorsqu'elle l'accompagne à l'école portant son cartable de peur qu'il ne se fatigue, ou lorsqu'elle apporte le sandwich à la sortie de peur qu'il ne soit trop épuisé après dix minutes de trajet.

Le développement de l'enfant consiste en une série d'acquisitions. Or l'enfant unique, gavé de nourriture, d'instruction, de tout n'a pas le temps de désirer les choses dont on le comble car il est toujours devancé et par là même désavantagé. À la campagne, on dit qu'il faut que l'enfant pleure pour mériter le sein, et cette maxime contient sa part de vérité. En effet, les acquisitions non désirées ne portent pas leur fruit, ne profitent pas au sujet, n'encouragent pas son dynamisme. Si le moindre besoin, la faim par exemple, est immédiatement satisfait, le sujet se trouvera bien peu armé pour lutter dans la vie.

On peut mettre certains troubles de la scolarité en correspondance avec les troubles de la nutrition. De petits anorexiques, âgés de sept ans, présentent ceci de particulier : ils sont très bons élèves à condition que l'on ne contrôle pas leur travail. Si on leur fait réciter les leçons, immédiatement après ils ne les savent plus ; elles ont été pour ainsi dire « régurgitées ». L'appétit de savoir touche de très près l'appétit de manger.

Jusqu'au moment où l'enfant unique aura deux ans, les parents et l'entourage seront tout le temps sur son dos pour accélérer son apprentissage musculaire, surtout celui qui le mènera à la marche. Il est vrai que, bien souvent, cela se passe aussi pour un aîné jusqu'au même âge. Ensuite, vers trois ou quatre ans, à l'âge sensoriel et musculaire, on saura tout de ses moindres gestes, et ils seront déclarés fautifs dès qu'il aura touché le moindre objet. Si quelque chose a bougé dans la maison, ce ne peut être que lui le coupable puisqu'il n'y a pas d'autre enfant. Il n'a pas la chance des enfants de famille nombreuse qui partagent la responsabilité des actes critiqués. Le contrôle permanent de ses gestes entrave sa liberté d'exercice et finalement le condamne à l'impuissance musculaire.

Pour compenser, il va chercher à s'exercer dans ce domaine où personne ne peut contrôler ses activités : la pensée. Il s'exerce mentalement. Ou bien il devient la proie de l'obsession, ou bien, cet exercice mental se socialisant, il devient un « fort en calcul », ou en mathématiques, plus tard. Ne pouvant pas remuer des choses, et difficilement des sentiments, ce qui produirait des drames, l'enfant unique, perpétuellement contrôlé, remue en lui-même des nombres ou des idées. On a observé que les grands obsédés sont très souvent des enfants uniques chez lesquels l'impuissance musculaire a entraîné une fuite exagérée dans le mental.

Comme on vient de le voir, ni la construction de son corps par lui-même ni la conquête de l'espace ne sont faciles à l'enfant unique. On peut, de la même manière, expliquer son attitude de parasite et d'esclave. Les enfants constamment privés de liberté finissent par demander : « Qu'est-ce qu'il faut que je fasse aujourd'hui ? », « Quelle robe est-ce que je vais mettre ? ». Ce sont des êtres qui ont besoin d'une « nounou » perpétuelle. Dans la vie, ils « se font tondre », ou ils deviennent des révoltés, des malades, conscients de n'avoir aucune liberté de choix, ce qui est encore une attitude de parasite.

L'enfant unique ne connaît pas d'échanges sensoriels avec un semblable, et il ne connaît pas non plus d'échanges sur le plan de la sexualité. À l'âge de douze ou treize ans, arrive le moment où il cherche à savoir et veut savoir ce qu'est la vie. Mais comme, le plus souvent, le ménage qui a refusé d'engendrer d'autres vies, et qui voit celle de l'enfant unique lui échapper, est en train de se dissocier, il évite les problèmes touchant à la sexualité. Alors, l'enfant unique s'accroche à sa mère ou à son père, selon son sexe, et ne peut arriver à s'en détacher ; il est d'ailleurs profondément attaché à ses parents et, moins il le montre, plus on peut dire qu'il l'est. Plus tard, si ce fils unique se marie, on le voit très souvent, lors d'une dissension entre sa mère et son épouse, résoudre enfin son complexe d'Œdipe, ou faire « un retour à sa mère ».

Quand l'enfant unique a dix-sept ans, l'échec d'une amitié avec un ami du même sexe est presque fatal, comme le sera ultérieurement l'échec de toute forme de relation amicale ou amoureuse. En effet, il est bien difficile, à seize ou dix-sept ans, d'avoir des échanges sociaux quand on n'a pas commencé jeune. Cet échec a, chez les enfants uniques, un retentissement profond qui les touche jusque dans leur sexualité d'adulte. Il en va de même, et à plus forte raison, de l'échec d'un premier amour.

L'enfant unique voit dans ces ruptures l'impossibilité d'un recommencement, car il se croit toujours responsable de tout. Il s'est construit dans une famille à trois, dans laquelle il y a toujours eu un responsable : lui. Ce sentiment de responsabilité à tous coups est la répercussion de l'intériorisation des épreuves de ses parents.

Des phrases comme celles qui suivent ont été prononcées tous les jours : « C'est à cause de toi que j'ai fait ceci » (bien sûr, puisqu'il est tout seul), « C'est pour le petit que cela m'ennuie » (quand le père a un ennui dans sa situation), « C'est pour toi qu'on va en vacances », « Je ne vis que pour toi » (lui dit sa mère), « Maman dit ne vivre que pour moi et papa que pour maman ». Cela lui rend les épreuves insupportables en créant un réseau de responsabilités à tous les degrés, et un sentiment de culpabilité intolérable.

L'enfant devient un scrupuleux, ou il se tire très bien d'affaire mais sans aucun esprit d'équipe : il y a lui et les supérieurs dont il dépend mais, à côté, personne, ou lui tout seul, s'il se sent supérieur à tous. Ces enfants uniques n'ont pas traversé à temps l'épreuve de la jalousie, vécue dans une famille multiple, pour arriver enfin à l'esprit d'équipe. Ils supportent très mal les épreuves de compétition. Ils ne s'exercent à un sport que s'ils peuvent y exceller, car les échecs les font souffrir.

Souvent, le complexe d'Œdipe n'est pas résolu, par l'enfant unique, avant l'expérience du déplacement de ce complexe dans les conflits d'un premier amour. L'intimité des adultes, son père et sa mère, qui devrait avoir pour but un fruit, un autre enfant, est ressentie par lui comme un favoritisme arbitraire auquel il ne trouve pas de sens. Il est, de plus, blessé par certaines comparaisons : les autres parents ont des enfants et pas les siens. Cette constatation complique son complexe d'Œdipe d'un complexe d'infériorité sociale. Dans une famille de plusieurs enfants au contraire, si le fils est jaloux de sa mère pour l'intimité qu'elle a avec son père, il sent très bien que, lui, il ne peut pas encore être père. (Différence et non pas infériorité.)

Terminons, pour illustrer cette situation, par cette petite histoire. Un enfant de quatre ans dit à sa mère qui sort pour le deuxième soir consécutif avec son père : « Tu sors toujours avec papa. » La mère répond : « J'en ai bien le droit puisque c'est mon mari. » Alors, l'enfant de quatre ans : « Nous aussi, on voudrait être ton mari ! » La mère cherche quoi répondre. Son frère âgé de trois ans, sauvant la situation : « On voudrait être ton mari comme ça, mais papa, c'est *ton mari pour avoir des enfants.* »

Parler l'argent

L'École des parents, décembre 1979.

Certains parents disent : « Ma fille chaparde dans les grands magasins... Mon garçon pique dans les rayons. » Il faut tout de suite prononcer le vrai mot : « Ils volent », et réagir dès qu'on s'en aperçoit. Et il n'est jamais ni trop tôt ni trop tard. Si on s'aperçoit que l'enfant, à trois ans, quatre ans, a volé quelque chose pendant les emplettes de sa mère, c'est le moment pour vous, le père ou la mère, de vous « mouiller ». Prendre l'enfant par la main, rapporter avec lui ce qu'il a volé sans trop le blâmer, sans en faire un drame : « Tes mains ont fait quelque chose que tu savais (ou ne savais pas encore), dans ta tête et ton cœur, être mal. » Ce que la société interdit aux parents est également interdit aux enfants : la loi est la même. « Tu ne dois pas faire ce que tu sais que ni moi ni ton père nous ne faisons. » La tête et le cœur ont à connaître la loi et à commander le comportement.

L'enfant peut comprendre tout petit que les vendeurs sont responsables de la marchandise, quelle qu'elle soit ; on ne peut donc rien prendre dans un magasin sans payer et, ailleurs, en famille ou chez des amis, sans en demander la permission. Même s'il s'agit d'une coquille d'escargot vide, la mère doit demander au vendeur : « Madame, monsieur, mon enfant a ramassé une coquille d'escargot. Est-ce qu'il peut l'emporter ? » Si le vendeur dit « non », il faut la remettre à sa place, ou payer.

Une autre manière d'aider un enfant qui a volé à comprendre la valeur de son acte, c'est de lui faire réaliser en pensée une sorte de psychodrame. On imagine avec l'enfant qu'un policier sonne à la porte :

« "C'est bien la maison de Mme Un Tel ? Madame Un Tel, vous avez volé au magasin, je vous emmène en prison..." Qu'est-ce que tu dirais ? — "C'est pas vrai, maman n'a pas volé !" — Tu vois, moi aussi, je pense la même chose de toi. C'est trop lâche de voler. Et pourtant, tu as volé quelque chose. Et il faut bien accepter qu'on t'appelle voleur... Maintenant, nous allons rendre ensemble ce que tu as volé, et tu ne seras plus un voleur. »

Pour élever un enfant, il faut être courageux, il faut aussi voir loin. L'intelligence animale est ruse, elle est sans langage. L'intelligence humaine assume ses actes par la parole qui revendique ses actes. Le sens de la responsabilité, cela s'enseigne par l'exemple d'abord, mais aussi par des paroles.

Au début, chez tout enfant, le *tien* et le *mien* sont confondus, et puis prendre le savoir d'un autre, n'est-ce pas s'instruire ?... Tout enfant a volé ou volera un jour ou l'autre. Que le contrat soit implicite ou explicite, « prendre en échange de... », c'est vivre en société. Cela s'enseigne en famille.

Quand les enfants tout petits volent dans un supermarché, c'est qu'ils voient leur mère « prendre ceci ou cela », ils n'imaginent pas qu'il faut payer, tout à l'heure, à la caisse, tout ce qu'on a pris. Et ce qu'on leur propose à portée de main est si tentant ! La vie imaginaire et la réalité, le possible ou non selon les lois de la nature ou celles de la société, cela se parle au jour le jour.

Beaucoup de choses aujourd'hui apparaissent comme gratuites et ne le sont pas. Ainsi à l'hôpital, les malades comme le personnel soignant estiment que les soins sont gratuits, alors que c'est faux. De là à penser que les malades sont des numéros, entretenus, assistés... Ils en arrivent à trouver normal d'accepter d'attendre deux heures, à la consultation par exemple. « Puisque vous ne payez rien, estimez-vous contents ! » Il faudrait écrire en grandes lettres dans les hôpitaux : « Les infirmières, les médecins sont à votre service, parce que c'est vous qui les payez. » De même les maîtres dans les écoles. L'école publique n'est pas gratuite ; les parents qui mettent leur enfant en école privée paient deux fois, pour l'école publique par leurs impôts, et en plus à l'école de leur enfant, c'est leur choix.

Les enfants doivent savoir que, dans les grandes surfaces, rien n'est gratuit non plus. Il faut dire aussi que les courses quotidiennes peuvent être terriblement inhumaines dans les « grandes surfaces ». Il ne reste plus que la marchandise-objet et la caisse enregistreuse. Avec l'épicier du coin, tout est bien différent, il connaît ses clients. Il voit les yeux de l'enfant briller devant les bocaux de bonbons : « Quelle couleur préfères-tu ? » Il lui donne un bonbon et s'attache ainsi la clientèle de la mère. L'enfant comprend parfaitement que sa maman paie pour ce qu'elle emporte et qu'on lui a fait, à lui, un cadeau. Quand il ne peut pas encore comprendre, il faut le lui expliquer.

Aujourd'hui, toute l'éducation passe par la parole entre l'adulte tutélaire et l'enfant dont il se sent responsable et qu'il aime. Dans la vie sociale, surtout celle des villes, tout est déshumanisé au niveau des individus, les responsabilités semblent inexistantes entre tous ces anonymes, partout. Les gestes sont trompeurs. Au supermarché, la mère prend aux étalages, ensuite passe par un goulet, paie, mais pour l'enfant quel rapport peut-il y avoir entre ce geste muet et la déambulation raptrice qui l'a précédé ? Et ce n'est qu'un exemple. Pour les enfants, toute la mécanisation de nos modes de vie est simple magie. Ni travail ni échange interpersonnel apparent. Il faut aux parents beaucoup de vigilance éducatrice pour éduquer le sens civique... et conserver aussi le leur ! Ce sont les parents qui, devant la loi, à juste titre, sont responsables des vols et nuisances de leurs enfants.

C'est dans la prime jeunesse, avant six, sept ans et même plus tôt, que le sens moral et le sens civique se forment par l'observation du comportement des parents vis-à-vis d'autrui, mais sur un fond déjà constitué de ce que l'enfant expérimente en famille du comportement des parents et des aînés à son égard.

L'enfant agit avec autrui comme mère et père ont agi vis-à-vis de lui. C'est pour lui modèle à imiter. Ainsi, nombreux sont les petits dont la mère dispose à son gré des jouets pour les « préserver », ou les donner à d'autres, ou encore des petits trésors qu'elle jette (ou confisque en oubliant de les lui rendre). Nombreux sont les parents qui

« empruntent » à leurs enfants plus grands l'argent qu'ils ont reçu en cadeau et négligent de le leur rendre...

De telles expériences forment le sens du respect de la propriété et émoussent le sens de la responsabilité morale et civique — sans compter la tricherie ou la fraude dans les échanges, le commerce ou le paiement du travail d'autrui dont l'enfant est témoin, l'âge de raison advenu.

L'argent de poche, c'est un sujet très délicat, qui touche tellement à l'affectivité. Nous étions une famille nombreuse ; mon père, qui s'était marié en 1900, nous disait vers 1925 : « Mes enfants, quand j'étais jeune, j'avais 50 centimes le dimanche et je m'estimais heureux. » Mais, évidemment, avec 50 centimes, en 1925, nous ne pouvions rien faire. Or, mon père n'était pas du tout radin, et il savait bien que les prix n'étaient plus les mêmes, mais pour l'argent de poche, ce raisonnement n'intervenait pas. Et puis, en fait, nous n'avions pas besoin d'argent de poche. Pas plus que lui en 1885 ! Ce n'est plus la même chose de nos jours, où les enfants sont livrés à eux-mêmes de longues journées, où le commerce et la publicité visent à séduire les enfants.

Le budget familial reste trop souvent secret pour les enfants. C'est dommage. Les enfants auraient bien davantage confiance en leurs parents s'ils savaient comment s'organise ce budget. Pourquoi les parents dépensent-ils telle somme pour leur plaisir ? Quelles dépenses ont-ils à prévoir pour les enfants ? Pour chaque enfant ? Et pourquoi établit-on une hiérarchie entre les dépenses indispensables et facultatives ? Le plaisir est nécessaire, il faut le prendre en compte, mais à côté il y a tout le reste, la part indispensable du budget à laquelle on ne peut pas toucher. Cela peut se dire et surtout s'expliquer en famille avec chiffres sur papier et sans tricher.

Trop souvent aussi, les enfants se valorisent les uns par rapport aux autres par leur père, leur mère : la voiture du père, l'élégance de la mère... Les parents n'y prennent pas garde. Il y a d'autres qualités, moins spectaculaires, dont on peut parler davantage. On peut suggérer aux enfants que la fierté des parents l'un pour l'autre peut se placer ailleurs que dans un compte en banque ou dans des signes extérieurs d'aisance matérielle.

Une méthode efficace qui permet d'accepter les limitations du budget ? Aller « se rincer l'œil » devant les belles vitrines et se faire des cadeaux en paroles. « Ce beau costume ? Je te le donne ! Comme il va bien t'aller ! Je te vois avec ! Mais il représente tant de jours de travail. » (Bien sûr, si l'enfant ne connaît pas le gain des parents, les dépenses de base et le montant des impôts, les journées de travail sont de l'imagination pure.) « Ce parfum, maman, je te le donne. » Et on rêve, et on se remercie, on se congratule, on rit, on s'amuse.

Les désirs peuvent toujours être parlés, exprimés, ils soutiennent la vie imaginaire. J'ai connu une famille qui n'y croyait pas et qui a tenté l'expérience. Les enfants ont mieux accepté par la suite les limitations du budget qu'on leur avait détaillé, feuille de paie, factures et déclarations d'impôts à l'appui. Les vitrines sont faites pour donner du plaisir, et le plus grand des plaisirs n'est-il pas de pouvoir parler de ses désirs à quelqu'un qui vous aime, même si ces désirs ne peuvent pas être satisfaits ? D'une certaine manière, l'amour, l'humour, le jeu de l'imaginaire peuvent les satisfaire en paroles. Pourquoi gronder un enfant qui réclame ce qu'on ne peut lui accorder et qui est déçu ?

La question de l'argent de poche fait partie d'un ensemble : attitude des parents à l'égard de l'argent, organisation du budget familial et participation de la famille à cette organisation, sens de la gratuité, etc., et souvenirs d'enfance des parents ! Question complexe !

Demander ou avoir besoin d'argent, quand on a le nécessaire, n'est-ce pas toujours demander des attentions d'amour, des paroles de tendresse, des échanges enjoués avec ses parents ? Ce n'est jamais coupable de désirer l'impossible. Et parler ensemble de l'impossible c'est déjà très agréable...

L'enfant et les marchands

Le Journal de l'éducation, 8 décembre 1977.

« **J**e vous parle en femme qui, bien que psychanalyste, est en âge d'être grand-mère et plus. En femme dont les réponses sont discutables, les idées qui les guident contestables, dans un monde mouvant dont les enfants d'aujourd'hui sont les adolescents et les adultes de demain, dans une civilisation en mutation. J'essaie seulement d'éclairer la question du demandeur », ainsi se présente Françoise Dolto.

LE JOURNAL DE L'ÉDUCATION : *Noël arrive et, comme chaque année, d'un point de vue commercial, l'enfant devient la cible de toutes les attentions. Que pensez-vous de cette sorte d'agression ?*

FRANÇOISE DOLTO : Je ne sais pas si c'est une agression mais c'est en tout cas une tentative de séduction à but purement commercial, c'est-à-dire une pure exploitation. Il ne s'agit pas de répondre à une demande de promotion psychologique, de maîtrise du monde, de moyens de libérer l'imagination, l'intelligence et le cœur de l'enfant. Rien de cela dans toutes ces séductions qui lui sont proposées et dans lesquelles on essaie de le piéger pour que les parents dépensent de l'argent. Il y a beaucoup de cas où ce que l'on propose ne va pas « humaniser » l'enfant.

J.É. : *Et comment pensez-vous que les enfants réagissent ?*

F.D. : Je ne sais pas, ce n'est pas moi qui peux vous le dire. Mais je pense que les enfants réagissent comme les adultes réagissent devant des séductions qu'ils ne savent pas critiquer.

J.É. : *Pensez-vous qu'il soit nécessaire qu'existe une forme de création spécialement conçue pour les enfants ?*

F.D. : Non, sûrement pas. Pour les petits jusqu'à sept, huit ans certainement, mais après, à partir du moment où la lecture est acquise, les enfants peuvent *tout* lire : ce qu'ils ne comprennent pas leur passe par-dessus la tête. Malheureusement, la littérature faite pour les enfants les attire par les couleurs, par la présentation, et ne leur donne très souvent que des choses qui ne permettent pas l'ouverture vers une promotion totalement humaine, civique et généreuse dans le sens de *s'occuper avec les autres*. On les suscite dans le narcissisme, dans la violence ou dans l'imaginaire seulement, et pas assez dans la réalité. Et c'est pour ça d'ailleurs que les enfants, très jeunes, s'intéressent tellement à la réalité, au cinéma. Les actualités intéressent énormément les enfants, et pourtant, dans l'actualité, il n'est rien fait de particulier pour eux.

J.É. : *Et cela est valable pour toutes les formes de la création, la littérature pour enfants, la musique pour enfants ? Par exemple il existe des chansons pour enfants...*

F.D. : Il y a des chansons pour enfants, pour les petits. Il y a des chansons de marche, mais pour tous ceux qui marchent, enfants ou pas ; ce qui importe ce sont des rythmes. Le rythme binaire tente beaucoup les petits enfants et beaucoup d'entre eux, d'ailleurs, appellent « marcher » faire « un-deux, un-deux ». Bien sûr, cela c'est pour les enfants, mais la grande musique est aussi pour les enfants. Malheureusement les parents ne le savent pas et les disquaires ne font pas assez de petits disques où il y aurait à la fois des variétés plaisantes et des passages de grande musique.

J.É. : *Pour quelle raison, selon vous, des adultes ont-ils ima-giné qu'il fallait qu'ils transforment leur art spécialement pour les enfants ?*

F.D. : Par projection. Ce qui est enfant, pour les adultes, c'est quelque chose de petit. Les adultes ne se souviennent pas à quel point ils étaient riches quand ils étaient petits. Ils se sont peu à peu limités dans un certain secteur de leurs intérêts, de leurs aspirations et ils ne donnent aux enfants que ce qui, en eux, s'amuserait, alors que ce n'est pas du tout ça.

On le voit bien avec les poupées que les parents achètent aux enfants et qui ne sont pas celles qui leur plaisent. Parfois elles peuvent arriver à « bourrer le mou » des enfants, si je peux dire, pour que ce soient ces poupées-là qu'ils prennent. Les enfants se laissent influencer par ce que dit l'adulte, mais, en fait, ils ne s'amusent pas avec une fois qu'ils les ont. Ils en ont envie parce que ça a l'air de faire envie à l'adulte (l'enfant s'aligne sur l'identification à l'adulte). Si l'adulte trouve cette poupée belle, il se laisse subjuguer, mais, en fait, ce n'est pas ce qui va nourrir son imaginaire et le faire vivre. Toutes ces poupées qui boivent, qui mangent, qui pissent — c'est tout juste si elles ne crottent pas ! —, ça ne sert à rien pour les enfants. Ils jouent en imagination avec l'idée de les avoir et, une fois qu'ils les ont obtenues, ils ne s'en servent plus du tout. Au contraire, c'est angoissant, cette poupée qui dit une bande magné-tique et qui est toujours la même. Ils la montrent à d'autres gens, mais eux, dans leur être profond, ils ne s'amusent pas avec, parce qu'ils ne peuvent pas imaginer que la poupée pourrait dire autre chose que ce qu'elle dit.

J.É. : *Tout cela peut paraître un peu léger, mais, en fait, est-ce que ça ne vous paraît pas grave, parce qu'il y a tout de même un certain nombre de censures qui s'exercent là, ainsi qu'un rapport de forces ?*

F.D. : Oui, mais heureusement je crois que les humains se défendent beaucoup contre tout ça et qu'ils continuent à s'amuser avec des boîtes de sardines, des bobines, en mor-celant leurs objets, et d'autres qu'ils continuent d'inventer.

J.É. : *Mais comment un enfant peut-il résister à tant de sollicitations ?*

F.D. : Il peut résister si des adultes l'éveillent au sens pratique. À mon avis c'est cela l'essentiel de la pédagogie nouvelle : faire résister l'enfant par l'exercice de son sens critique. Et cela doit commencer par l'exercice, devant lui, ici et maintenant, du sens critique de la personne qui lui parle, parent, maître, ou adulte.

Avec mes propres enfants, c'est ainsi que j'ai fait. Lorsque quelque chose se passait, chacun, après, disait ce qu'il pensait, que cela soit désagréable ou non : « Qu'est-ce que tu en penses ?... Oui, c'est vrai... Et toi, si tu étais parent, qu'est-ce que tu aurais dit ?... Eh bien, tu vois, c'est que toi tu es différent de moi, et quand tu seras parent il faudra continuer à penser comme en ce moment. Actuellement, c'est moi qui suis obligée de décider, ce n'est ni bien ni mal, mais comme il faut qu'il y en ait un qui décide et que c'est moi le responsable, c'est moi qui décide... Tu as raison de penser ce que tu penses », etc.

La pensée a toujours raison de penser ; agir, on ne le peut pas toujours. Mais il faut toujours conserver son propre désir que l'on assume et que l'on a raison d'assumer. L'adulte doit toujours faire assumer par l'enfant le droit à son désir, même si, momentanément, il est dans des conditions où il ne peut le manifester.

J.É. : *Mais c'est sans doute la chose...*

F.D. : ... la plus difficile...

J.É. : *... et la plus effrayante puisqu'il ne s'agit pas moins que de devenir autonome.*

F.D. : Devenir autonome, c'est l'humanisation de l'enfant. Il y a chez l'être humain petit une impossibilité à être autonome. Il est un objet partiel de l'adulte, quant à son corps, quant à vivre. Pour survivre, il faut qu'il soit soumis en partie. L'enfant est soumis au rythme de l'adulte, mais il a lui-même sa propre vitalité, son propre désir et, aussitôt que c'est possible, il faut pouvoir le lui reconnaître. Il faut pouvoir le reconnaître comme un être autonome en devenir. Il faut lui dire, par la parole, qu'il deviendra lui-même ou père, ou mère. C'est une sexuation précoce — chose que l'on me reproche. L'enfant n'est pas un papa-maman ambulant, c'est-à-dire un lutin — ça c'est pour l'imaginaire. Dans la réalité il est un être sexué qui a des désirs : devenir homme, ou devenir femme, mais non pas devenir les deux. Et il est très important de verbaliser cela pour justifier les désirs de l'enfant qui ne sont pas ceux de la mère...

Vous savez qu'un enfant commence à exister par lui-même en disant « non » à la personne tutélaire. Ce « non » est vraiment l'avènement d'un être humain, et il faut l'en féliciter, toujours : « Tu as raison de penser "non" ; mais je ne sais pas si tu vas pouvoir *faire* "non". »

J.É. : *Est-ce le rôle des parents de dire à l'enfant qu'il a raison de dire « non » ? Est-ce que leur rôle n'est pas de rester cette personne à laquelle on dit « non » ?*

F.D. : Mais naturellement. L'enfant ne peut pas se passer de cette personne à qui l'on dit « non », *mais qui ne le blâme pas*. Toute la question est d'ajouter le blâme. On peut dire que dans l'éducation il y a toujours du « pas commode », du difficile, mais jamais du bien et du mal.

J.É. : *La morale n'a pas grand-chose à voir dans cette affaire...*

F.D. : Je crois qu'actuellement les adultes sont tellement malheureux dans leur vie qu'ils veulent vivre à la place de leurs enfants. Et je crois que ça n'existait pas avant que la limitation des naissances ait été rendue possible : les femmes avaient des enfants comme ils venaient, on les accueillait ou on ne les accueillait pas.

J.É. : *Elles les perdaient aussi...*

F.D. : Justement, il y avait cette part de hasard. Actuellement la responsabilité des parents est telle qu'ils voudraient que chaque enfant qu'ils ont conçu, *avec programmation,* corresponde à leur vie imaginaire. C'était beaucoup plus facile quand les enfants venaient comme ils pouvaient, tandis que maintenant les parents s'en veulent à eux-mêmes de les avoir mis au monde quand ils ne sont pas conformes à ce qu'ils voulaient.

J.É. : *Mais ne peut-on avoir confiance dans les enfants car, dans l'ensemble, ils ont plutôt une bonne santé et ne s'en laissent pas trop conter. Au bout du compte, est-ce que ce ne sont pas les adultes qui se retrouvent floués ?*

F.D. : Les adultes ont toujours été floués par la surprise que chaque enfant recèle en lui en se développant. La difficulté d'accepter l'enfant comme il se développe et tel qu'il est, a toujours été le propre des adultes. Quand on avait cinq ou six enfants, il y en avait peut-être un qui donnait plus de souci, mais pendant ce temps les autres avaient la paix.

Je crois qu'en ce moment il y a un très grand danger à faire correspondre l'enfant à un frigidaire ou à une maison de campagne : « On peut ? Alors, on y va ! » Avec cette programmation, l'enfant fait plus partie des besoins que des désirs. Il est vrai que l'enfant est la manifestation d'un désir inconscient, mais on l'empêche de se manifester. Si bien que lorsque l'enfant naît, il est le support de tous les désirs inconscients, et en même temps de tous les désirs conscients. Et c'est cela qui est actuellement difficile dans notre civilisation.

L'enfant et l'hospitalisation

Enfants Magazine, 20 avril 1978.

ENFANTS MAGAZINE : *Comment préparer un enfant à une intervention ?*

FRANÇOISE DOLTO : L'important, c'est de dire toute la vérité à un enfant, quel que soit son âge : un mois, un an ou quatre ans.

L'enfant, pour tout ce qui concerne son corps, est à considérer comme un adulte. Un adulte est encore plus enfant qu'un enfant par rapport à son corps : il est beaucoup plus inquiet de son corps que l'enfant. À quatre ou cinq ans, un enfant assume complètement tout ce qui arrive à son corps, si la parole lui donne un sens. L'important, c'est de dire le vrai sur le corps, avec des mots simples. Le rôle du médecin sera de s'adresser à l'enfant en présence de ses parents, dans des termes qu'il comprendra et de tout lui expliquer sur ce qu'on va lui faire. Le médecin lui dira ensuite (toujours devant ses parents) : « C'est toi qui expliqueras maintenant à tes parents pourquoi il est nécessaire de faire cette intervention. »

E.M. : *Comment les parents vont-ils contribuer à cette opération ?*

F.D. : Les parents doivent aider l'enfant à assumer lui-même ce qui va se faire avec l'aide du médecin. Ils ne doivent jamais donner des explications de leur propre cru à l'enfant qui s'interroge ; il vaut mieux lui dire : « Écoute, je ne sais pas, le médecin te l'a expliqué en même temps que nous, je n'en sais pas plus que toi. » On ne devrait jamais faire quoi que ce soit à un enfant sans le prévenir de ce qu'on va lui faire et pourquoi (à court ou à long terme).

E.M. : *Au réveil de l'opération, la présence de la mère est-elle indispensable auprès de son enfant ?*

F.D. : Oui, celle de la mère, du père ou de quelqu'un de sa famille. Quand il s'agit d'un tout-petit, plutôt celle de la mère. Mais il n'est pas nécessaire que les parents soient sans cesse là. L'enfant a surtout besoin de sa mère pour sa sécurité : quand il se réveille et qu'il souffre ; mais lorsqu'il ne souffre plus, on peut lui expliquer le rôle de l'infirmière, substitut de la mère pour les soins nécessaires. Il faut que sa mère soit à d'autres besognes que lui, tout en revenant le voir tous les jours. Si possible, que l'enfant reçoive les visites d'amis de son âge. Il ne faut jamais promettre une visite qu'on sait ne pas pouvoir effectuer. Il vaut mieux alors lui dire : « Je ne sais pas quand je pourrai venir, mais je pense à toi. »

E.M. : *Malheureusement, en France, les enfants n'ont pas le droit d'entrer dans les hôpitaux pour des visites.*

F.D. : Oui, chez nous, mais aux États-Unis, par exemple, ou dans certains pays pourtant axés sur l'asepsie, il est permis à d'autres enfants de venir : on les fait passer à la douche et revêtir une blouse. Pourquoi pas ? De même que les adultes ont besoin de voir leurs pairs, ceux qui sont reliés à leur narcissisme et à leur vie de langage à eux, de même l'enfant a besoin de sa mère quand il est très malade, mais surtout de compagnons de son âge. En ce sens, les salles communes à l'hôpital ont du bon, car les enfants y sont plus heureux que dans des chambres à deux ou trois lits qui peuvent être occupés par plus malade qu'eux... ou rester vides.

E.M. : *Certaines affections sont-elles plus traumatisantes que d'autres du point de vue psychique ?*

F.D. : Les maladies respiratoires ou pulmonaires ainsi que les opérations de la gorge (amygdales) et du tube digestif (appendicite), dites bénignes, sont parmi les opérations les plus traumatisantes pour l'enfant du point de vue de sa structure psychique. Il peut régresser et se comporter comme un bébé qui a besoin de l'autre. Ce n'est nullement un désir de parole, mais un besoin de présence rassurante (père ou mère), compatissante et calme. Le tube digestif, c'est la source de notre sécurité quand il fonctionne : le fait d'avaler est sécurisant. Or, avec l'opération des amygdales, l'enfant ne peut avaler. C'est parce que c'est la mère qui est notre respiration quand nous sommes « in utero », notre médiation à l'oxygène, que sa présence est indispensable au moment du réveil de l'enfant : elle est la garante de son corps.

E.M. : *Comment distraire un enfant à l'hôpital ?*

F.D. : En riant avec lui, en lui racontant ce qui se passe à la maison. On peut lui apporter des jouets, en ayant soin d'acheter les mêmes pour la maison car on ne peut rapporter de l'hôpital les joujoux qu'on y a introduits ; cela facilitera ainsi le lien entre l'hôpital et la maison, l'enfant a besoin de trouver les objets qui lui ont servi de compagnons durant son hospitalisation.

Introduction à une page d'éducation

Femmes françaises, 18 janvier 1946[1].

Tout le monde ne naît pas avec les dons d'éducateur, mais tout le monde est parent. Combien d'entre eux voudraient être aidés dans leur tâche quotidienne, dans cette œuvre magnifique mais difficile de l'éducation de leurs enfants.

Bien entendu, tout le monde connaît de ces parents qui se croiraient déshonorés de recevoir des conseils, ou de lire des études sur ce problème. Ils pensent savoir mieux que quiconque ce qu'il faut à leurs enfants, parce qu'ils l'ont décrété une fois pour toutes et qu'ils sont par définition infaillibles. D'autres se désintéressent de ce sujet, soit par nature, soit par parti pris. D'autres encore estiment que l'école, la pension sont là pour l'éducation ; ils confondent éducation et instruction. À tous ceux-là, nous ne nous adressons pas.

D'autres, et ce sont ceux que nous voudrions aider surtout, se croient incapables d'élever leurs enfants et demandent conseil à n'importe qui, ou prennent exemple sur ce qui se fait autour d'eux. Le qu'en-dira-t-on est pour eux le maître de leurs attitudes dites « éducatives ».

D'autres essaient de réfléchir, jugent parfois très sainement les situations psychologiques lorsqu'il s'agit des autres, mais s'aperçoivent avec déception que, vis-à-vis de leurs propres enfants, ils ne voient pas clair, ou plutôt les résultats qu'ils obtiennent ne semblent pas leur donner raison. Que faire alors ? S'entêter, se décourager, abandonner la tâche à d'autres ?

Dans un journal qui s'adresse à l'élément dynamique de la France, les femmes, et parmi elles, les mères, ces êtres dont l'action quotidienne, les moindres gestes et les moindres mots ont tant d'importance au foyer pour créer ou détruire une ambiance favorable à la vie harmonieuse de tous, il a semblé qu'une rubrique très importante devait être consacrée à l'éducation.

D'abord, qu'est-ce que l'éducation ? Le dictionnaire répond : action d'élever, de former un enfant, un jeune, de développer ses facultés physiques, morales et intellectuelles.

Réfléchissons à cette définition : combien d'entre nous oublient que c'est bien de cela qu'il s'agit dans le rôle des parents ! Combien d'activités dites éducatives et qui ne sont que des « empêchements » à vivre, empêchements à développer des facultés physiques, morales ou intellectuelles, et parfois toutes à la fois.

Si parfois une certaine attitude de préservation des trop graves dangers, des trop fortes épreuves, entre aussi dans le rôle des adultes vis-à-vis des enfants, ce n'est là qu'un rôle négatif et en lui-même nullement éducatif.

L'éducation a un rôle positif. Un geste ou un propos éducatif doit toujours stimuler un comportement positif, actif et riche en lui-même de satisfactions pour l'enfant, s'il écoute ou obéit à l'adulte.

Ce rôle de collaboration avec la vie, de soutien des forces morales naturelles quelquefois fléchissantes de l'enfant, cet appel au développement de l'esprit et du corps pour la conquête d'une maîtrise du corps, c'est cela l'éducation, et ce n'est pas toujours facile. Chaque enfant est un être original, au rythme personnel, aux dons correspondant à sa nature, à son hérédité et à sa santé.

L'éducation est un art et une science à la fois. Ce sont les éléments de cette science, telle que les médecins et les psychologues commencent à en découvrir les lois et les bases, de cet art que nous voudrions donner à nos lectrices dans cette rubrique, de semaine en semaine.

Nous ne ferons pas de théories, nous nous efforcerons toujours d'être pratiques, mais quelquefois nous expliquerons pourquoi telle attitude parfois surprenante ou nouvelle pour quelques-unes nous paraît être éducative alors que d'autres plus habituelles sont néfastes et doivent être bannies de notre comportement.

Nous croyons que l'éducation peut être mise à la portée de tous ceux qui sont de bonne volonté, de tous ceux qui sont émus devant la vie d'un enfant que la nature leur a confié pour le guider dans son développement individuel et son adaptation à la vie sociale.

Pour les parents, l'éducation de leurs enfants se traduit par des problèmes petits ou grands à résoudre d'une façon ou d'une autre. Le choix de la façon d'agir est quelquefois très important, la situation ne permet pas de fausses manœuvres. Que faire dans tel ou tel cas ? Dans le choix de l'attitude à prendre, beaucoup de facteurs peuvent compter : le tempérament des enfants et celui des parents, le genre d'éducation reçu ou non reçu par ceux-ci, leur idéal pour leur enfant, souvent en opposition avec les capacités ou le caractère de celui-ci, les conditions matérielles et sociales de la vie. Foyer désuni, perte d'un parent, insuffisance de place à la maison, mauvaise ambiance, difficultés de toutes sortes, enfants uniques ou enfants rapprochés d'âge, enfants de familles nombreuses, santés déficientes, retards d'intelligence, ou retards scolaires.

Combien de conditions qui changent les données du problème ! Nous le savons bien.

Aussi, dans nos articles, nous nous efforcerons de vous donner quelque chose de positif, de valable dans la plupart des conditions habituelles. Les problèmes seront forcément abordés d'une façon générale, mais nous sommes sûrs que les parents trouveront avec leur bon sens attentif le moyen d'appliquer le conseil général à leur cas particulier.

De plus, nous sommes prêts à recevoir les suggestions des lectrices, à répondre aux questions particulières qu'elles voudront nous poser. Nous prendrons parmi les problèmes éducatifs qui nous seront posés ceux d'entre eux qui nous paraîtront les plus fréquents et nous traiterons la question dans cette page. Si le courrier devenait important, nous envisagerions de répondre individuellement aux questions posées.

Ce que nous voulons, c'est faire de cette page une sorte de consultation psychopédagogique, vivante et ouverte à tous.

Nous invitons les jeunes filles (et les garçons, s'il s'en trouve parmi les lecteurs, comme cela arrive plus souvent qu'on ne croit pour les journaux féminins) à nous écrire pour nous donner leurs suggestions et leurs avis sur l'éducation, nous citer des cas concrets pratiques, nous poser des questions.

Il faut qu'en France, tous les jeunes, futurs pères et mères, apprennent à se pencher sur les problèmes de l'enfance et préparent une génération d'hommes et de femmes à l'esprit nouveau, prêts à aborder leur rôle de parents avec confiance et enthousiasme, non pas en égoïstes mais en êtres « donnés » à la vie et à l'œuvre de leur vie. Notre enfant c'est notre œuvre de chair, de cœur et d'esprit. Notre œuvre ne nous appartient pas, elle appartient elle aussi à sa vie et à sa fécondité propres.

Mais nous avons temporairement la gestion de cet enfant, biologiquement et moralement. Par l'éducation que nous lui donnons, notre enfant est deux fois notre œuvre.

C'est dans l'impréparation des jeunes gens et des jeunes filles à leur vie adulte, dans la carence de l'éducation qu'ils ont reçue qu'il faut voir la source des désillusions actuelles de beaucoup de parents, de leur incapacité morale, de leurs erreurs, de leur complicité inconsciente à l'égard de l'amoralité de la jeunesse. (Il y a 40 000 délinquants de moins de seize ans pour Paris et sa banlieue, 350 000 environ pour la France !)

Ce ne sont pas les solutions collectives venues d'en haut qui combattront ce fléau moral, c'est la reprise de conscience, dans chacun des parents et dans chacun des futurs parents, des vraies valeurs de la vie : les valeurs biologiques.

L'équilibre moral est lié au respect de ces valeurs biologiques, et ces valeurs biologiques sont l'amour et le respect profond de la vie sous toutes ses formes fécondes.

Docteur Marguerite Fradeau[2]

Que dire à nos enfants, comment agir avec eux ?

Femmes françaises,
25 janvier, 8 et 15 février 1946.

À PROPOS DE LA DÉSOBÉISSANCE ET À PROPOS DES CAPRICES...

En règle générale, opposez-vous le moins possible aux initiatives des petits, sauf dans le cas de danger réel pour eux ou d'impossibilité matérielle. L'obéissance doit être sentie par votre enfant comme une certitude de sécurité dans ses actes et d'harmonie dans sa vie, comme vraiment désirable.

Pour cela, donnez fort peu d'ordres et qu'ils ne soient pas à exécution immédiate obligatoire. Le rythme d'exécution n'est pas rapide chez un enfant, il faut qu'il ait admis votre ordre comme une suggestion. Il la fait sienne avec plaisir s'il est en bonne intelligence avec vous, et c'est lui qui désire agir comme vous le lui avez demandé après ce petit décalage de temps que vous lui avez laissé. Pour certains enfants quelques secondes suffisent, pour d'autres une demi-minute ou une minute. S'il le faut, si vous croyez qu'il a oublié, répétez l'ordre d'une voix beaucoup plus suggestive qu'impérative (« Si tu faisais ceci ou cela », « Veux-tu être assez gentil pour faire ceci ou cela »). Vous aiderez l'obéissance au lieu de risquer de bloquer l'enfant et de l'arrêter dans le travail intérieur qu'il était en train de faire. Il y a des façons d'exiger l'obéissance qui rendent celle-ci psychologiquement impossible à l'enfant.

Quant aux choses défendues, il faut qu'il y en ait peu par rapport aux choses permises. Je connais une mère qui a dit quarante-deux fois : « C'est défendu » à son enfant de dix-huit mois dans une seule matinée. Il faut que l'enfant sente que ce qui est défendu l'est avec raison, non par des explications de votre part, mais par l'expérience, qu'il aura vite acquise, qu'en désobéissant il provoque des incidents qui peuvent lui être néfastes.

Autant que possible, mettez hors de sa portée tout ce qu'il ne doit pas toucher ; rien n'est plus paralysant pour les enfants que de côtoyer constamment des objets tentateurs auxquels il est défendu de toucher.

Devant un caprice, ne dites jamais : « Je vais acheter un autre enfant » ou : « Les gendarmes vont t'emmener », parce que ce n'est pas vrai et que vous donnez donc à votre enfant l'exemple du mensonge. S'il vous croit, les sentiments que vous éveillez en lui sont malsains : la peur de votre vengeance, la peur de vous perdre ou de vous être arraché. Vous cultivez en lui un des ennemis de la confiance en soi : l'angoisse.

Agissez de façon éducative. Ne criez pas plus fort que l'enfant, ne cédez pas et gardez votre calme, taisez-vous et montrez une indifférence vraie. Attendez que l'enfant se soit calmé, au besoin quittez la pièce ou transportez-le sans brutalité dans une autre pièce. Fermez votre porte. Mais ne l'enfermez pas, lui : surtout pas de cabinet noir, mais quand il se sera tu, ou qu'il pleurera sans ton revendicateur, avec de vraies larmes, une gronderie affectueuse qu'on termine, si l'enfant le demande, par un baiser. Surtout, oubliez complètement et aussitôt l'incident. Ne cédez pas au caprice, mais n'en parlez plus.

Si l'enfant est boudeur, et qu'après avoir crié, il se tait farouchement, soyez d'abord indifférente un certain temps. Ne blâmez jamais un enfant d'être boudeur, il en souffre le premier, vaquez à vos occupations. Et assez vite, en général, s'il vous voit inattentive il sortira seul de sa bouderie. Soyez alors tout à fait naturelle avec lui ; ne faites aucune allusion à ce qui s'est passé. Si c'est un boudeur plus invétéré, au bout de quelque temps allez vers lui et gentiment, lui tendant les bras : « Alors tu es encore malheureux ? » Et la maman l'embrasse. Surtout ne réagissez pas à la bouderie de l'enfant par la vôtre.

Si vous agissez ainsi, vous donnez l'exemple de la maîtrise de vous-même devant une réaction de votre enfant, même quand sa réaction vous a été désagréable. Votre attitude a été éducative, parce qu'elle comportait un exemple à suivre.

Si l'enfant fait un caprice en public, ne dites jamais : « Regarde, tout le monde se moque de toi ! » ou : « Qu'est-ce que les gens vont penser ? » La première raison est qu'il ne faut jamais humilier un enfant, surtout s'il a naturellement de l'amour-propre. Cet amour-propre est une arme qu'il ne faut ni émousser ni fausser en orgueil. Pour le conduire à une fierté de lui-même pour lui-même, il faut vous en tenir à se former un idéal intérieur de maîtrise de soi et de dignité humaine plus solide et plus libre que toutes les règles de conduite basées sur le qu'en-dira-t-on.
La seconde raison est que vous donnez, par cette réflexion, l'exemple de la vanité.
Agissez de façon éducative : ne grondez jamais l'enfant en public, ne lui dites jamais rien quand il est en plein caprice, ne vous occupez pas de l'opinion qu'*on* aura de vous. Telle personne, soi-disant très intelligente, vous dira peut-être : « Moi, je lui flanquerais une bonne fessée ! » N'en faites rien, votre enfant vous en sera reconnaissant plus tard. Éloignez-vous un peu en le prévenant, non pour faire du chantage à l'abandon, mais seulement pour le laisser se calmer seul.
Quelquefois, cela vous gênera peut-être, cela vous retardera de dix minutes, mais vous pourrez être sûre que vous aurez gagné pour l'avenir. Votre enfant, calmé ou non, vous répondra librement et vous respectera parce que vous l'aurez respecté — dans une situation dont il sent le ridicule après coup. Quand il vous aura rejointe, vous direz seulement : « C'est fini, tu es un bon garçon (ou une bonne fille). » Quelques heures après, ou le soir, vous reparlerez tranquillement de l'incident, s'il a plus de trois ans, pour comprendre avec lui ce qui l'avait provoqué.

Ne dites jamais : « Je le dirai à papa », « Je le dirai à (telle personne que l'enfant aime) » ou : « Si ton pauvre père (décédé) voyait cela ! » Parce qu'il faut laisser les absents tranquilles. Ce qui se passe entre vous et votre enfant ne concerne que vous deux. Si vous parlez d'en référer ou de vous plaindre, vous amoindrissez votre prestige, donc votre autorité morale. Et surtout, vous donnez un exemple déplorable : l'exemple de la médisance, de la rancœur et de la jalousie. Car il sent, avec juste raison, que vous voulez vous venger, en brouillant son entente affective avec d'autres qui lui sont chers, de l'incident affectif qu'il a eu avec vous.

Faire allusion à l'opinion qu'un parent décédé aurait de l'enfant est une des choses les plus néfastes qui soient. Cela peut exciter des sentiments de culpabilité très angoissants, ôter à l'enfant le droit de se sentir le fils de ce parent aimé et surestimé. Cela peut être l'origine de véritables conflits névropathiques, plus tard, au cours du développement de l'enfant. (Nous parlerons plus longuement un jour de l'éducation des enfants privés de père ou de mère, le sujet est très important.)

À propos du « dire à papa », il est bon que le père, s'il veut bien s'y intéresser, soit tenu sans cachotteries au courant de ce qui s'est passé, mais au courant de ce qui s'est passé de bon et de flatteur aussi bien que de ce qui a été blâmable. Ce n'est pas en tant qu'incident à punir que la mère relate le caprice au père, mais comme un des faits de la journée parmi les autres. Un fait blâmable ne doit pas être présenté isolément au père, transformé ainsi en justicier par la mère.

Cela est très important. Le père, en qualité de chef, est au courant de tout. Ce compte rendu au père peut être un acte éducatif très important en lui-même, surtout si le père est attentif et compréhensif. L'incident est clos, la journée aussi, avec ses bons et ses mauvais moments ; le père en tire une conclusion et encourage, pour le lendemain, à persévérer ou à réparer suivant la couleur morale générale de la journée.

NE FAITES PAS UN DRAME D'UN SIMPLE BOBO

La semaine dernière, nous avons parlé de l'obéissance, de la façon de l'obtenir, des caprices, c'est-à-dire des conflits de volonté avec l'adulte et de la façon de les résoudre de la manière la plus éducative pour l'enfant. Parlons aujourd'hui des incidents qui arrivent à la suite de désobéissance, de curiosité maladroite ou d'initiatives malheureuses de l'enfant.

Si votre enfant s'est blessé dangereusement en jouant avec ciseaux, couteau, outils ou en touchant à un objet brûlant, ne lui dites jamais : « C'est bien fait, tu n'avais qu'à ne pas désobéir. » Votre enfant n'avait essayé de vous désobéir que pour vaincre une difficulté et parce que ses instincts de vie le poussent à agir comme il vous voit le faire vous-même.

N'oubliez pas que toute interdiction à un enfant n'est que temporaire et qu'il doit arriver le plus tôt possible à agir prudemment sans aucune intervention de l'adulte, c'est-à-dire à savoir apprécier ses propres limites. Cet incident pénible va être très utile si vous savez, non pas ajouter à ses sentiments d'infériorité et à sa souffrance, mais l'aider à supporter l'épreuve et à en sortir plus riche en expérience, c'est-à-dire avec plus de confiance en lui.

Dès que l'incident ou l'accident est arrivé, occupez-vous affectueusement de l'enfant. Aucune attitude grondeuse surtout. Calmez son inquiétude en disant que cela aurait pu être pis si c'est grave, et que cela ne sera rien, si ce n'est pas très grave.

Soignez-le, pansez-le, laissez-le pleurer ou crier, surtout ne vous moquez jamais et ne lui reprochez pas de montrer sa douleur. Exhortez-le de ce fait au courage, d'autant plus méritoire.

Quand l'enfant est pansé et calmé, étudiez avec lui les circonstances et les raisons de son échec, et, si c'est possible, expliquez-lui comme à une grande personne comment vous vous y prenez pour vous servir de cet objet dangereux.

Dites à ce moment que c'était la crainte qu'il ne soit pas encore adroit, parce que vous ne l'auriez pas été non plus à son âge, qui avait dicté votre interdiction, et ajoutez que tout ce qui lui est défendu ne l'est que pour des raisons de prudence. Si vous, adulte, vous vous étiez comporté comme lui sans savoir comment éviter le danger, vous vous seriez blessé aussi.

Dites aussi qu'étant enfant, cela vous est arrivé et qu'à toutes les grandes personnes, il est arrivé et il arrive encore de petits accidents quand elles ne sont pas assez attentives ni prudentes.

Si vous agissez ainsi, vous donnez l'exemple de la générosité du cœur et vous servez la confiance en lui que cette épreuve aurait pu faire perdre à l'enfant. La leçon de prudence portera d'autant mieux que vous aurez aidé l'enfant à comprendre les raisons d'un échec cuisant. Il ne sortira pas humilié de cet échec, il en sortira plus fort et plus confiant en vous.

Ne dites jamais devant une maladresse : « Tu es idiot, tu n'es bon à rien, mon pauvre enfant, tu ne seras jamais bon à quelque chose ! » Tout ce que dit un adulte a de la valeur aux oreilles d'un enfant. Ces propos pessimistes peuvent avoir un rôle de suggestion paralysant toutes les initiatives de votre enfant. Bien des adultes timorés sont le résultat de pareilles assertions entendues toute leur jeunesse.

Si votre enfant est peu adroit, peut-être n'est-il pas physiquement bien doué. Certaines maladresses sont soignables et guérissables. D'autres ne le sont pas, mais nous savons tous que nous sommes moins adroits quand nous doutons de nous-mêmes. Donnez, au contraire, à votre enfant un peu retardé le droit de s'estimer, même s'il n'est pas très adroit, et il saura de lui-même éviter les occasions d'accidents en n'outrepassant pas ses possibilités réduites, ou en se faisant aider à l'occasion. Cela n'est ni « bien » ni « mal » d'être ou de ne pas être adroit. C'est plus ou moins commode.

Ne dites jamais devant des initiatives un peu risquées d'un enfant : « Tu vas tomber », « Tu vas te blesser », « Tu vas te brûler », pour cette même raison qu'une suggestion négative peut influencer beaucoup.

Dominez-vous. Si vous voyez l'enfant hésitant à s'engager dans un risque qui le tente, demandez-lui ce qui le fait hésiter et dites qu'en effet, il a peut-être raison, si vous croyez qu'il y a danger : suggérez qu'il attende quelques jours afin d'être plus fort.

Quand votre enfant vous paraît téméraire, trop audacieux, dites-lui : « Fais bien attention, j'aime te voir courageux, mais le vrai courage est toujours prudent. » Si, au contraire, votre enfant est très craintif, peut-être est-ce votre faute, par l'attitude anxieuse que vous lui avez montrée quand il était jeune ou celle que vous avez encore à son égard.

Si vous ne pouvez pas être autrement, si c'est « plus fort que vous » d'avoir toujours peur, dites-le à votre enfant :

« Je suis une mère poule et je suis très bête d'être comme cela : ne fais pas attention à ce que je te dis. Sois seulement très prudent. »

En général, quand vous vous sentez incapable d'être une bonne éducatrice, avouez-le ouvertement à votre enfant. Il s'en rend compte mais il ne se permet tout de même pas de passer outre à vos interdictions. Ou alors, s'il le fait, c'est en se cachant et forcément dans de très mauvaises conditions psychologiques, avec des sentiments de culpabilité. Il y a de grandes chances alors pour qu'il échoue dans son initiative et qu'il ressente l'échec comme une punition au non-conformisme à vos directions.

Laissez faire la vie. N'oubliez pas que les instincts de vie et de développement exigent de l'enfant qu'il outrepasse vos ordres si ceux-ci vont à l'encontre de ce développement, ayez un peu pitié pour les conflits qui s'élèvent ainsi entre la vie et le carcan trop étroit qu'une mère anxieuse veut laisser à son enfant. La vie en société nous impose à tous des sacrifices. Ils sont utiles et servent l'intérêt de tous. Mais n'en ajoutons pas encore à nos enfants d'inutiles et de nuisibles, parce que mutilateurs de vie.

Ne dites plus : « Tu es l'aîné, donne l'exemple !... »

Femmes françaises, 20 avril 1946.

Beaucoup de parents sont embarrassés devant les difficultés qui résultent de l'éducation d'enfants de nature, de réactions et d'âges très différents. En l'absence de véritable conflit, il peut cependant y avoir des situations difficiles, pour l'un ou plusieurs des enfants, dont on ne sait pas toujours comment sortir.

Ceux et celles qui me lisent savent bien les difficultés qu'ils ont éprouvées du fait de leur place dans la famille, soit qu'ils aient été des aînés, soit des benjamins, soit des numéros intermédiaires. À chaque place dans la hiérarchie familiale, il existe des conditions de fait, indépendamment des caractères des parents ou des enfants. Mais bien souvent, à ces conditions de fait, se surajoutent des difficultés et des souffrances dues aux exigences des parents.

Autrefois, la situation d'aîné donnait des avantages sociaux et légaux. Encore aujourd'hui, il y a des pays où le droit d'aînesse à l'héritage demeure. Actuellement, en France, les droits de tous les enfants sont égaux, leurs devoirs aussi. Or, combien de fois entendons-nous des parents imposer à leur aîné la charge de « donner le bon exemple », de « surveiller les petits », de « céder aux plus jeunes » ; combien d'aînés sont ainsi écrasés de responsabilités morales par leurs parents alors qu'ils n'ont aucun avantage en compensation ?

En effet, les enfants ont tendance à imiter les plus

grands. Si c'est bien pour tout le monde, tant mieux, mais ce serait étonnant, car chacun des enfants a une nature différente, et il est souhaitable que chacun se sente libre d'agir selon son propre mouvement, et non par imitation. Il faut donc essayer de rendre aussi indépendants que possible les enfants les uns des autres. Si l'aîné se propose pour porter secours à un plus jeune ou veiller sur lui et que celui-ci le désire également, c'est bon ; mais pour peu que l'un ou l'autre ne veuille pas de ces rapports de protégé à protecteur, ne le leur recommandez surtout pas. Que chacun se sente à charge de lui-même, c'est cela l'éducation.

Quand vous avez à féliciter ou à blâmer un de vos enfants, que ce ne soit pas par rapport à sa place dans la famille, mais par rapport à sa nature et à son âge. Ainsi, ce n'est pas moins bien pour un grand de réussir quelque chose, alors qu'un petit l'a réussi aussi. C'est bien pour chacun d'eux. Ne faites jamais de jugement relatif comme on l'entend si souvent faire : « C'est tout naturel puisque tu es le grand », entend-on dire à une maman à laquelle l'aîné de ses enfants quémande un compliment qu'elle vient de faire au cadet, alors qu'il est si simple de dire : « Oui, je suis contente de toi aussi. »

De même qu'une action mauvaise n'est pas moins blâmable parce qu'elle a été imitée d'un autre soi-disant plus responsable, chacun des enfants doit avoir sa conscience en lui-même et agir pour son compte. Il doit être jugé par rapport à lui-même. Au contraire, il est préférable au point de vue éducatif de blâmer deux fois l'imitateur. Car non seulement il a mal agi dans l'acte en soi, mais encore il a mal agi en le faisant sans son initiative personnelle et sans jugement, c'est-à-dire par esprit d'imitation.

Les vols chez l'enfant

Femmes françaises,
20 et 27 juillet, 3 août 1946.

Où commence le vol ? Où finit le chapardage ?

Un enfant qui vole ses parents n'est pas considéré par la loi comme un voleur : cela devrait faire réfléchir beaucoup de parents. Cela signifie que ~~tout ce qui appartient aux parents appartient aux enfants, et c'est là une notion exacte.~~

Mais alors, comment éduquer les enfants, puisque les habitudes qu'ils prennent à la maison sont une base de formation morale pour leur vie en société ?

En consultation neuropsychiatrique, nous voyons souvent des parents inquiets nous amener des enfants coupables de vol : « Docteur, est-ce du vice ou est-ce une maladie ? Est-ce de la kleptomanie ? » Que n'a-t-on pas dit sur la kleptomanie ! Grâce à ce mot savant, le préjudice au voisin devient excusable et le défaut d'adaptation aux conditions sociales une sorte de fatalité à laquelle le sujet est obligé de se soumettre... et qui même le rend intéressant ! Mais le vol est toujours du vol, qu'il s'appelle ou non kleptomanie !

Le vol est toujours le fait d'individus qui se sentent impuissants d'une façon quelconque. Parfois ils sont agressifs contre ceux qui possèdent d'une manière illicite à leurs yeux une richesse qu'ils convoitent, quelle que soit cette « richesse ». Parfois ils ne sont pas agressifs mais seulement envieux ! Écrasés par leur propre infériorité, ils profitent de l'« occasion » sans oser la chercher, ni la provoquer. C'est la différence entre le vol occasionnel et le vol délibéré, la différence entre le vol d'un être aux instincts faibles et celui d'un être aux instincts forts.

Le vol délinquant (c'est-à-dire hors de la famille) chez l'adolescent et le vol chez l'adulte n'arrivent jamais sans qu'il y ait eu l'annonce de ce trouble de caractère dans l'enfance du sujet.

Il est certain que l'attitude des parents devant les premiers vols familiaux d'un enfant peut faire disparaître ou, au contraire, aggraver ce trait de caractère. On peut favoriser l'éclosion de ce qu'on appelle les « défauts » chez l'enfant par une attitude maladroite. Une attitude incompréhensive de l'éducateur rend moralement impossible chez l'enfant la correction de l'habitude vicieuse (voir en particulier les articles sur le mensonge, le négativisme, le cafardage).

Comment peut-on empêcher un enfant d'avoir l'idée de voler ?

Il faut lui donner très tôt le sens de la propriété commune pour tout ce qui est la « masse » familiale : l'argent, la nourriture, les livres, les objets qui parent la maison...

Quant aux choses personnelles à l'enfant : son propre argent, sa tirelire, les cadeaux qu'il reçoit, ses livres, ses jouets, ne jamais lui en retirer la jouissance, quelle qu'en soit la raison. Ne jamais « confisquer » à un enfant un objet lui appartenant, car c'est lui donner l'exemple du vol. Ne jamais, sans son consentement, lui conserver sa tirelire en sécurité ni un beau jouet « pour plus tard ». Il faut donner à l'enfant l'exemple du respect absolu de sa propriété, quel que soit l'usage qu'il fasse de ce qui lui appartient. Cela concerne l'enfant tout jeune, dès deux ans et demi ou trois ans.

Il est évident que si, à quatorze ans, un enfant est déjà habituellement voleur, ce n'est pas en lui disant que tout lui appartient en commun avec les autres qu'on le corrigera. Il faut chercher avec lui à comprendre son besoin de voler. Ensuite, il faut l'aider à prendre conscience des réalités et à les supporter, si pénibles puissent-elles être sur le plan matériel. Il a besoin de nous aussi pour prendre conscience de sa valeur morale et de ses possibilités de conquête par son propre mérite, plus satisfaisantes pour la plupart des humains qui ne connaissent que la conquête illicite.

Pas de punitions spectaculaires

Il y a une attitude à ne jamais avoir, c'est la colère et la punition aveugle et muette, je veux dire la punition qui n'est qu'une brimade sans aucun but, ni réparateur ni éducatif. Mais nous retrouvons là un principe absolu de toute éducation. Même s'il s'agit d'un vol commis dans une collectivité à règlement fixe, où la sanction doit être appliquée pour cadrer avec le règlement, cette sanction ne doit jamais être appliquée sans entretien individuel avec le délinquant ni être officiellement rendue publique. La punition publique doit être absolument proscrite. Elle est inutile au jeune délinquant lui-même et, dans la plupart des cas, nuisible. Un enfant ne gagne jamais rien à être humilié. Au contraire, il perd confiance en lui et dans les autres. Une façon saine de réagir ne peut être que de se draper dans un orgueil apparent et une affectation d'insensibilité. La façon malsaine de réagir sera la honte, qui n'est jamais conseillère que de défiance de soi et de scrupules.

Le système éducatif d'une collectivité est bien piètre si elle a besoin de valoriser la morale du « qu'en-dira-t-on », au lieu de développer le vrai sens moral individuel de chacun des enfants. Je pense à un collège, où je passais cette année en visiteuse occasionnelle, et où, au tableau d'entrée, je vis ce petit papillon : « Laurette X, élève de 8ᵉ (donc âge probable : neuf ou dix ans), est exclue pour 15 jours ; motif : vol à une compagne. » J'ai frémi. Que l'on ait exclu momentanément cet enfant après un entretien privé (si l'éducateur pensait cette sanction convenable à sa nature oublieuse et superficielle), que la classe l'ait su (mais ait reçu mission de ne pas en parler et surtout, au retour de l'enfant, de ne plus y penser), passe encore. Mais ce pilori, pour un enfant de huitième ! Il y a de quoi marquer un être pour une vie entière. Je me demande à quel mobile éducatif se référait la direction pour être aussi sadique.

En famille aussi, il ne faut pas de punitions spectaculaires. Le vol ne concerne que le délinquant, sa victime, l'éducateur et les parents. Il ne s'agit pas de cacher, mais il s'agit d'« éduquer », c'est-à-dire de conduire l'enfant hors de cette impasse et, pour cela, de prendre tous les moyens propres à l'encourager et à l'exalter à l'effort, sans aucun moyen susceptible de le décourager et de l'humilier.

Comprendre le mobile du vol

Que faut-il faire ? D'abord, comprendre le mobile du vol, et pour cela, il faut naturellement mettre l'enfant en confiance et s'entretenir avec lui en privé et adopter une attitude qui, a priori, ne doit pas traduire la révolte et la colère chez l'adulte.

Il y a des cas où le mobile est clair, du moins en apparence. On a voulu s'accaparer le bien d'autrui pour en jouir égoïstement. Mais il faut aller plus loin avec l'enfant dans la compréhension de son mobile. Ce n'est qu'ainsi qu'on découvre les vrais ressorts de sa psychologie. Chaque cas est un cas particulier. Nous en citerons un où le mobile n'apparaît qu'après une patiente recherche.

Pierrot a onze ans. Il a volé 1 000 francs dans le sac de sa tante. Il a glissé 500 francs dans le sac de sa mère. Jusque-là, Pierrot n'avait jamais volé ou, du moins, on ne s'en était pas aperçu. Mais soudain, un jour de l'An, c'est le drame !

Pierrot était un bon petit, très enfantin, n'ayant aucune notion de la valeur de l'argent. Il était sensible. Il adorait sa mère. C'était l'aîné de trois enfants. Le père travaillait, mais le foyer était juste au point de vue pécuniaire.

La tante, sœur de la mère, non mariée, vivait avec un ami. Elle était bien habillée, coquette. Elle plaisait aux hommes. Souvent, Pierrot entendait ses parents parler d'elle. Sa mère, jalouse, disait que ce n'était pas difficile de plaire aux hommes, quand on gagnait bien sa vie, sans soucis et sans charges.

Les enfants, surtout Pierrot, admiraient leur tante, parce qu'elle était jolie, chic, et qu'elle riait toujours. Mais Pierrot lui en voulait de ce que sa maman fût moins bien mise qu'elle. Il y avait une injustice : eh bien, Pierrot essaya de la réparer à sa façon ! L'une avait trop, l'autre pas assez. Et pendant qu'on faisait l'innocent justicier (tata, elle, a autant d'argent qu'elle veut, ça ne la gênera pas), on se servait moitié, moitié, 500 francs pour maman, 500 pour soi. Quand sa mère s'était aperçue de la provenance de ce billet dans son sac, il avait pris un air de connivence pour lui dire que c'était grâce à lui, mais qu'il ne fallait le dire à personne. Il était visiblement très fier de son idée et de son coup.

Le drame familial venait du fait de la tension de rivalité entre les deux sœurs. « Je suis une femme honnête, moi », disait agressivement la mère de Pierrot à sa sœur, mais, dans son for intérieur, elle enviait sa vie facile et ne mesurait pas ses épreuves.

Au lieu de rire de l'histoire de l'enfant et de faire des excuses à sa sœur, la mère fut piquée au vif, car, en fait, le geste de Pierrot traduisait ce qu'inconsciemment elle eût désiré faire, mais réprouvait dans sa conscience. Pierrot devint pour elle « un chenapan à mettre en maison de correction, qui nous fera passer pour ce que nous ne sommes pas, qui nous mettra en prison... »

La compréhension du père, à défaut de celle de la mère, trop butée dans sa révolte, l'éloignement de Pierrot après quelques entretiens visant à le mûrir un peu et à lui faire admettre l'injustice du monde comme, hélas, une des conditions humaines, l'aidèrent à sortir de cette impasse.

Les besoins de votre enfant ne sont pas forcément les vôtres

Devant un enfant ou un adolescent qui montre, par ses tendances au vol, qu'il a besoin d'argent, c'est-à-dire d'une puissance d'achat, il faut que les parents révisent leur attitude éducative vis-à-vis de l'argent. Il faut absolument donner à l'enfant le moyen de se procurer de l'argent d'une façon licite, favoriser son émancipation sur ce point.

Là encore, les caractères et les natures sont très différents. Tel père, qui n'a jamais eu un sou en poche jusqu'à dix-huit ans, ne comprend pas que son fils en ait besoin. Devant les besoins de nos enfants, besoin de liberté, besoin d'indépendance, besoin de tendresse, besoin de créer, besoin d'argent, ne nous dressons jamais en gendarmes qui interdisent au nom du conformisme. Aidons-les à satisfaire ces besoins de façon morale, socialement admise.

Si votre enfant a envie de se vêtir à sa fantaisie, par exemple, évitez-lui l'occasion de souffrir de notre goût. Avec telle somme que vous pouvez consacrer à son habillement, laissez-le libre. Il aura froid, il sacrifiera l'esthétique à l'utilité, peut-être ? Tant pis, c'est ainsi qu'il apprendra la valeur de l'argent, la valeur de la qualité et les nécessités qui obligent à des compromis entre les goûts et les besoins.

Dans telle famille, les enfants sont impeccablement vêtus, nourris, ont des cadeaux d'anniversaire et de jour de l'An, mais n'ont jamais d'argent de poche. Certains d'entre eux s'en contentent, mais il en est qui penseront : « J'aimerais mieux avoir moins de chaussettes... et pouvoir m'acheter des bonbons, des fleurs, un collier, un pistolet, ou un livre. » La mère décrète : « Ils n'ont besoin de rien, ils ont tout ce qu'il faut. » Il se trouve que non, ils n'ont pas tout ce qu'il faut, car le sentiment de liberté et de puissance est parfois plus nécessaire à telle nature que les beaux vêtements et la nourriture.

L'enfant doit connaître le budget familial

Dans toute famille, l'enfant devrait, dès dix ans, être au courant du budget familial, des gains et des charges, savoir le prix des choses, des denrées alimentaires, des distractions, connaître la situation pécuniaire exacte de ses parents en chiffres... et non en sentiments et en adjectifs. Mais hélas ! combien peu de parents sont ainsi sincères avec leurs enfants ! Combien peu de parents les estiment assez pour les faire participer pleinement à leur vie !

Certains vous disent que c'est pour leur cacher les soucis qu'ils auront bien le temps de connaître ! Telle mère veuve vend tout ce qu'elle a en cachette de son grand fils pour qu'il continue un standing de vie qu'elle ne peut plus lui permettre autrement. Quelle folie ! Et quel mépris pour son fils qu'elle juge incapable de supporter une épreuve ! Elle ne pense pas qu'elle le vole en faisant cela. Matériellement d'abord, car ce devrait être à deux qu'ils décident ces ventes. Car ces objets lui appartiennent autant qu'à elle. Moralement ensuite, car elle le frustre de l'épreuve qui, peut-être, en ferait un homme. Cette mère s'étonnera ensuite de l'ingratitude de son fils, de sa goujaterie, le jour où il exigera encore de l'argent et qu'elle n'en aura plus car, n'ayant jamais appris à lutter pour vaincre (ce qui met dans une situation d'impuissance dont on souffre), il prendra ailleurs ce qu'elle ne pourra lui donner. Afin de lui cacher son impuissance sociale momentanée, elle en a fait un impuissant moral, peut-être définitif.

L'ambiance familiale, élément essentiel

Je ne le dirai jamais assez : l'ambiance familiale, l'attitude affective des parents vis-à-vis de leur argent et vis-à-vis de l'argent donné aux enfants, la confiance et la liberté des enfants de se développer selon leurs besoins respectifs, leur connaissance des limites et des possibilités pécuniaires réelles de leurs parents, tels sont les éléments qui entrent en jeu dans la genèse de tous les troubles du comportement des enfants vis-à-vis de l'argent.

Enfin, tous les vols des enfants traduisent leur essai de combler un sentiment d'impuissance, un « manque de quelque chose » qui leur serait nécessaire pour se sentir heureux. Ce quelque chose n'est pas toujours de l'argent, ni ce qu'ils se procurent avec l'argent dérobé. Ce quelque chose est souvent ignoré d'eux, souvent d'ordre purement affectif, quelquefois intellectuel, quelquefois même spirituel. C'est ce « manque » dont ils souffrent qu'il faut les aider à comprendre et, si c'est possible, à combler, par une conquête licite moralement et socialement.

« *Je vais le dire à maman...* »
ou *Le « cafardage »*

Femmes françaises, 8 et 15 juin 1946.

J'ai parlé déjà ici des difficultés d'élever avec justice des enfants de caractère et d'âge différents, de façon à leur laisser le plus d'indépendance possible et à les aider à supporter ce qu'a de pénible et de gênant le fait d'être un « numéro » dans une nombreuse famille.

J'ai dit combien les parents devaient être vigilants à ne pas conseiller l'imitation des enfants entre eux, à ne pas faire constamment des comparaisons entre leurs enfants (on doit ne jamais comparer un enfant qu'à lui-même).

Je voudrais aujourd'hui attirer l'attention sur une habitude néfaste entre toutes : la surveillance des enfants les uns par les autres et la délation, quand la mère ou l'éducateur prêtent l'oreille (quand ils ne les suscitent pas eux-mêmes) aux « cafardages » des enfants. « Je le dirai à maman », dit l'enfant. La maman revient : « Il a fait ci ou ça. » Et la maman de gronder le délinquant !

Comment éviter que les enfants prennent l'habitude du « cafardage »

D'abord, ne dites jamais à un enfant : « Je le dirai à telle ou telle personne », sinon, à cause de son désir de ressembler aux adultes, il deviendra « rapporteur » comme vous lui en montrez vous-même l'exemple.

Ensuite, ne montrez jamais un enfant en faute à votre

enfant en lui disant : « Regarde ce petit garçon, comme il agit mal ! » Enseignez-lui par toute votre attitude à ne pas se mêler du bien et du mal des autres. Si votre enfant vous fait lui-même remarquer un enfant capricieux dans la rue, ne le lui reprochez pas, mais n'ajoutez aucune réflexion personnelle. Dites : « Oui, en effet. » Ou, tout au plus : « Ne crois-tu pas que tout à l'heure, dans son cœur, il se trouvera très bête d'avoir été méchant ? » Mais ne dites jamais : « Tu vois comme c'est laid ! » ou bien : « Si j'étais sa maman, je lui donnerais une fessée ! »

Ne chargez jamais non plus un enfant de surveiller les autres. Si vous n'êtes pas encore certaine de la prudence d'un petit, dites à son grand frère ou à sa grande sœur : « Je compte sur toi pour qu'il ne se fasse pas de mal parce qu'il est petit. Je te délègue tous mes pouvoirs. C'est comme si c'était toi la maman. » Quand vous revenez, reprenez les pouvoirs et n'entrez dans aucun détail. Remerciez le responsable temporaire. Les enfants comprennent très bien cela. Si vous voyez que le grand a été débordé par la tâche, qu'il n'a pas réussi à empêcher des bêtises, qu'il en a peut-être fait lui-même, ne punissez ni ne grondez personne : dites-vous seulement qu'il faudra trouver une autre solution.

Si vous avez laissé plusieurs enfants et qu'à votre retour, l'un d'eux « rapporte » une mauvaise action, de deux choses l'une : ou cette action a des conséquences fâcheuses, ou elle n'en a pas.

Dans le second cas, vous dites : « Quand je ne suis pas là, chacun est son propre gardien et je n'aime pas qu'on s'occupe de son voisin. » Et, en riant, racontez le proverbe : « Quand le chat n'est pas là, les souris dansent. »

Si, au contraire, quelque chose de fâcheux est arrivé, et que vous le constatez, ne dites pas : « Qui a fait cela ? » Mais : « Celui qui a fait cela a-t-il le courage de l'avouer ? » Ou le coupable se déclarera de lui-même et vous le gronderez sans punir, sinon vous décourageriez la franchise pour une autre fois, ou il ne se déclarera pas. Si vous entendez un chœur de « C'est pas moi, c'est pas moi ! », dites : « Je ne demande pas qui ne l'a pas fait, je demande seulement à celui qui l'a fait de le dire et aux autres de se taire. » Si tout le monde se tait, vous dites : « C'est bien, je suis contente qu'il n'y ait pas de cafards ici, mais celui qui a mal agi n'est pas très courageux. Eh bien ! vous vous aiderez les uns les autres pour réparer, comme vous vous aidez pour me le cacher. »

Et vous pouvez, comme mère, vous réjouir de l'esprit de solidarité de vos enfants. C'est à votre honneur !

Comment guérir de son défaut un enfant qui, malgré cette méthode, est « cafard » ?

Si votre enfant, malgré le bon système employé, devient tout de même un rapporteur invétéré et continue chaque fois que vous rentrez à en accuser un autre, bien que vous n'y fassiez pas attention, c'est que quelque chose ne marche pas. Il y a conflit : il faut alors comprendre de quoi il s'agit et aider l'enfant.

Peut-être est-il jaloux de votre affection pour celui qu'il accuse et voudrait-il accaparer tout votre amour ? Ne lui reprochez surtout pas cette jalousie, elle est instinctive, et il n'en est pas maître. Prenez cet enfant à part, à un moment où vous serez tranquille ; expliquez-lui qu'on est quelquefois très malheureux de voir qu'il y a de la place pour les autres dans le cœur d'une maman. Vous lui direz aussi que les mamans aiment leurs enfants même quand ils font des bêtises, mais qu'elles veulent surtout que chacun s'occupe de soi-même. « Si tu trouves qu'il fait mal, ne fais pas comme lui, c'est tout ce que je te demande. »

Souvent il s'agit d'un enfant trop sévère avec lui-même, et qui aurait bien envie de faire des sottises comme celui sur lequel il « cafarde ». Dites-lui alors : « Est-ce que tu avais envie d'en faire autant ? » S'il vous dit non (que cela soit vrai ou faux), répondez-lui : « Alors, pourquoi prêtes-tu attention à ce que Pierrot fait ? Sans doute n'étais-tu pas occupé toi-même à quelque chose qui te plaisait, puisque tu as eu le temps de t'occuper aussi de lui. »

S'il vous dit, au contraire, qu'il avait envie de faire la même sottise, demandez-lui : « Qu'est-ce qui t'a retenu de faire comme Pierrot ? » Il vous dira sans doute : « C'était défendu », ou : « Je savais que c'était une bêtise. » Répondez : « À la bonne heure ! C'est que tu es un grand garçon ! Pierrot, lui aussi, arrivera un jour à être un grand garçon, et ce jour-là, non seulement je l'aimerai parce que c'est mon enfant, mais je serai fière de lui comme je le suis de toi qui es raisonnable. Vois-tu, les grands garçons et les grandes filles, ça ne doit jamais "cafarder" : ça doit aider et protéger les petits et ceux qui font comme s'ils étaient petits, et laisser ceux qui font le mal quand maman n'est pas là se débrouiller tout seuls avec leur conscience. »

Comment guérir
du mensonge

Femmes françaises, 1er et 9 mars 1946.

J'écrivais la semaine dernière que de même qu'il y a des manières d'exiger l'obéissance qui déterminent l'enfant à devenir désobéissant, il y a des façons d'exiger la vérité qui poussent l'enfant à devenir menteur.

Quand l'enfant sait parler suffisamment pour se faire comprendre et sait que telle bêtise entraînera telle réaction punitive ou grondeuse de l'adulte, il peut commencer à mentir. Les réactions de l'adulte aux premiers mensonges en actes et en paroles des tout-petits sont très importantes.

Il vaut mieux prévenir que guérir. Vers seize mois, deux ans, un enfant qui a renversé un vase ou provoqué un accident, s'il est en confiance avec l'adulte qui s'occupe de lui, l'appellera ou viendra l'entraîner en lui montrant le désastre.

Si l'adulte commence à se fâcher très fortement et à frapper l'enfant, celui-ci associera, au bout de deux ou trois expériences de ce genre, le fait d'avouer au fait d'être puni. Il se cachera après avoir fait une maladresse. Plus tard, si on le gronde d'une bêtise, il dira : « Ce n'est pas moi » pour se défendre des suites désagréables. Elles en seront peut-être pires, mais ce réflexe du mensonge établi, qui équivaut à un manque de confiance en l'adulte, restera fixé.

Prenons un exemple.

François a quatre ans, il a pris les ciseaux et a découpé un rideau. Le mal est fait, peut-être irréparable. La mère arrive, s'aperçoit du désastre et d'un air terrible s'écrie : « Qui a fait cela ? » François, qui a encore les ciseaux à la main : « Ce n'est pas moi ! — Comment "pas toi" ? Menteur, tu as encore les ciseaux à la main, et tu dis que ce n'est pas toi ! — Non, ce n'est pas moi, et puis, je ne les ai pas pris tes ciseaux, ils étaient là. — Menteur ! menteur ! Alors, tu deviens menteur maintenant ! » Et une bonne fessée s'ensuit. L'enfant a ~~perdu l'estime de lui-même~~ et la ~~confiance de sa mère ; il lui en veut.~~ La mère est furieuse du désastre, en colère contre son enfant et contre elle-même. « Je ne veux pas que tu mentes. Tu verras, chaque fois que tu auras menti, tu en auras autant », dit le père en donnant une fessée magistrale. Coucher des soirs de drame. L'enfant n'a rien compris. Il est malheureux si c'est un doux. Il est furieux si c'est un dur. De toute façon, pour lui l'incident sera riche en conséquences néfastes. Ne croyez surtout pas qu'il sera plus sincère une autre fois : non, il sera plus adroit dans son mensonge.

Comment fallait-il faire ?

Mêmes personnages, même désastre. La mère entre, contemple avec désespoir son rideau et son François, les ciseaux à la main. Elle dit, bouleversée et calme : « Oh ! mon petit garçon ! qu'est-ce qui t'a donné l'idée de faire ça ? » François réalise le désastre en voyant l'expression de sa mère, devient rouge et confus : « Mais, maman, je voulais l'arranger ! Il était pas bien, ça faisait pas beau... — Mon pauvre petit ! » Et, regardant le rideau, elle essaie de voir comment réparer l'accident, s'il y a possibilité. Toujours calme et atterrée, elle dit : « Mais où donc étaient mes ciseaux ? Tu as su les trouver tout seul ? — Oui, là, dans ton tiroir. — Mais tu sais bien qu'il ne faut pas se servir n'importe comment des ciseaux ! C'est terrible ce que tu as fait. Tu sais bien qu'on ne trouve plus d'étoffe, que c'est très cher. Quand tu veux t'amuser à découper, demande-moi des morceaux exprès. Ce beau rideau ! Mon pauvre petit, mon pauvre petit... » François, qui se sent bête, penaud, dit de lui-même : « Je ne le ferai plus, maman, je te le promets. » Et il ajoute en toute innocence (et il faut encourager cette bonne intention) : « Je t'en paierai un autre, je t'aiderai à le raccommoder, ne sois pas fâchée, ne sois plus triste, maman. »

Toute la fin de la journée est centrée sur le sens de la réparation de cette bêtise, et cela peut être une des plus fructueuses journées de l'intimité éducative de François et de sa mère. Maman explique que, lorsque les mains veulent faire des bêtises, François doit les en empêcher. Bien sûr, quand papa rentre, il faut le lui dire, et sans doute il se fâche, et il a raison parce que François a fait une grosse bêtise, mais il a compris pourquoi, il accepte l'orage qui ne gâchera pas le climat familial pour le lendemain. La maman n'essaie pas d'éviter à François la sévérité de papa, elle l'encourage silencieusement à la supporter, il l'a bien mérité. Une autre fois, il empêchera ses mains de faire n'importe quoi sans réfléchir. Le mensonge n'a pas lieu, l'attitude de la maman ne le provoque pas.

Admettons que, déjà déformé, François ait répondu tout de même au ton atterré, mais non sévère de la mère : « C'est pas moi, c'est pas moi. » La maman, dans ce cas, aurait répondu : « Je sais bien que ce n'est pas toi, mais ce sont ces vilains petits ciseaux et ils ont obligé ces vilaines petites mains qui sont au bout de tes bras à faire cela et tu les as laissées faire ! » Et la suite se serait trouvée la même.

Chez l'enfant petit, il est mauvais de faire endosser à lui-même, à sa personnalité tout entière, une faute commise. Il y a beaucoup de trucs aussi bons les uns que les autres pour tourner la difficulté. On peut dire : « Ce n'est pas toi, je sais bien que toi tu es un grand garçon (ou une grande fille), ce sont tes mains ou tes pieds », ou bien que c'est la faute de tel ou tel personnage imaginaire que l'enfant inventera tout seul, et qui incarne les instincts désordonnés : « casse-tout », ou « le petit diable », ou « le méchant », ou « mermistouffle », ou « la bête sauvage »... Vous sévissez contre ce méchant génie et vous l'aidez à en devenir le maître. Ce système est extrêmement efficace.

Il ne faut pas punir l'enfant pour son initiative, mais seulement pour la mauvaise application de son envie. Ainsi, dans l'exemple du rideau coupé, il eût été très mauvais que la maman dise : « Je te défends de te servir des ciseaux, tu es trop petit. » Ce n'est plus vrai. Il a envie de s'en servir, et il a pu le faire sans se blesser, il faut donc lui enseigner à s'en servir utilement. Et cet incident doit faire naître des jeux de découpage, au lieu d'une nouvelle interdiction de se servir des ciseaux qui entraînera, tôt ou tard, une nouvelle désobéissance agressive.

Les punitions

Femmes françaises, 16 et 23 mars 1946.

Les « punitions » : ce terme devrait être banni du langage de l'éducation, il devrait être remplacé par celui de « réparation » ou « annulation de la faute et correction de comportement ».

Dans le langage courant, il s'y mêle l'idée d'un comportement de l'éducateur que nous devons absolument exclure de notre conception. Je garderai le mot cependant, mais en expliquant bien ce que devrait être une « punition » pour entrer dans le cadre de l'éducation, et ce qu'elle ne doit jamais être.

Le but de la punition

La punition a pour but d'aider l'enfant à se développer sainement, c'est-à-dire dans une direction morale, à lui faire comprendre et retenir les règles qui, s'il les applique, lui faciliteront la conquête de sa propre maîtrise, en préservant le sens de sa liberté intérieure, dans un cadre où chacun de ceux qui l'entourent a droit aussi à son sentiment de liberté.

Vous me direz que c'est bien compliqué et qu'en envoyant une gifle ou en donnant une fessée à votre enfant, vous ne pensez pas si loin. Peut-être avez-vous tort. Je ne vous parle pas seulement en spécialiste mais en mère de famille, ne l'oubliez pas. Si quelquefois ce que je dis vous paraît compliqué ou non applicable, dites-vous que peut-être vous vous trompez.

Bien entendu, si votre enfant a déjà dix ou douze ans et que depuis sa naissance vous avez eu avec lui une attitude de votre part absolument arbitraire et irréfléchie, j'oserai dire « animale », ne changez pas du jour au lendemain. Ce ne sont pas vos gestes qu'il faut changer, c'est votre attitude intérieure d'abord, et cela, si vous y travaillez, se fera progressivement et sera profitable à votre enfant, car vous le mûrirez à votre contact, presque sans le faire exprès. Vous n'aurez plus les mêmes réactions et votre enfant non plus n'agira plus comme avant.

Ce que doit être une punition

Une punition ne doit jamais être une brimade. Elle ne doit jamais humilier l'enfant. Elle ne doit jamais être une vengeance, une représaille.

La punition doit être un secours que l'enfant ressent comme tel. L'instinct de l'enfant ne se trompe pas. De cela, on peut être sûr. Il reconnaît dans la souffrance infligée, même dure, par quelqu'un qu'il estime et dont il se sent estimé, l'intention de le secourir. Et cela porte toujours ses fruits.

Il n'en est pas de même si l'enfant ne se sent pas estimé. (C'est à dessein que je ne dis pas « aimé », car ce mot est trop vague dans le langage courant. Combien de parents étouffent leur enfant par un soi-disant « amour » de possédant pour la chose possédée, et n'ont pas d'estime pour lui, pour l'homme ou la femme qui est en lui.)

La punition enfin doit apporter avec elle le complet apaisement du sentiment de culpabilité de l'enfant. La punition faite, l'enfant doit se sentir plus léger, se montrer plus gai, plus ouvert et plus confiant avec l'adulte qu'avant la faute. Cette euphorie psychique s'accompagne alors toujours de l'intention de bien faire, de réparer s'il le peut les conséquences fâcheuses de sa faute : la punition a porté.

Mères qui me lisez, si vous n'avez pas beaucoup de temps, ne retenez de cet article que ces quelques lignes qui précèdent et méditez-les pendant les heures d'occupations machinales de votre journée. Peu à peu, vous changerez votre façon de sévir vis-à-vis de vos enfants, et vos punitions, moins nombreuses peut-être, porteront davantage, vous rapprocheront moralement de vos enfants, au lieu de vous en faire craindre sans amour, et feront, de votre intimité, une intimité vraiment humaine, d'estime réciproque. Si, au contraire, après la punition, votre enfant est fermé, abattu, rêveur, boudeur ou vindicatif, c'est que votre manière d'agir comportait un vice de forme ou que votre intention n'était pas secourable. Votre hostilité « inconsciente », si ce n'est consciente, a réveillé la sienne, il vous la montre ou il se la montre à lui-même en ne s'estimant plus : il souffre. Cette punition, au lieu d'avoir été pour lui un secours, a été un « mauvais coup » de votre part ajouté à son mauvais coup à lui.

Et si les punitions ne font « ni chaud ni froid », comme disent certains parents, alors c'est qu'il n'y a plus d'estime réciproque entre l'enfant et les adultes. Ils sont installés dans un cercle vicieux, et on se demande alors quel sadisme, ou quelle inintelligence, pousse l'adulte à persister dans une méthode qui n'atteint pas son but.

Il ne faut pas punir souvent, mais seulement pour des fautes ou des manquements graves. Et surtout il faut être juste. C'est à cette justice que l'enfant est sensible, cela implique aussi que l'enfant ait été averti de la peine qu'il encourait. Si la justice ne va pas sans connaissance de la loi, elle ne va jamais sans miséricorde, mais cette miséricorde ne doit pas non plus être une faiblesse.

Comment garder le juste milieu ? En vous souvenant de ceci : il faut que votre enfant soit plus léger après sa faute, qu'il l'ait comprise, avec ou sans punition. Si la miséricorde vient au bon moment, l'enfant vous en sera reconnaissant et aussi léger que s'il n'avait pas mérité la punition. Mais si vous le sentez inquiet, agressif, cherchant visiblement à provoquer la punition, c'est que quelque chose en lui en a besoin pour s'apaiser. Il s'agit d'une angoisse intérieure dont vous ne pouvez approfondir les causes, car elles entraînent dans les dédales des mécanismes inconscients de la psychologie.

Cet enfant a besoin que vous vous fâchiez et que vous le punissiez. Il lui faut un ennemi et, si vous ne venez pas à son secours en devenant en apparence son ennemie, c'est-à-dire en vous opposant à lui, c'est lui-même qu'il prend comme ennemi, à votre insu, dans ce malaise intérieur qui le divise et le rend « stérile », inutile ou nuisible même.

Il faut punir, ce qui précède vous le montre. Les enfants

jamais punis, toujours pardonnés, sont les plus désaxés et font plus tard les adolescents et les adultes les plus scrupuleux, les plus anxieux et, quelquefois, sous des airs désinvoltes et cette fois peu scrupuleux, des névrosés atteints de ce qu'on appelle en psychanalyse le « mécanisme d'échec ». Ils sont autant et, souvent même, plus sévères avec eux-mêmes que ceux qui ont été punis trop souvent et trop durement.

Quant à ceux qui ont subi habituellement des punitions injustes, ils deviennent dans la plupart des cas des névrosés caractérisés.

Quelques procédés néfastes et pourtant courants à proscrire absolument :

— Dans le petit âge : le « raisonnement » de l'enfant, la « mise au coin ».

— Au-delà de huit ans ou un peu plus, suivant le niveau intellectuel de l'enfant : la correction physique, fessée ou gifle.

— Quel que soit l'âge : la semonce ou la peine publique, la confiscation d'un objet appartenant à l'enfant, la privation de nourriture, surtout, en public, la privation de dessert à table par exemple. (Tout autre déjà est la privation d'un bonbon ou, exceptionnellement, du chocolat ou de la gâterie qui accompagne le pain du goûter. Cela doit rester entre vous et l'enfant.)

— Jamais de punition à retardement, à échéances lointaines : elles entretiennent le sentiment de culpabilité au lieu de libérer la conscience.

— Jamais de suppression d'une récompense méritée par ailleurs : toute chose due est due, une promesse est sacrée, vous ne pourrez l'annuler sous prétexte que votre enfant, lui, n'a pas tenu sa parole. Le talion n'est pas éducatif.

Quelques procédés qui ont déjà fait leurs preuves :

Chez le tout-petit, interdire peu de choses, poser peu de règles, mais strictes, corriger les infractions par des tapes sèches sur la main, le pied ou les jambes qui ont fait la bêtise, ne jamais se fâcher contre l'« enfant » mais contre l'« exécutant », oublier immédiatement la fâcherie.

À partir de deux ans environ, quand l'enfant se nomme

en parlant de lui à la troisième personne, commence chez lui le sens de sa responsabilité. Aidez-le à le prendre sans que cette responsabilité soit toujours entachée chez lui de « culpabilité ». Servez-vous du mythe du chien méchant, de l'animal, de la méchante bête qui veut lui faire faire telle bêtise.

Cette bête, vous la frappez (jamais à la figure) sec, fort et peu longtemps (et jamais en public), c'est la bête qui a pris sa place ou qui l'oblige à lui obéir en lui faisant faire ce qu'il ne veut pas. Là encore, vous n'êtes jamais fâchée avec « lui », l'enfant. « Il » fait des bêtises parce qu'« il » écoute le mauvais génie, qui est très fort, et vous intervenez pour le faire partir. (Surtout vous n'avez jamais de « peine ». Oh ! ce chantage à « la peine », au « chagrin » qu'on fait à sa maman !)

Quand l'enfant dit « je », la phase du « gorille[1] » entre dans sa pleine application. Peu à peu, votre rôle sera pour vous d'avertir l'enfant que l'ennemi gagne du terrain et que vous devrez intervenir s'il n'arrive pas encore à maîtriser seul ses instincts désordonnés.

De quatre à six ans, à l'âge où commencent la réflexion et la préméditation, s'il a commis un acte qu'il savait défendu, fâchez-vous, prenez la sanction ferme, selon vos conventions mutuelles s'il y en a, ne punissez pas sans qu'il y ait un précédent avec avertissement.

Pensez toujours que l'enfant doit être laissé libre. S'il a trouvé en toute connaissance de cause que le risque valait le plaisir, c'est son droit. Ne cherchez pas à « mater » un enfant pour des choses inutiles. Si ce qu'il fait lui réussit et n'est pas nuisible aux autres et que vos interdictions ne l'entravent pas, c'est lui qui a raison. Il est en âge de surmonter les risques que vous craignez pour lui. Décidez avec lui, au lieu de punir, que l'interdiction temporaire est dorénavant levée, mais exhortez-le à la prudence et à la réflexion.

Plus l'enfant grandit, plus la punition doit disparaître et faire place uniquement à la notion de réparation des dommages au tiers lésé, et là encore en diminuant autant que possible ce qu'il y aurait d'humiliant dans la réparation.

Enfin, vous diminuerez la fréquence des actes défendus en permettant la plus grande activité créatrice à l'enfant. C'est la raison pour laquelle il ne faut pas confisquer un jouet ou supprimer une sortie qui sera une dépense favorable et une activité agréable.

Au début, il sera maladroit, mais laissez-le entreprendre des tâches domestiques de son choix. Avec votre confiance, il se fera très rapidement la main.

Il chipe vos livres ? Prêtez-lui tous ceux qu'il désire et discutez avec lui, sans les lui refuser, des livres « avancés » qu'il vous demandera. Il chipe le chocolat ou les confitures ? Donnez-lui la libre disposition de sa ration personnelle, pour une semaine ou pour un mois. Il démolit les prises de courant ? Demandez-lui de vous réparer une lampe cassée, de vous installer un fil, de vérifier les plombs.

Il a cassé un carreau ? Avancez-lui de l'argent, s'il n'a pas assez pour payer la réparation avec ses économies ou avec l'argent de poche régulier que vous lui donnez par semaine (système bien meilleur que l'argent donné au fur et à mesure des distractions ou des besoins scolaires). S'il est encore trop jeune pour avoir de l'argent, et assez âgé pour se sentir responsable (de sept à dix ans), imposez-lui de trouver seul le vitrier qui viendra réparer. Imposez-lui de contribuer à la réparation, mais ne le punissez pas pour une maladresse qu'il regrette déjà.

Et puis, s'il s'agit d'une chose grave commise un peu sans discernement, ne punissez pas, ne sévissez pas, faites avec l'enfant le bilan de la catastrophe, faites-lui comprendre que vous partagez l'épreuve, et que vous l'aiderez par tous les moyens qui sont les vôtres à sortir de la difficulté où il s'est mis, s'il le désire. Si, au contraire, il désire en assumer seul la responsabilité, ne criez pas au sournois, au menteur. On n'est jamais fier d'une mauvaise action et on peut craindre le jugement de ses parents. Ce n'est pas toujours mauvais signe. Si le cas est grave, demandez conseil à un ami sûr, à un éducateur, à un médecin pédagogue.

Amour, mariage, bonheur

Femmes françaises, 1er et 8 avril 1946.

LES PROBLÈMES PSYCHOLOGIQUES DE LA FAMILLE

Peut-être ce mot « famille » évoque-t-il pour vous la chaleur tiède et mélancolique d'un passé, ou bien la force du nombre des moyens d'action et des relations dont vous lui êtes redevable, une espérance, peut-être aussi un regret. Peut-être ce mot est-il pour vous synonyme d'étouffement, de charges écrasantes, de chape de plomb sur le cœur.

Que vous soyez homme ou femme faits, d'âge mûr ou enfants, jeune ou vieux, tous ceux qui me lisez, si vous levez la tête après avoir lu ce seul mot : « famille », et que vous essayez de sentir ce qu'il évoque en vous, vous sentirez que l'histoire de votre propre vie est liée très étroitement à l'ensemble des sentiments qui, en se mêlant, donnent pour chacun de vous une résonance unique à ce mot « famille ».

Le côté d'aide sociale à la famille, de logement, d'encouragement, de défense des intérêts et de la dignité de la famille est à l'ordre du jour depuis que notre pays sent le danger du vieillissement de ses sujets devenus improductifs et de leur remplacement par des jeunes en nombre insuffisant. Ce n'est pas de problèmes démographiques et sociaux que nous allons parler ici, mais de problèmes psychologiques. Ils sont nombreux et nous sommes certains que nos lecteurs, s'ils s'intéressent à ce sujet, nous en poseront eux-mêmes[1].

Citons-en quelques-uns : l'éducation dans la famille, l'émancipation des enfants, l'avenir des enfants, le respect des parents, sans que s'éteigne l'esprit novateur et « évolutionnaire » des jeunes ; le rôle et la responsabilité du père dans la formation morale de ses enfants, le rôle et la responsabilité morale de la mère ; les limites entre caractères difficiles et caractères pathologiques dans les rapports familiaux, les haines familiales : les problèmes psychologiques propres aux familles nombreuses, aux familles à enfant unique, aux familles dont les liens ne sont pas de consanguinité (enfants adoptés, reconnus, beaux-pères et belles-mères au foyer) ; le problème psychologique des orphelins, des enfants de parents désunis et divorcés, le problème des belles-mères (on peut en rire, mais, quelquefois, il s'agit bien d'un problème) ; le problème de la désunion morale des ménages, du délaissement habituel du foyer par l'un ou par l'autre des conjoints, du divorce, etc.

Ce sujet est vaste. Parmi tous ces problèmes, il paraît nécessaire d'aborder d'une façon hardie la source même de tous les conflits familiaux : le problème du couple. Je ne veux pas dire que, dans les familles où le couple est sans conflits, il n'y ait aucun autre problème à résoudre. La vie elle-même, avec ses épreuves et ses deuils, en apporte assez l'occasion, mais il faut dire que dans les familles où le couple est stable socialement et vraiment uni au point de vue affectif, à l'épreuve des réalités de la vie, le climat du foyer est peu propice aux troubles du caractère, aux symptômes psychologiques et affectifs de toutes sortes, qui sont le lot habituel des familles où le couple est « boiteux ».

Beaucoup de maris et de femmes se plaignent l'un de l'autre. Et, dans les cas où ils ne se plaignent pas ouvertement aux autres, ils s'attaquent l'un l'autre dans l'intimité de leur foyer. Nous vivons dans cet état de choses, et nous arrivons sans doute à trouver cela véritablement normal, puisque rien n'a jamais encore été tenté pour essayer de modifier cette situation psychologique collective. Le théâtre et la littérature y puisent la presque totalité de leurs thèmes, parce que, paraît-il, les gens heureux n'ont pas d'histoire. Il y a çà et là des exceptions. On les compte sur les doigts d'une main dans les petites villes, des couples unis entourés d'enfants épanouis, mais on dit d'eux qu'ils ont « de la chance ». Cela est certain, mais peut-être ont-ils cherché cette chance, et, surtout, se sont-ils mis dans les conditions d'en être les élus.

Y aurait-il donc des conditions à connaître pour bien se choisir, parmi les hasards des rencontres de la vie et pour que ce choix ait le plus de chances de donner un mariage heureux ? Cela est certain. Vous avez entendu parler des consultations graphologiques où l'on étudie les écritures des deux « futurs » pour savoir s'ils sont faits pour s'entendre. Vous savez qu'en astrologie, on dit à telle personne née sous tel signe qu'il lui faut se marier avec quelqu'un né sous tel signe, et éviter tel autre. Mais les psychologues, et parmi eux les psychanalystes, savent bien qu'il y a des êtres qui cherchent, ou plutôt qui « semblent chercher » (car ils n'en sont pas conscients et en souffrent beaucoup), à se fixer à des êtres qui les font souffrir.

« Je n'ai pas de chance, dit tel jeune homme, toutes les femmes sur qui je tombe sont coquettes, fourbes et égoïstes. » Or, si vous entrez dans le détail de sa vie, il vous raconte lui-même que pour qu'une femme lui plaise, il faut qu'elle soit comme ceci et comme cela, caractéristiques qui renvoient à un type de personnalité semblable à celles qui font son malheur. Lorsqu'on va plus loin dans l'étude du couple, on s'aperçoit que cette même femme devenue avec lui et pour lui coquette, fourbe et égoïste, peut être tout autre vis-à-vis d'un amant ou d'un second mari, et qu'elle n'était pas la même avant le mariage. En effet, cette femme dont il se plaint, se plaint elle-même de lui et le trouve égoïste, dépensier, négligent à son égard, et elle aussi a raison. Tous les deux ont raison dans leurs opinions mais chacun d'eux est la cause déterminante du comportement de l'autre à son égard. « Je ne serai bon à rien tant que j'aurai cette femme-là », dit l'homme, et la femme dit la même chose de son côté.

À dessein, je ne complique pas l'exemple avec la présence d'un ou de plusieurs enfants, d'une belle-mère... Le couple se suffit pour que la vie de chacun d'eux soit un enfer, un ratage. Vous savez que des tiers ne feront que corser le désarroi, en se faisant un devoir d'opter pour le bon droit de l'un ou de l'autre, comme s'il s'agissait de savoir qui a raison ! C'est comme pour ces accidents de voitures — et un tel ménage est un accident de voiture permanent — où chacun des deux accidentés essaye de prouver à l'autre qu'il était dans son droit et tâche de trouver des témoins pour appuyer sa thèse. Dans un accident de voiture, s'il n'y a que dégât matériel, il s'ensuit un dédommagement matériel, à la charge de celui qui est responsable. Mais quand il s'agit de la destruction des conditions mêmes qui rendent possible la vie du cœur, en quoi le bon droit et le fait d'avoir raison pourraient-ils dédommager deux êtres déchirés ?

Donner raison à ce père ou à cette mère, tous deux incapables de s'intégrer au schéma du couple parental que chaque enfant porte en lui, ne pourra entraîner que l'aggravation du désarroi moral des enfants. Bien sûr, l'un d'eux fait peut-être plus son « devoir » de nourricier à l'égard de ses enfants, et l'homme de loi décide que socialement c'est ce conjoint-là qui les gardera, mais, pour l'enfant, le drame est intérieur. Qu'il soit élevé, soigné, c'est bien, c'est un fait, mais qui n'a rien de consolant quant au deuil qu'il doit faire de son estime pour l'autre parent. Combien de ces enfants, combien d'entre mes lecteurs qui ont été les enfants de ces couples boiteux se sont dit : « J'aurais mieux fait de ne pas naître, la vie eût été moins compliquée pour papa ou pour maman » ? Combien se sont dit : « Plus tard, je ne me marierai pas, on est trop malheureux » ?

Et le fait est que, plus tard, s'ils se marient tout de même et sans avoir compris vraiment les origines du drame de leurs parents (compris, c'est-à-dire être sortis de l'étape du jugement à leur égard), le fait est que ces enfants-là reproduisent à leur tour l'erreur de leurs parents, comme si un déterminisme intérieur les poussait à s'identifier jusque dans leurs erreurs à ces parents dont ils ont eu tant à souffrir.

Quelles sont les forces qui poussent les êtres les uns vers les autres et les font se fixer ? Comment éviter le choix malencontreux, comment favoriser les chances d'un mariage heureux ? Il ne s'agit pas de recette plaquée mais de l'étude, des stades d'évolution dans la conception que chacun de nous se fait du couple depuis son enfance et qui, à un certain niveau de maturité affective, s'enrichit d'un facteur instinctif biologique nouveau.

Jusque-là, l'enfant, puis le jeune homme et la jeune fille, cherchent dans leur objet d'amour un être le plus proche possible d'un idéal destiné à les compléter. Ce mode de choix entraîne pour le mariage des dangers. La maturité affective devrait, avec une saine éducation et dans une ambiance familiale heureuse, se placer vers vingt ans pour la fille et un peu plus tard pour le garçon. Elle se traduit par la mutation du désir de recherche du complément en recherche de l'élément avec lequel une atmosphère neuve et créatrice toute différente de celles des flirts et des attachements précédents s'établit. Atmosphère dans laquelle les deux amants sont dépassés par une volonté lointaine et créatrice, à laquelle tous deux obéissent avec enthousiasme. À partir du moment où chacun des éléments du couple est mû par ce mobile à la fois personnel, biologique et créatif, le mariage auquel ils s'engagent a toutes les chances d'être heureux au point de vue affectif pour chacun d'eux.

COMMENT FAVORISER LES CHANCES D'UN MARIAGE HEUREUX

La disharmonie chez les couples malheureux, les deux « moitiés » mal « assorties », apporte un élément aggravant à toutes les épreuves communes d'un ménage, un élément aggravant à toutes les difficultés d'éducation que posent la présence et le développement des enfants. Y a-t-il possibilité d'éviter cet échec, et comment ?

Oui, le couple boiteux, les ménages aux conjoints « désabusés », aux conjoints ennemis, aux conjoints étrangers, ce n'est que trop courant, hélas. Mais il faut le dire aussi, c'est une maladie de notre société, ce n'est absolument pas « normal », si « normal » signifie « sain » et même tout simplement « naturel », au sens des instincts sainement équilibrés.

On entend dire que tel ou tel conjoint, dans un mauvais ménage, a tort, que tel autre est un malheureux à plaindre, sous-entendu vertueux. Généralement, cela veut dire que celui à qui on donne tort est celui qui s'est donné le droit de réagir à une situation dont il souffrait, et que l'autre, le vertueux, se sentant impuissant à régler la situation douloureuse, se résigne, tout en cherchant d'ailleurs à se donner le beau rôle en affichant une vertu qui à ses yeux le rend estimable, c'est-à-dire en acceptant de renoncer à toute vie génitale féconde. Nous vivons dans un monde où, hélas, le fait d'être une victime rend une personne estimable, alors que c'est la façon dont elle triomphe d'une épreuve et dont elle utilise la souffrance qui devrait seule entraîner l'estime. Plaindre et aider quelqu'un ne devrait pas signifier l'estimer. L'erreur est là.

Je ne veux pas parler ici des couples qui sciemment se sont construits sur le mensonge, la rivalité. De ces derniers, il y en aura toujours. Ceux-là d'ailleurs ne méritent jamais le nom d'époux. Ils ne se « trompent » pas, à peine essaient-ils de donner le change à ceux qui ne sont pas leurs intimes. Je veux parler seulement aux couples des hommes et femmes de bonne volonté, à ceux qui sincèrement s'engagent dans une vie qu'ils désirent stable et durable avec un conjoint dont ils sont convaincus, au moment du mariage, qu'il est fait pour eux. Comment peuvent-ils espérer ne pas se tromper, et mettre toutes les chances de leur côté ?

Prenons une comparaison : avant de faire une expérience que l'on n'a jamais faite, une longue excursion en pays inconnu, on s'éprouve soi-même après s'être d'abord dûment préparé et entraîné. C'est seulement quand tout est prêt et que l'on peut selon toutes les apparences compter sur tout ce qui dépend de soi, et que l'on a prévu au maximum les moyens de triompher de ce qui dépendrait de conditions étrangères à soi, que l'on se permet de partir. C'est la prudence. Combien de jeunes gens et de jeunes filles partent dans le mariage sans prudence, sans préparation, sans s'être éprouvés eux-mêmes ? Ils ont, pour les yeux avertis, toutes les chances de rater leur vie conjugale, quel que soit leur conjoint.

Au contraire, par une déformation psychologique assez répandue, au lieu de s'éprouver soi-même, il arrive que le jeune homme ou la jeune fille se croie très fort, quand il passe le temps de ses fiançailles à éprouver l'autre, s'occupant de monter des machinations ou de jouer des comédies pour savoir si l'autre l'aime, le rendant jaloux, etc. Le psychologue peut dire tout de suite que ceux qui agissent de la sorte n'aiment pas, quant à eux, leur futur conjoint, et qu'ils partent à coup sûr avec le mauvais numéro dans leur poche.

Fiancés, ne vous éprouvez pas l'un l'autre, éprouvez-vous vous-mêmes. Comment ?

Il y a des lois dans la nature, il y a des lois dans la biologie : un arbre porte des feuilles avant de porter des fleurs puis des fruits. On ne peut lui voir de fruits avant le temps. Il y a de même des lois dans le développement des personnalités individuelles. Il faut les connaître. L'âge du mariage est l'âge des fleurs mûres pour la fécondation. Ce n'est l'âge ni du bourgeon ni de l'éclosion.

Quelles sont les différentes phases d'évolution du choix de l'élu dans la vie affective ?

Dès l'enfance, chacun d'entre nous s'oriente vers l'idée d'un être à aimer électivement. Le mot « aimer » correspond à des plans d'attraction de trois ordres : sensuel, tendre et cérébral. Si le développement d'un humain se fait harmonieusement, ce qui n'est pas toujours le cas dans nos sociétés dites civilisées, le développement intellectuel (l'intelligence), le développement affectif (le cœur) et le développement physique (les instincts) se feront de façon simultanée. À chaque étape de sa croissance, le sujet sera en accord avec l'âge de son corps, l'âge de ses instincts.

Tout le monde sait que, dès deux à trois ans, l'enfant, fille ou garçon, jette son dévolu sur un objet d'amour électif avec lequel il s'imagine se marier : « Quand je serai grand, je me marierai avec maman (ou avec papa). » C'est un âge où la réalisation est purement imaginaire. L'enfant cherche à se lier à un être tout-puissant, et n'apporte dans ce contrat imaginaire que le lot de ses besoins. L'enfant ne connaît rien de plus désirable que son père si c'est une petite fille, que sa mère si c'est un petit garçon. Ce stade amoureux porte, en psychologie, le nom de stade « œdipien ». Œdipe est ce personnage de la mythologie grecque qui fut poussé par le destin à tuer son père et à épouser sa mère, puis a expié toute sa vie cet inceste involontaire.

Quelques années plus tard, si le stade « œdipien » du développement affectif s'est bien passé — œdipe liquidé, résolu —, l'enfant s'oriente dans son choix d'amour électif vers un autre lui-même, qui est d'ordinaire choisi du même sexe que l'enfant. Un grand ami (ou une grande amie pour une fille) à peu près du même âge ou un peu plus âgé pour lequel on n'a pas de secrets, un autre soi-même avec lequel on partage toutes ses pensées, tous ses plaisirs. On est parfois en violent désaccord, d'autant plus violent qu'on ne veut pas se brouiller définitivement et qu'on se raccommode pour se brouiller de nouveau. Ces amitiés à « cahots » violents sont toujours le fait d'enfants en lutte avec une partie d'eux-mêmes. Ils se brouillent avec leur ami qu'ils n'ont choisi que parce qu'ils se reconnaissent en lui. On donne à ce type de choix amoureux le nom de choix narcissique, du nom de Narcisse, le personnage du mythe antique. Narcisse était amoureux de sa propre image, qu'il cherchait dans le reflet de l'eau. La légende dit que, pour s'étreindre, il se noya, et qu'à cette place naquit la fleur qui porte ce nom.

Après ce stade amoureux de type narcissique, où le choix vise un être du même sexe que soi, se place une seconde étape où l'être aimé est choisi de l'autre sexe, mais encore sur le mode narcissique. Cela veut dire que le garçon cherche une fille qui le flatte par son apparence, et la fille, de même, cherche un garçon au bras duquel elle trouve que cela fait bien de se promener. C'est encore l'âge où l'on est amoureux d'une image. (Ainsi les amours pour les acteurs de cinéma.) La puberté physiologique se fait, dans les cas habituels, en même temps que cette étape de la vie affective. À partir de ce moment, s'il n'y a pas névrose, l'être élu sera toujours de l'autre sexe.

L'étape de croissance affective suivante est sous le signe de la recherche d'un complément de soi-même. Les deux êtres se choisissent, non plus pour être admirés des autres, mais parce que chacun d'eux se sent plus fort non seulement en aimant l'autre dans son for intérieur, mais encore plus épanoui et plus efficace en présence de l'autre dans toutes les activités sociales. Ce n'est plus un choix seulement égoïste, mais en grande partie généreux. C'est l'âge où les garçons et les filles se recherchent et se fréquentent plus ou moins durablement, se font des cadeaux, s'écrivent. C'est l'âge des flirts. Au fur et à mesure de leur développement, telle amitié amoureuse ne leur convient plus, et ils en recherchent une autre. C'est l'âge des emballements, suivis plus ou moins rapidement de lassitude et de déceptions, parce que les êtres évoluent vite et ne se correspondent pas longtemps. Et puis ils sont volages, car l'amour n'occupe qu'une partie de leur vie, et pas toujours la plus importante. Parallèlement à cette croissance affective et instinctuelle, l'intelligence s'est développée et l'être humain s'affirme, choisit sa direction dans la vie sociale, travaille pour acquérir des moyens de puissance sociale, capables de lui assurer l'indépendance matérielle, et une place en rapport avec ses capacités et ses goûts. La génitalité s'est peu à peu éclose et c'est elle qui, à leur insu, donne l'assurance et la conscience de soi, le sens de leurs responsabilités au jeune homme et à la jeune fille, en même temps que la force dans la lutte pour la vie.

À cet âge où naît puis s'affirme l'adulte complet au triple point de vue instinctif, affectif et mental, correspond l'étape du choix électif du conjoint en vue de la formation d'un couple stable, d'un couple créatif. « L'aimé » (choix affectif), « l'estimé » (choix mental) et « le désiré » (choix instinctif) sont représentés par un seul et même être qui paraît capable, par les qualités qu'on lui connaît et sa façon d'envisager l'avenir, de fusionner avec soi-même sur tous les plans, dans le même don à une œuvre commune, cette œuvre dont l'enfant est le symbole vivant. L'œuvre projetée peut être aussi une entreprise sociale ou humaine. Quoi qu'il en soit, c'est l'élément de cette œuvre, c'est ce fruit désiré et souhaité qui entraîne la décision de fonder un couple stable. Mais cette décision est d'abord amorcée sur le triple accord des individus (entente affective, mentale et instinctive).

Tel est schématiquement dressé le tableau de l'évolution harmonieuse des êtres humains au point de vue de leur recherche de l'objet d'amour de la naissance à l'âge adulte. Nous disions qu'un arbre ne peut porter de fruits avant d'avoir porté des feuilles, puis des fleurs... On ne peut tricher avec la biologie. On ne peut que faire semblant d'être mari et femme si on n'est pas parvenu à l'âge adulte, non seulement au point de vue physique, mais encore et surtout au point de vue de la maturité de cœur et de pensée. Or la maturité du corps seule est visible de l'extérieur. Sur les autres plans, la maturité ne se révèle que par le comportement qu'elle suscite dans la vie. Mais, chacun dans son for intérieur, s'il veut être sincère avec lui-même, peut savoir à quel mobile il obéit dans son choix. Le mobile de ce choix dépend du stade d'évolution affectif auquel il est parvenu.

Combien d'hommes et de femmes adultes en âge sont restés psychiquement et affectivement des enfants ! Ils décident socialement de construire leur vie à un moment de leur évolution qui n'est pas durable, parce que c'est un stade infantile et que, tôt ou tard, leur développement naturel désavouera leur choix devenu caduc. Dans ce cas, la fidélité à un engagement pris sans discernement est peut-être nécessaire pour l'intérêt des enfants qui sont nés d'une telle union, mais elle est une source de souffrance et même d'échec social relatif.

Pour éviter ces souffrances et ces ratages, il faudrait stimuler les jeunes à s'éprouver eux-mêmes avant de construire, sur des bases boiteuses, un couple qui n'aurait que les apparences du couple. Tel serait le cas d'un mariage avec un conjoint qui correspond à l'un des modes de choix amoureux antérieur à la période de l'adulte complet. Or il y a dans l'état actuel de notre société beaucoup d'hommes et de femmes qui subissent des blocages et des retards dans l'évolution de leur attitude amoureuse et sexuelle (instinctive). Cela est peut-être dû à une stimulation un peu forcée du développement intellectuel. Quoi qu'il en soit, ces mariages où les corps seuls sont ceux d'adultes alors que les cœurs et les esprits sont d'enfants ne sont pas souhaitables. Il en est de même des mariages de tendresse seule sans appel réciproque des corps, ou des mariages de raison sans participation enthousiaste ni des corps ni des esprits.

On peut objecter que des couples ainsi mal partis ont tenu tout de même à l'épreuve du temps. Mais les exceptions ne sont pas à souhaiter ni à recommander. Combien d'entre eux souffrent et ont souffert ! Combien ne tiennent qu'officiellement, mais avec chez chacun d'eux la nostalgie de ce qui aurait pu être et qui n'a pas été !

L'avenir, pour cela, n'est pas aux mariages tardifs, mais au contraire au développement plus équilibré des jeunes, sans blocage de leur vie affective. Il ne s'agit pas non plus de prôner la précocité sexuelle, ni le mariage à l'essai. Mais il faudrait qu'à chaque âge de l'enfance et de la jeunesse soit vécu librement l'âge amoureux correspondant. Ainsi, arrivés à l'âge physique adulte, les jeunes gens et les jeunes filles seraient tout naturellement à l'âge affectif adulte.

Trop souvent, et c'est un drame, les jeunes gens et les jeunes filles arrivent à l'âge adulte avec des corps aux exigences sensuelles adultes mais d'un niveau de maturité affective, d'« âge amoureux », insuffisant, qui auraient pu être vécues sans honte de huit à quinze ans (et même plus jeune). Ils sont alors désarmés devant les exigences d'un instinct qu'ils n'ont pas senti croître et appris à connaître ou à maîtriser, c'est-à-dire à subordonner aux exigences de leur cœur et de leur esprit. Bien souvent, ils ont appris à mépriser cet instinct, pourtant source de leur fécondité même, et à se mépriser d'être sollicités par ses exigences. Ce qui est néfaste pour la préparation d'un mariage heureux.

Un jeune homme, ou une jeune fille, se sent épris. Comment peut-il s'éprouver lui-même, afin de s'éclairer sur les probabilités de bonheur que peut lui apporter ce mariage qui l'attire ? Il peut s'interroger sur la nature de son choix :

— Le choix sur le mode d'amour « infantile », où l'on réclame un être plus stable et plus sûr que soi dont on attend la force secourable sans donner la sienne en échange, est-il à la base de l'attirance pour l'être aimé ? Dans ce cas, le mariage laissera toujours le plus jeune des conjoints dans une situation morale de tutelle. Il sera peut-être heureux, mais jamais n'atteindra le plein épanouissement.

— Le choix sur le mode encore enfantin, guidé par le besoin d'un autre soi-même, est-il révolu ? Tels jeunes hommes seraient étonnés d'apprendre que la jeune fille ou la jeune femme qu'ils recherchent ne leur plaît que parce qu'elle est la sœur ou l'amie, sinon l'amante, de leur plus cher ami. Qu'ils prennent garde de l'épouser ! La jeune femme n'est valorisée que par son « jumelage » affectif avec l'« ami ». Elle perd tout intérêt pour lui du jour où, en devenant sa femme, elle se sépare de son compagnon d'avant pour n'être qu'à son mari.

— Le choix sur le mode de l'amitié amoureuse, avec les jalousies, les querelles, les brouilles, les raccommodages, les vains désespoirs, le besoin de changer, n'est-il pas dépassé ? Alors ne fixez pas par un lien social une union dont le climat affectif est variable sinon orageux.

— L'étape du goût pour le flirt est-elle vraiment dépassée ? Sinon y renoncer artificiellement, par décision raisonnable, alors qu'elle paraît encore agréable est le signe que l'on n'est pas encore mûr pour le mariage. La prudence est d'attendre.

— Le jeune homme ou la jeune fille se sent-il en possession de sa puissance individuelle ou au contraire se sent-il plein de sentiments d'infériorité, et compte-t-il sur l'autre pour les faire disparaître, ou sur cet état de mariage pour évoluer alors qu'il se sent bloqué dans une attitude mentale affective ou instinctive infantile ? Dans ce cas, il court à la déception.

— Se décide-t-on à se fixer socialement parce qu'il faut bien un jour « faire une fin », « se caser » ou pour des « commodités » de diverses sortes ? Ou bien part-on pour un « commencement » plein de force et de courage ?

— Y a-t-il à la fois estime, désir et tendresse pour l'élu ? Ou bien lacune d'une de ces trois composantes de l'attachement conjugal vrai ? Il y a alors danger d'échec.

— Serait-on prêt avec cet élu à quitter sa famille s'il le fallait, non pas pour faire un coup de tête, c'est-à-dire la fuir, mais pour mieux servir la réussite et la fécondité du couple, si par exemple la situation du mari l'exigeait ? Si oui, cela signifie d'abord qu'on a réellement confiance, et aussi que l'œuvre commune à faire prime les attachements égoïstes ou improductifs. Si légitime que soit l'amour d'un enfant pour ses parents, cet attachement ne peut pas être fécond et ne doit pas biologiquement entraver l'appel à la fécondité et à la créativité avec un conjoint choisi, aimé, estimé et désiré.

Voilà comment chacun des futurs époux doit s'éprouver soi-même. Et si, dans la sincérité de son cœur, face à lui-même, il peut se dire qu'il se sent bien à cette étape de maturité, alors il ne se trompe pas et, quel que soit l'imprévu de la vie, son mariage lui permettra de donner ses fruits, et, quoi qu'il arrive, il ne regrettera rien et se dira que, si c'était à refaire, il agirait de même.

Si chacun des deux futurs époux, s'éprouvant soi-même, ne peut pas se répondre sûrement à ces questions, les fiançailles alors doivent être prolongées, ou peut-être rompues courageusement. Mieux vaut rien que quelque chose de faux.

Si cette période des fiançailles, ce beau temps de la foi consentie à l'autre, afin de s'éprouver soi-même, période importante au plus haut point, est vécue librement et bien, peu à peu l'être élu devient le centre de toutes les pensées, de tous les désirs, de tous les élans de tendresse. Cela se fait non par effort ou par une décision de la raison, mais par vocation simultanée. Le jeune homme et la jeune fille se fixent définitivement l'un à l'autre, sans regret des autres possibilités qui leur sont encore ouvertes mais qui n'ont plus d'attraits. Il n'y a plus pour eux de tentation (des sens, de la raison ou du cœur) qui puisse rivaliser avec cette certitude de leur être tout entier. L'âge du don définitif de l'un à l'autre pour l'œuvre qui doit les dépasser tous deux, l'œuvre projetée au-delà de leur propre durée individuelle, est arrivé. Leur union dans le mariage a alors toutes les chances d'être heureuse et féconde.

Le deuxième cordon ombilical

Avec l'aimable autorisation de
Francis Martens et Rachel Kramerman,
juin 1947.

Non, il ne s'agit pas d'une anomalie nouvelle, inconnue. C'est hélas bien trop fréquent. Deuxième cordon ombilical, c'est ainsi que j'appelle le lien moral, subtil et parfois véritable chaîne d'acier ne lui laissant aucune liberté qui relie, prisonnier, un enfant à ses parents et surtout à sa mère.

Vous connaissez tous ces mémères à chien-chien, femmes qui n'ont pas eu d'enfants, dit-on (l'expression est savoureuse). L'animal ne peut jamais faire un pas sans leur autorisation, ne peut japper, flairer, dormir, manger, faire pipi ou sa crotte autrement que sous le regard bienveillamment attendri, ou sur l'ordre impératif de sa maîtresse. Elle sait toujours mieux que quiconque, et surtout que son chien, ce dont il a besoin. Quant à lui, bien entendu, il se doit de l'adorer, sinon il manquerait du minimum vital. La mémère au nom des besoins de l'animal achète l'« amour » et pervertit ses instincts. (Ces animaux domestiques seuls deviennent gourmands et paresseux jusqu'à l'obésité impotente.) Si, en grandissant, le chien-chien montre les exigences de sa nature canine, sa maîtresse en déduit qu'il demande à être castré. Si c'est une femelle, on passe les jours de rut en la préservant des cabots mal élevés qui pourraient l'attaquer, pauvre chérie. Devant des ennuis de santé, sur le conseil du vétérinaire, on lui choisit un conjoint payé ou payant, avec qui on l'enferme le temps indispensable à la fabrication de quelques chiots commerciaux et honorables. J'oubliais de dire que, si le chien-chien est souffrant, sa maladie même ne lui appartient pas. « Il m'a fait ceci ou cela », dit sa mémère, c'est contre elle qu'il a été malade, et c'est elle qui, en le soignant, se sent intéressante.

Passe encore pour un chien. Mais combien de petits d'hommes ne sont pour leurs parents que des animaux domestiques ? Parents innocents de leur malfaisance — aussi je ne les accuse pas, mais je crie alerte aux femmes, car c'est des mères surtout que dépend l'ambiance des foyers.

Un petit d'homme n'est ni une poupée vivante ni un animal. Ces parents infantiles cherchent à travers leurs enfants à satisfaire leur propre vanité, indépendamment et dans le mépris absolu du caractère propre, de la vocation d'homme et de femme libre qui est celle de chacun. Ils n'élèvent pas leurs enfants, mais ils les dressent, les matent, les flattent, les achètent, les châtrent en un mot, et ce petit monstre perverti s'appelle un enfant bien élevé.

Il faut que nos jeunes gens, nos jeunes mères et nos jeunes pères, rompent avec cette aberration si fréquente, source de tant de malheurs individuels et même sociaux. Il faut que nous donnions la liberté de vie non seulement aux corps, mais aux cœurs et aux esprits de nos petits.

L'enfantement charnel dure neuf mois. Le cordon ombilical permet à l'enfant de se construire jusqu'au jour où, en respirant, il prend son autonomie organique. À partir de ce jour où le corps est né, la famille a la charge de nourrir le petit d'homme, de lui donner tout ce dont il a besoin et aussi de lui donner la nourriture du cœur et celle de l'esprit pour le préparer à naître vers six ans à la conscience de son individu dans la société. La première matrice est exclusivement maternelle, la seconde matrice est à la fois matérielle, morale et spirituelle, c'est le foyer familial.

Ces années de zéro à six ans sont les années de gestation de l'individu social au sein de sa famille. Le fœtus est libre dans le sein de sa mère d'assimiler, au rythme qui est le sien propre, selon l'ordre préétabli dans le germe. La mère ne peut que soigner sa propre santé, avoir une saine hygiène, et c'est par la nature même des choses que la perfusion donnera les matériaux constitutifs sains à l'organisme fœtal.

De même dans l'enfantement social, c'est par l'exemple,

par l'ambiance affective, morale des parents entre eux, par leur façon de se comporter vis-à-vis des étrangers et non par ce qu'ils empêchent, corrigent, ordonnent ou conseillent que les parents élèvent l'individu à être capable de vivre libre, maître de ses actes avec une conscience libre, au sein d'une société.

Ces années de préparation à la vie sociale sont hélas trop souvent des années d'avortement, où celui qui devait acquérir son expérience personnelle, quotidiennement dans la joie de ses propres satisfactions, dans la peine de ses propres épreuves, est privé de la liberté de ses mouvements, tout à fait arbitrairement, de ses élans affectifs, de ses curiosités intellectuelles. Combien souvent voyons-nous autour de nous de ces enfants encore sains physiquement auquel rien de matériel ne manque et qui ont cette expression lasse, terne, amorphe. Petits d'hommes pour toujours (*pour toujours,* vous entendez) mutilés de tout ou partie de leur puissance (l'impuissance génitale n'est qu'un tout petit chapitre final, à vrai dire, de l'impuissance chez l'être humain), des êtres qui pour toujours sont blessés ou tués dans leur instinct créatif, le seul instinct qui caractérise l'être humain dans l'échelle de la vie sur notre planète.

Au contraire, si l'enfant dans le milieu familial quel qu'il soit, équilibré ou non, est laissé libre de ses sentiments, de ses jugements, de ses élans et de ses actes mêmes, quand ils ne gênent pas le rythme des actes des autres, son expression est celle d'un être confiant, actif, sain psychiquement et moralement. À l'âge scolaire, l'âge aussi où s'impose en chaque enfant le besoin des autres, au lieu d'être égoïste, replié sur lui-même ou craintif et vulnérable, revendicateur, il a confiance en lui, il est capable de donner son amitié librement, de se défendre, de défendre son indépendance librement, de supporter une discipline extérieure utile à l'ordre social car il se sent libre dans ses sentiments et dans ses pensées. Le deuxième cordon ombilical peut se rompre de lui-même. Le fruit est mûr. Sa conscience morale est née sainement. Heureux l'enfant qui sait quand il a bien agi, non parce que l'adulte lui donne son approbation mais parce qu'il se sent content de lui. Heureux l'enfant qui sait se consoler d'un échec en pensant à l'expérience acquise, sans avoir le sentiment dominant stérile de mésestime de lui. C'est un être humain libre.

Comment former
la conscience de nos enfants

Avec l'aimable autorisation de
Francis Martens et Rachel Kramerman,
juillet 1947.

Ce n'est pas toujours agir bien que d'agir pour n'être pas critiqué. Nous connaissons la fable du « Meunier, son fils et l'âne ».

Sachons enseigner à nos enfants que ce n'est pas toujours bien de faire plaisir à une grande personne, même à sa mère. Être content de lui-même, à l'aise avec lui-même, est pour l'enfant la seule façon de sentir qu'il a bien agi. Apprenons à nos enfants à être contents d'eux indépendamment de notre approbation et même quelquefois malgré nos reproches. Qu'ils se sentent libres de penser, de sentir et de juger autrement que nous-mêmes, tout en nous aimant.

Mettons le petit enfant dans des conditions telles que très peu de choses lui soient dangereuses, et laissons-le libre de ses actes. Consolons-le dans toutes ses épreuves et, si nous ne pouvons pas, soyons-y au moins indifférents, ne lui reprochons jamais de souffrir, ne nous moquons jamais de ses peines.

Quand un enfant crie ou pleure, c'est qu'il souffre dans son corps ou dans son cœur. Aidons-le d'un geste si nous en avons le temps et si cela paraît grave, par une bonne parole encourageante si ce n'est pas grave et si nous sommes nous-mêmes occupés.

Si c'est de notre fait qu'il souffre, excusons-nous auprès de lui, laissons-lui le droit de crier ou de pleurer. Ce que nous avons fait était-il nécessaire vraiment ? Si oui, nous avons bien agi et l'enfant le sent bien, même s'il en souffre. Si non, nous avons mal agi et nous le savons très bien, tout aussi bien que l'enfant dont les cris ont des résonances revendicatrices. Reconnaissons nos torts. Et si d'une petite façon détournée nous voyons qu'il se venge de nous, fermons les yeux ou mieux, reconnaissons devant lui que nous l'avons un peu mérité. Cela arrive à tous les parents d'être injustes, surtout à ceux qui veulent toujours être justes. Les enfants tolèrent l'injustice involontaire quand ils sentent la sincérité d'intention chez leurs parents et quand ils se sentent aimés pour eux-mêmes, et respectés même quand ils se montrent mécontents.

C'est bien agréable pour un enfant quand il est content de lui, que la grande personne aussi soit contente de lui ; c'est une épreuve pour lui quand il s'aperçoit qu'elle ne l'est pas.

Aidons-le à juger de lui-même de l'effet de ses actes. S'il est en accord avec leurs suites et nous en désaccord, donnons-lui notre opinion mais respectons la sienne. S'il a enfreint un règlement qu'il connaissait et qu'il était nuisible d'enfreindre, appliquons-lui la sanction prévue et connue de lui, et aidons-le à réparer si c'est possible. Il ne devrait jamais avoir d'interdictions que pour des choses réellement nuisibles à lui-même et que l'expérience lui montrera telles, ou pour des choses que son inexpérience le rend incapable de bien faire.

Les interdictions dans presque tout ce qui concerne la vie humaine sont momentanées ou limitées à certaines personnes. Il faut, très jeune, que l'enfant sache que c'est la prudence seule qui oblige à ces réserves, et que tous les obstacles sont un jour ou l'autre surmontables, toutes les interdictions parentales faites pour être levées le jour où il aura conquis une maîtrise suffisante de son corps pour savoir seul ce que son adresse peut lui permettre.

En attendant, tout ce qui l'aide à exercer ce corps doit être laissé à ses libres initiatives, si maladroites qu'elles soient. Un peu plus tard, à toutes les curiosités de l'enfant, répondez quelque chose de vrai, jamais : « Cela ne te regarde pas. » Si vous ne savez pas, répondez que vous ne savez pas. Dans le domaine du savoir, rien n'est encore défendu, mais il faut conquérir le savoir. C'est les limites de notre propre nature humaine telles que nous les ressentons qui sont les seules que nous ayons à trouver.

Enseignons à nos enfants à sentir leur conscience en paix devant leurs résultats mauvais ou bons quand ils ont fait tous les efforts qu'ils pensaient devoir faire. Quand nous échouons dans nos entreprises, l'échec est une épreuve. Cette épreuve en elle-même n'a pas de valeur et ne nous donne droit à aucune satisfaction, mais si nous l'acceptons et en sortons plus courageux, plus avisés et plus prudents qu'avant, nous avons avancé dans notre évolution vers la maîtrise de nous-mêmes. Quel que soit le jugement des autres, nous savons bien que cet échec a porté des fruits en nous et nous ne pouvons plus alors le regretter.

Ne reprochons donc jamais à un enfant des mauvais résultats scolaires ou autres, ni ses défauts, ou ses souffrances. Aidons-le à voir en face ses échecs sans se mésestimer, à en comprendre la raison et — s'il le désire — donnons-lui le moyen de triompher de l'avenir.

L'âge des parents

L'École des parents, février 1954.

L'âge des parents. Vaste thème, puisque en fait les parents ont tous les âges. Il ne peut être question de dire à des gens qui ont mis au monde des enfants de s'en défaire, sous prétexte qu'ils sont trop jeunes ou trop vieux. Aussi nous faudra-t-il aborder le problème de biais : que se passe-t-il pour les enfants quand les parents ont tel ou tel âge, et quels sont les âges les plus favorables pour être parents ?

Éliminons immédiatement le problème des maladies organiques qui peuvent soi-disant survenir selon l'âge des parents au moment de la conception de l'enfant : il s'agit là d'études de génétique, qui ne sont pas mon fait. Je dois simplement examiner la question sous l'angle psychologique et je vous parlerai donc des interférences affectives entre parents et enfants en fonction de leurs âges réciproques.

Lorsque j'ai eu à penser à la conférence que je devais vous faire, j'en ai discuté avec mes enfants ; je leur ai annoncé que je parlerais sur l'âge des parents. « Ah ! m'a dit mon fils aîné qui va avoir onze ans, on en a parlé à l'école, parce qu'il y en a qui ont des parents très jeunes et d'autres des parents un peu vieux comme toi ! — Oui, et alors ? — Tu sais, il y avait beaucoup d'avis, on était de tous les avis. — Et toi ? — Moi, je trouve que c'est mieux qu'ils soient un peu vieux. — Et pourquoi ? — Parce que, quand ils sont un peu vieux, ils connaissent du monde. Quand on vit un peu longtemps, on se fait des amis : tous les ans, on en connaît d'autres. Donc les parents un peu vieux en ont plus que les jeunes. Alors, s'ils meurent, nous, on a plus d'amis, on est moins en danger que ceux qui ont des parents jeunes. »

Je vous rapporte cette conversation avec mon fils parce qu'elle illustre, me semble-t-il, un des besoins théoriques de l'enfant : le besoin de protection. Bien entendu, ce n'est qu'un témoignage d'enfant de onze ans, et je vous le donne pour ce qu'il est.

J'ai voulu poursuivre la conversation. « C'est tout, les parents un peu vieux ? — Les parents un peu vieux, ça n'apprend plus alors ça explique des choses, tandis que les parents jeunes, ça prépare des examens et on ne peut jamais leur parler. »

J'ai essayé de lui faire trouver encore d'autres raisons : « Tu comprends, m'a-t-il dit, quand on est vieux, on sait si on a gagné de l'argent : ou bien on en a gagné, on se dit que ce n'est pas difficile et on permet que les enfants en dépensent ; ou bien on n'en a pas gagné quand on était jeune, on se dit que c'est difficile à gagner et les enfants n'en ont pas du tout. — Tu dis ça pour nous ? — Non, mais il y en a qui ont bien plus d'argent que moi. — Alors pourquoi ? Est-ce que les parents de tes camarades sont vieux ? — Non, pas plus vieux que toi, mais ils gagnent plus d'argent... » Mon fils n'a pas su poursuivre son raisonnement plus loin.

Je vous ai rapporté cette conversation parce qu'elle vous montre que l'enfant a centré son jugement sur la sécurité : les vieux ont plus d'amis ; les vieux peuvent aider les enfants dans les questions d'argent ; les vieux savent plus que les enfants et plus les parents savent de choses, plus l'enfant en profitera. Au fond, il y a chez l'enfant l'idée de profiter des parents : il reste greffé sur des parents qui l'appuient, qui l'étayent.

Mon fils m'a dit encore autre chose : « Les parents plus vieux nous laissent nous amuser avec des plus jeunes sans venir avec nous. — Mais alors, quel est l'avantage pour des enfants d'avoir des parents plus jeunes ? — C'est qu'ils aiment rire des mêmes choses qu'eux. C'est agréable. Mais après ça, ils vous ennuient, ils veulent aller aux mêmes matchs que vous ; et puis, sur tout ce qu'on dit, ils ont d'autres idées et ils ne sont pas contents. »

Vous voyez que la jeunesse des parents, qui peut quelquefois sembler un avantage à l'enfant, le gêne aussi parfois. Je vous en reparlerai tout à l'heure.

Outre ce garçonnet, j'ai deux autres enfants de neuf et sept ans. J'ai essayé de reprendre la question avec eux, mais sans succès. « Ça m'est bien égal, m'a dit celui de neuf ans. — Tu es bien comme tu es », m'a dit la fillette de sept ans. Aucun des deux n'a réussi à se hausser à un niveau de discussion générale.

Lorsque l'enfant est petit, il ne juge pas ses parents ; mais à partir de onze ou douze ans, la question commence à se poser. Jusque-là, il vivait dans l'ambiance des parents, et pour lui l'ambiance créée par ses parents est sans discussion possible la bonne. Même mon fils aîné a senti le besoin de justifier que celle que nous lui offrions était la bonne, mais il a cherché en même temps quels substituts les plus avantageux on pouvait trouver aux parents, les amis par exemple.

Dans ces conditions, se poser la question du meilleur âge possible pour des parents en fonction de l'état civil n'a plus de sens. J'ai d'ailleurs vu des enfants de parents extrêmement jeunes se développer dans un épanouissement total de leur personnalité, comme j'ai vu aussi des enfants de parents âgés s'épanouir d'une façon très satisfaisante. Cependant, je dois reconnaître que lorsqu'un premier enfant vient au monde dans un ménage âgé, cet enfant, généralement unique, risque d'être très gêné dans son développement. Le problème est totalement différent de celui du énième enfant d'une famille nombreuse, dont les parents sont déjà âgés au moment de cette dernière naissance : le dernier est plus ou moins l'enfant des aînés. Comme le disait un jeune garçon d'une famille nombreuse : « Je suis le fils unique de sept parents ! » Les seuls parents et enfants qui aient réellement des difficultés sont les premiers dont je parlais.

Donc, nous avons affaire à des parents déjà âgés, qui ont enfin un enfant. S'ils n'en ont pas d'autre, comme c'est souvent le cas, cet enfant rencontre au cours de son développement toutes les difficultés du fils unique : il se sent le point de mire et l'espoir total de ses parents. En outre, en grandissant, l'image qu'il a de lui devenant un adulte se construit naturellement sur les parents, donc sur une image qui devient de plus en plus celle de vieillards par rapport à lui-même devenant effectivement jeune homme. C'est là une difficulté importante, qui peut cependant être tournée à l'avantage de l'enfant lorsque les parents sont assez compréhensifs pour le faire vivre avec des jeunes de son âge. Il faut qu'ils sachent dire à leur enfant non pas qu'ils sont trop vieux (c'est très déprimant pour lui), mais qu'ils ont des idées que lui ne doit pas imiter. Dans ces conditions, il parvient rapidement à trouver des substituts, surtout lorsque ces parents âgés fréquentent des gens de la génération intermédiaire.

Il n'en reste pas moins que la situation reste difficile pendant l'enfance : vers sept, huit ou neuf ans, l'enfant ne peut pas se passer de papa et maman, qui sont parfaits par définition, et il est très difficile pour lui de considérer ses parents comme stériles. Or, l'enfant unique considère toujours ses parents comme tels, parce que lui-même est en dehors du jeu : puisque lui est seul, c'est que ses parents sont incapables d'avoir des enfants. Le dernier enfant d'une famille nombreuse souffre de n'avoir pas de plus petit après lui, mais comme il y a des plus grands, ses parents ne sont pas une image stérile. Seul l'enfant unique de parents âgés est vraiment désavantagé. Les entendre dire : « Nous sommes trop vieux maintenant » aboutit à créer chez l'enfant de sept à neuf ans une image de soi-même un peu mutilante.

Mais puisque dans la plupart des cas l'âge des parents selon l'état civil n'a pas d'importance, je vous parlerai plutôt du mode d'amour dont les enfants ont besoin pour bien se développer.

Il est évident que ce mode d'amour doit être varié, et je vous fais remarquer immédiatement que tout ce que je vais vous dire ne doit pas être pris dans l'absolu. C'est ainsi, par exemple, que l'enfant a besoin de parents qui ne soient pas possessifs, qui ne jouent pas avec lui comme avec un objet ; par contre, s'il a le sentiment que ses parents ne sont pas du tout possessifs, il est très malheureux. L'enfant doit sentir que ses parents estiment qu'il leur appartient (jusqu'à sept ou huit ans, surtout), mais il doit sentir qu'il n'appartient pas qu'à eux, et que les parents acceptent de le prêter aux autres. Ils ne doivent pas être possessifs à la manière de ces petites filles qui préfèrent laisser leur poupée enfermée dans un placard plutôt que de la prêter à une petite voisine.

Cette question de la possessivité chez les parents n'est pas une question d'état civil ; pour la mère, c'est fonction de l'âge auquel elle devient mère ; pour le père, c'est fonction du niveau affectif auquel il est arrivé pour supporter d'être père.

Un autre type d'amour très « vulnérant » pour l'enfant est l'amour d'identification. Bien entendu, la juste mesure est nécessaire ici comme ailleurs : les parents doivent savoir parler le langage de l'enfant et ceci ne peut se faire que s'ils s'identifient à lui. Un nourrisson est heureux lorsqu'on lui fait des sourires, mais, naturellement, il ne réagira pas si on lui fait un grand discours en lui disant qu'on a beaucoup d'estime pour lui ! Il est donc nécessaire de savoir parler le langage de l'enfant, mais cela doit rester momentané : on ne doit pas s'identifier totalement à son enfant.

Il nous arrive constamment de voir un père ou une mère interdire à ses enfants de faire de la bicyclette avant l'âge de huit ans parce que eux-mêmes n'en ont pas fait avant cet âge, ou de lire Corneille avant treize ans parce que eux-mêmes ont subi autrefois la même interdiction. De tels parents recherchent une identification permanente entre eux et leurs enfants, ce qui est très déprimant pour ces derniers.

J'ai choisi volontairement deux exemples faisant assez peu intervenir l'affectivité mais lorsque cette identification est constante, l'enfant se sent paralysé. Dès qu'il a envie de faire quelque chose, il pense : maman va croire que je vais mal faire, que je vais faire une bêtise. On lui a tellement inculqué : « Moi, à ton âge ! Moi, si j'avais fait cela, qu'est-ce qu'on m'aurait dit ! » Cette identification permanente tend à transformer l'enfant en un être absolument parasité.

Cependant, il arrive que l'enfant veuille faire des expériences qui peuvent être dangereuses : en pareil cas, il faut, au contraire, que les parents sachent s'identifier à lui. S'ils en sont incapables, l'enfant risque de se trouver en difficulté, du fait qu'ils s'efforcent de l'identifier à eux-mêmes, c'est-à-dire à des adultes. Tout à l'heure, je vous parlais des parents qui s'identifiaient perpétuellement à l'enfant ; maintenant, il s'agit des parents qui identifient leur enfant à l'adulte. De tels parents semblent inculquer à l'enfant cette idée : « Pour que tu sois vraiment mon fils, il faut que tu sois à mon niveau. Moi, je fais telle course en vingt minutes sans être fatigué, tu dois en faire autant. »

Les deux modes d'identification dans les rapports parents-enfants dont je viens de vous parler sont aussi nuisibles l'un que l'autre. Pourtant, si les parents doivent savoir s'identifier à l'enfant — mais momentanément seulement —, s'ils doivent ne pas exiger de l'enfant qu'il se hausse constamment à leur niveau, ils doivent également admettre qu'à certains moments l'enfant veuille s'identifier — mais de lui-même — à l'adulte.

C'est ainsi que certains parents recevant des amis à dîner n'acceptent pas que l'enfant de dix ou douze ans, quelquefois, même, quinze ou seize ans vienne à table et qu'il mette son grain de sel sous prétexte qu'il est incapable de discuter des questions qui intéressent les parents. Cette interdiction de s'identifier momentanément à l'adulte est très pénible pour l'enfant.

Finalement, la situation est compliquée : il faut s'identifier et ne pas s'identifier. La forme monolithique de possessivité que prend parfois l'amour parental est certainement préjudiciable à l'enfant ; de même, l'identification constante à l'enfant aboutit à une réelle paralysie affective chez lui ; enfin, l'identification de l'enfant à l'adulte, si elle est perpétuelle, produit une tension excessive et développe un sentiment d'infériorité. Le juste milieu semble donc assez difficile à trouver.

J'en arrive maintenant au point le plus délicat de l'éducation : l'amour en couplage, dont nous voyons constamment la conséquence chez les enfants atteints de troubles affectifs.

Quand je parle d'« amour en couplage », je fais allusion au fait qu'il arrive parfois que des enfants aient servi à leurs parents d'objet de complément, de centre d'intérêt affectif. Lorsqu'un adulte ne peut, affectivement parlant, se passer d'un de ses enfants, il s'agit dans la plupart des cas d'un phénomène inconscient. Le parent ne se doute pas du rôle véritablement sexuel que l'enfant joue dans sa vie. Cependant, si ce dernier, déjà grandissant ou même encore petit, veut s'attacher à une autre personne du même sexe que ce parent, immédiatement le parent fait des crises de jalousie, affichées ou non, mais que l'enfant ressent très fortement.

Je crois que ce mode de complémentarité sexuelle est assez courant. Ne me faites pas dire, bien entendu, ce que je n'ai pas l'intention de dire. Il ne s'agit pas de parents incestueux dans le vrai sens du terme. Je me place uniquement sur le plan affectif : l'enfant devient un objet humain d'affection si précieux qu'il sert à compenser l'insuffisance d'affection que le parent trouve dans son conjoint ou dans les personnes de sa génération. Cette situation est terrible pour l'enfant, qui ne peut absolument pas se développer et présente les accidents les plus sérieux du point de vue névrotique.

S'il est la proie d'un amour possessif ou d'un amour d'identification excessif, un enfant qui a de l'énergie peut réagir : on ne peut l'élever en lui interdisant absolument de voir d'autres personnes. Il est beaucoup plus facile, en effet, de se débarrasser de parents encombrants que de parents qui vous donnent de grandes satisfactions affectives. Ainsi, on voit des jeunes filles prolongées, fixées à leur père, souvent innocemment (mais pas toujours tant que cela), se trouver dans l'impossibilité de rien changer à cette situation. Elles sentent que leur père est tout pour elles, et, à moins d'avoir un tempérament très violent, elles ne peuvent guère réussir à vivre avec des gens de leur âge et de leur génération, et cela ne peut se faire sans crises de jalousie, colères, etc.

Ne croyez pas que ce couplage commence à l'âge de la puberté : il y a des mères qui se couplent avec leur bébé dès sa naissance. Chez de jeunes ou de moins jeunes ménages, il arrive que la mère ait perdu tout intérêt pour son conjoint et que l'enfant accapare toute son affection. Elle ne se rend pas compte qu'il y a un échange sexuel, elle en bondirait de honte et de révolte si on le lui faisait remarquer ; et pourtant, depuis que l'enfant est là, la recherche du conjoint n'existe plus pour elle. Cet enfant sera en difficulté dans l'avenir.

Lorsqu'un père ou une mère est prévenu avant qu'il ne soit devenu impossible de dissocier ce couplage, il parvient à réagir. Lorsqu'on fait remarquer au parent : « Cet enfant vous comble complètement, depuis qu'il est là vous ne cherchez plus ailleurs », il le reconnaît. On peut alors le faire réfléchir à ce que deviendra l'enfant, lorsque plus grand il sera pris dans cette difficulté. Le parent a tendance à penser qu'il saura s'effacer. Mais comment ? Du jour au lendemain ? Au prix de quelle souffrance pour son enfant ? Comment supportera-t-il cette dissociation d'avec un parent qu'il aime profondément et qui l'a peu à peu coupé de sa génération ? Lorsqu'une jeune fille prolongée, qui est restée longtemps fixée à son père, se marie, elle cherche un homme de l'âge de ce dernier, mais il est rare que le ménage marche bien.

Alors, quel est le type d'affection qui convient à l'enfant ? Les parents ont besoin de sentimentalité, et l'enfant tout autant, mais sous quelle forme lui est-elle profitable ?

La sentimentalité dont les enfants ont besoin est une sentimentalité de coopération : ils ont besoin de sentir que lorsqu'ils ont du chagrin, les parents coopèrent avec eux et partagent leur peine. Les parents ne doivent pas dire : « Ce n'est rien, c'est un enfantillage. » De même, lorsque les parents ont une joie ou une peine, les enfants ont besoin de la partager avec leurs parents. Il ne s'agit pas, bien entendu, de faire porter aux enfants le poids d'un chagrin (on retomberait dans le couplage : la mère raconte ses peines de cœur à sa fille, mère et fille s'habillent en jumelles...), mais simplement de créer un climat de confiance qui leur permettra de parler de leurs propres peines quand ils le voudront.

À partir de quel âge les parents peuvent-ils faire part de leurs difficultés à leurs enfants ? Très tôt. Il est très important qu'un enfant de trois ou quatre ans sache, lorsqu'il voit sa mère soucieuse, qu'il n'est pas à l'origine de cette peine. Il faut lui faire comprendre, en utilisant les mots qu'il connaît, de quoi sa mère est malheureuse, lui dire qu'il n'est pour rien dans ce chagrin et qu'il ne peut rien y changer. Autrement, l'enfant se sentira coupable et pensera qu'il ne peut être gai lorsque sa mère est triste. Par exemple, une maman veuve doit savoir parler à son enfant du chagrin qu'elle éprouve, pour qu'il se rende compte que ce n'est pas lui qui en est la cause, mais un événement qui ne dépend pas de lui. La maman doit dire, malgré sa peine : « Tu dois être joyeux, et plus tu l'es, moins je suis malheureuse. »

Ce partage de peine a simplement pour but de faire sentir à l'enfant qu'il a le droit de se confier lorsque lui-même a un chagrin ou une difficulté, et de lui faire comprendre qu'il y a des épreuves dont ses parents sont en ce moment les victimes sans que personne y puisse rien changer, que lui-même aura plus tard les siennes et qu'il est possible de les supporter.

Malgré tout, il y a des sujets qu'il est préférable de ne pas aborder avec les enfants : en particulier, les peines conjugales. Nous touchons là un point assez délicat de l'éducation car, très souvent, l'enfant souffre d'un parent juste au moment où l'autre parent, à qui il se confie, souffre lui-même de son conjoint.

Par exemple, un père n'est pas souvent à la maison, pour des raisons d'infidélité, supposées ou connues. La fillette pleure en disant : « Je suis triste que papa ne soit jamais là. — Ah ! tu peux pleurer », dit la mère, et elle se met à taper sur le père. C'est très mauvais pour l'enfant. Il est certain que les parents doivent s'abstenir de partager leurs peines conjugales avec leurs enfants.

Mais même dans ce domaine, il y a des exceptions. Je vous parlais tout à l'heure d'une veuve ; j'en ai connu une autre, qui n'avait jamais parlé à son enfant de sa souffrance de l'absence du père, ce qui avait entraîné l'impossibilité pour le fils, devenu grand, de vouloir se marier. Il en était venu à l'idée que les femmes sont plus tranquilles quand elles ont un enfant sans mari. Il avait fait l'identification avec sa mère et pensait que, pour lui, il vaudrait mieux qu'il ait un enfant sans femme.

D'une façon générale, à l'exception des doléances conjugales, les parents doivent, me semble-t-il, confier leurs difficultés à leurs enfants, non pas pour les en écraser, mais pour leur en faire comprendre le sens. J'ai connu le drame d'une mère devenue veuve elle aussi, qui avait dissimulé à son fils le changement de sa situation financière. Cela avait failli aboutir à une catastrophe, car, pensant que sa mère lui refusait de l'argent pour l'ennuyer, le fils avait volé pour l'obliger à lui en donner. Pour les enfants, même jeunes, les questions d'argent comptent, il faut donc leur en parler.

Cette coopération doit jouer encore plus profondément dans le sens enfant-parents lorsque l'enfant éprouve des difficultés dans son travail, ou subit des échecs dans sa vie sociale : si ses parents se sont quelquefois montrés inférieurs à ce qu'ils attendaient d'eux-mêmes et que l'enfant l'ait su, il pourra parler de son propre échec sans en avoir une trop grande honte. On relate souvent dans les journaux l'histoire d'enfants qui ne peuvent se résoudre à rapporter de mauvaises notes à la maison et qui font des accès de dépression aiguë. Dans tous les cas que j'ai pu voir de près, les parents étaient responsables. Les rapports entre parents et enfants étaient faussés : le père ou la mère, s'étant tellement identifié à son enfant réussissant, n'aurait pu supporter un échec de la part de celui-ci et l'enfant, sachant cela, était devenu incapable de faire face à son échec.

Cet amour de coopération chez les parents devient encore plus important au moment où commence la vie sentimentale du jeune homme ou de la jeune fille. L'enfant s'est normalement développé dans sa société, il commence à avoir des amourettes. Le plus souvent, il n'en parle pas quand les choses vont bien, mais quand elles ne vont pas, il éprouve le besoin d'en parler. Il doit pouvoir en parler avec ses parents sans que cela entraîne des catastrophes.

Mais comment voulez-vous que ce soit possible si, au cours de sa vie, chaque fois qu'il s'est senti attiré par une amitié intense, il s'est entendu dire : « Tu es ridicule, cette personne ne fait pas attention à toi ! » Ainsi, une petite fille se met sur son trente et un parce qu'on reçoit tel monsieur à la maison. Si la maman lui dit d'un ton acerbe : « Petite sotte, ce monsieur ne fait pas attention à toi ! », l'enfant s'en souviendra plus tard et toute confidence lui deviendra impossible. C'est vers sept ou huit ans que naît la possibilité pour plus tard de confier ses émotions. Si, au contraire, la maman sait dire : « Tu as raison de te faire chic. Si tu ne déranges pas, tu pourras rester avec nous », elle peut être sûre que le lendemain l'enfant lui dira : « Ce monsieur est beau. Si je me marie, c'est un monsieur comme ça que je voudrais. » C'est ainsi que s'expriment les premières confidences émotionnelles.

Quelquefois, les choses commencent autrement. La petite fille rougit, et les frères font une réflexion : « Regardez cette mijaurée, comment elle est mise ce soir, c'est parce que M. Untel vient. » Immédiatement, la petite fille se décoiffe, trépigne, se met dans tous ses états. Tout s'arrange si la mère sait dire le mot magique : « Il me semble qu'elle n'a pas si mauvais goût, c'est vous qui êtes bêtes ! C'est parce que vous trouvez que ce monsieur est trop bien par rapport à vous. » Immédiatement, la petite fille est recoiffée : tout est arrangé.

C'est à ce moment, quand l'enfant est petit, que l'on prépare la confidence qu'il fera à quinze ou seize ans ! Après cette période qui se situe vers sept, huit ans, la petite fille n'aura pas d'états émotionnels très importants ; il y aura des histoires de cheveux tirés et de guerre à mort avec les camarades, qu'il faudra écouter sans les éteindre trop vite, en essayant d'amener l'enfant à une compréhension un peu plus raisonnée des événements (surtout quand cela empêcherait la fillette d'aller à l'école parce qu'elle est trop fâchée).

La période émotionnelle sexuelle, qui recommencera

vers quinze ans, s'est déjà manifestée vers sept ou huit ans : c'est donc dès ce moment-là qu'il faut avoir un esprit de coopération pour aider l'enfant dans ses expériences, non pas quand il est très heureux, parce que alors il n'a pas besoin de ses parents — il a même envie de se cacher un peu pour se sentir plus adulte —, mais quand il est déprimé. C'est là qu'il faut savoir dire : « J'ai bien vu que tu étais heureux il y a quelque temps, mais en ce moment tu as moins de goût à vivre. Ça arrive... Moi aussi, quand j'étais jeune... » Le père intervient pour son fils, la mère pour sa fille. C'est cela que j'appelle « coopération ». Il faut coopérer avec l'enfant à son niveau, en l'aidant à supporter l'épreuve ou à en sortir à sa façon à lui. Il ne s'agit jamais de lui donner une solution toute faite, qui serait une solution d'identification, mais de l'étayer pendant quelque temps et de le laisser se débrouiller dès que la crise est passée. C'est cette coopération de soutien qui est absolument indispensable.

Vous avez souvent entendu parler de psychothérapie. Il existe en particulier une « psychothérapie de soutien », qui pourrait être faite par un des parents, à condition qu'il n'y ait pas de fossé entre lui et son enfant : il s'agit d'une coopération de type parental et non pas pédagogique. On aide ainsi l'enfant à s'assumer lui-même en n'ayant pas honte d'exposer son problème, en le lui montrant sous tous les angles et en l'encourageant à parler de ses difficultés devant quelqu'un en qui il a confiance, à cause de son expérience, et qui ne s'angoisse pas a priori sur les épreuves qu'il peut rencontrer.

Il est évident que les différents modes d'amour parental que je viens de passer en revue ne sont absolument pas l'apanage d'un âge déterminé. Tout ce qu'on peut dire à propos de l'amour de coopération, c'est que les parents qui ont traversé les épreuves de leur propre croissance en conservent l'expérience et en tirent une grande tolérance envers les difficultés qu'un enfant d'une autre nature qu'eux peut rencontrer ; ils ne profitent pas de cet enfant, ils ne se mettent pas à sa place, et ils savent l'aider quand il en a besoin. Ce n'est absolument pas une question d'âge.

Mais qu'attendent donc les enfants de leurs parents ? Quelle est l'image qui se crée, psychologiquement, chez un être humain qui a un père et une mère — ou, même, qui n'en a pas ? Chez tout être humain, il y a une image de parents[1], qui est différente pour le père et pour la mère : c'est ce que nous appelons la sécurité paternelle et la sécurité maternelle. Ce sont ces deux types de sécurité que l'enfant attend de ses parents.

La sécurité maternelle est celle qu'un être ressent d'abord au contact de sa mère quand il est petit, plus tard au contact de lui-même, quand la mère a su la lui donner, et aussi au contact de tous les êtres dont on peut dire qu'ils sont « maternels ».

Qu'est-ce donc que cette sécurité ? C'est la sécurité d'être tel qu'on est, avec ses défauts et ses qualités, avec ses besoins, ses frustrations et ses satisfactions. C'est une sécurité d'être, mais d'être vivant, non passif, une sécurité d'être qui se sait aujourd'hui comme il est, et sent que la personne avec qui il se trouve — si elle est maternelle — lui permettra, demain, d'être autrement qu'aujourd'hui ; c'est donc une sécurité d'être au jour le jour.

Il est évident que cette sécurité maternelle est donnée d'abord par la mère nourrice ; elle se manifeste comme la possibilité d'une constante plénitude qui est caractéristique pour le bébé qui ne marche pas encore, mais quand le bébé grandit, cette plénitude s'accompagne du sentiment qu'il est, d'une certaine manière, destiné à changer chaque jour.

Complémentaire, la sécurité que l'enfant tire d'une image paternelle est une sécurité de maître : elle représente une maîtrise pour l'avenir. L'enfant sent qu'il peut compter sur telle personne, et qu'elle le conduira à grandir en tant que garçon, ou en tant que fille. C'est un sentiment qui apparaît chez l'enfant vers dix-huit mois ou deux ans. Jusque-là, sécurité paternelle et sécurité maternelle sont incluses dans la personne de la maman, qui nourrit son bébé, l'aime tel qu'il est et le conduit à grandir dans une bonne direction.

L'enfant a tôt fait de reconnaître la différence entre son père et sa mère. Puis il s'aperçoit que le monde entier, avec ces morceaux de maman que sont le berceau, la table, le fauteuil, n'est pas maman. Ensuite il prend conscience qu'il existe le monsieur de maman, la maison de maman. Puis il s'aperçoit que le monsieur de maman, c'est papa. C'est alors que vient le moment où tous les messieurs sont des papas.

Qu'il s'agisse d'un garçon ou d'une fille, la sécurité de type paternel est une sécurité de direction, de maîtrise, une assurance de soi-même dans la société. Aussi est-il difficile pour un enfant de devenir responsable quand il s'aperçoit qu'en société, son père — quel que soit son âge — est incapable de rester lui-même. Un garçon qui voit son père être le maître à la maison mais n'avoir pas d'amis ou n'être pas apprécié à l'extérieur ne trouvera plus dans son père cette sécurité paternelle dont il a besoin. Ici encore, c'est le niveau de maturité affective du père qui importe, beaucoup plus que son âge. Et il est certain que le garçon se trouve devant une difficulté (ce qui ne signifie pas qu'il ne puisse jamais la surmonter) lorsqu'il ne trouve pas en son père cette sécurité de type social qu'il attend de lui.

Naturellement, les parents ne peuvent pas se refaire. Mais il serait sage qu'un père timide ou maladroit en société sache très vite le reconnaître devant son enfant. Et c'est là qu'est la véritable épreuve : car il faut que ce père arrive à parler de cette timidité ou de cette maladresse sans se sentir diminué, en constatant un fait. C'est vers onze ans que le garçon a particulièrement besoin de cette sécurité de type social, qui est représentée par l'argent que gagne le père et par l'estime que les égaux du père ont pour lui.

Je voudrais ici vous rapporter au passage une anecdote que j'ai lue dans les journaux. Il s'agissait du lancement d'un bateau en Amérique. Un enfant demande à sa mère : « Qui est ce monsieur ? » en montrant le directeur du chantier naval. « C'est un monsieur qui travaille avec papa », répond la mère. En fait, le père était contremaître dans ladite firme.

Cette mère avait parfaitement raison de répondre ainsi à son enfant. Lorsque celui-ci connaîtra la hiérarchie sociale, il ne se sentira pas infériorisé d'apprendre que son père n'est que le contremaître et que le monsieur est son supérieur. Au contraire, si la mère lui avait dit : « C'est le grand patron de ton père », l'enfant aurait immédiatement pensé : « Pauvre petit papa ! » Il y a une manière de dire ces choses aux enfants. Il ne faut pas les dire trop tôt : il faut pouvoir le faire au moment où l'enfant commence à exercer son jugement, mais où il a besoin de prendre confiance dans cette image paternelle qui naît en lui — image qui est quelquefois en contradiction avec la réalité vivante donnée par le père.

La confrontation de l'idée du père avec le père réel présente une difficulté particulière pour l'enfant. L'idée du père que chacun garde au fond de son cœur est celle d'un père valable socialement, aussi maître de lui en société que dans le cadre familial. Lorsque l'enfant se rend compte que son père ne coïncide pas avec l'image qu'il s'en fait, il a besoin de rompre avec cette image, ce qui lui est très difficile si on ne l'y aide pas. En effet, l'enfant croit à ce moment qu'il n'aime plus papa — alors qu'en fait il aime d'autant plus papa qu'il souffre par sa personne. C'est alors qu'il faut savoir pratiquer cette psychothérapie de soutien dont je vous parlais tout à l'heure, examiner avec l'enfant l'idéal qu'il se faisait d'un homme, et lui montrer en quoi cet idéal ne coïncide pas exactement avec l'image vraie qui correspond à papa. Cependant, si l'enfant a cette image en lui, il doit arriver à la faire advenir, et c'est pourquoi il coopérera avec son père dans la chaîne de la vie familiale, parce qu'il réparera avec lui ce qui a entraîné cette attitude timide ou maladroite douloureuse pour l'enfant. (La cause en est, par exemple, le comportement trop écrasant du grand-père, qui a toujours forcé le père à s'incliner.)

Ce que je viens de vous dire du père est aussi vrai de la mère : l'enfant a besoin de se sentir en sécurité avec elle, mais en étant tel qu'il se ressent. Certaines mères sont affolées d'avoir couvé des canards, et leurs enfants se sentent en insécurité à leurs côtés car elles-mêmes se montrent dans un état de totale insécurité devant leurs enfants, qui le ressentent très cruellement. Il faudrait qu'une telle mère sache dire à son enfant : « Tu n'as pas de chance de m'avoir pour mère, une autre serait enchantée de t'avoir comme fils, tandis que moi, j'ai été élevée comme ci ou comme ça, et je suis toujours affolée. Mais tu peux très bien devenir comme tu es, cela ne représente pas en soi un danger : c'est un peu difficile parce que je ne peux pas t'aider, mais tu ne dois pas t'inquiéter de mon affolement. »

Il arrive souvent que les mères n'aient pas la même nature que leurs enfants, mais elles peuvent cependant les aider en leur faisant connaître des éducateurs ou des éducatrices susceptibles de faire une psychothérapie de soutien, ou simplement des amis auprès desquels ils trouveront la sécurité qu'ils ne rencontrent pas auprès d'elles.

La difficulté est particulièrement grave pour les fillettes, et c'est surtout entre onze et treize ans que la crise se déclare ; il faut aider l'enfant à assumer cette période, et savoir lui dire : « Tu n'as pas de chance, maman n'avait pas ta nature, tes goûts, tu tiens peut-être des femmes du côté de papa, mais ce n'est pas dangereux a priori ; il n'est pas commode d'avoir une maman qui ne suit pas. »

Évidemment, il y a des enfants qui prennent d'emblée les devants et disent : « Les vieux ne sont bons à rien. » Ces enfants-là sont dans un état d'insécurité. À l'âge où l'on peut dire « les vieux » (c'est bien plus grave lorsqu'on le pense sans le dire), il faut le faire puisqu'on se sent grand, jeune et fort ; mais si en disant « les vieux », on sent en même temps que ceux-ci ne peuvent pas vous aider parce qu'ils sont débordés, on est en réalité trop jeune pour se sentir déjà plus adulte que ses parents. Bien sûr, on perçoit une lutte d'influence : on a des idées ou des goûts différents de ceux de son père ou de sa mère, mais il est utile de sentir aussi que l'un ou l'autre peut vous appuyer dans les initiatives nouvelles qu'on pourrait avoir. Il arrive qu'ils vous freinent, mais l'enfant doit avoir le sentiment que ce frein ne vient pas de la peur des parents, mais de leur expérience, de leur compréhension nécessaire. Les enfants qui ne sont jamais freinés ne sont pas plus en sécurité que ceux qui le sont toujours.

En résumé, les enfants attendent cette sécurité de type maternel et de type paternel environ jusqu'à l'âge de quatorze ou quinze ans. À partir de ce moment, une véritable fraternité peut s'établir. C'est à ce moment que l'adolescent risque d'avoir envie de parler de ses premières amours et de ses chagrins. Si les parents savent l'étayer momentanément, puis le laisser suivre son chemin quand les choses s'arrangent, les difficultés sont vite surmontées. Mais il est essentiel pour l'adolescent d'avoir des parents ou qu'ils trouvent des substituts capables de lui procurer la sécurité de direction et de sensation apportant l'envie d'agir dont l'adolescent a toujours besoin.

En conclusion, je dirai que les enfants ont besoin que les parents soient bien de leur âge, que les parents aient des amis de leur âge, qu'ils aient des idées de leur âge. Mais il faut qu'ils aient aussi l'art de laisser les enfants vivre avec leur temps, avec des camarades et des opinions de leur génération, sans les empêcher de se mêler au milieu des adultes et de se faire des amis personnels parmi les amis de leurs parents ou parmi de beaucoup plus jeunes qu'eux. Bref, les enfants ont besoin de parents tolérants, qui leur permettent de vivre avec leur classe d'âge tout en ayant des contacts avec les autres. Car jusqu'à ce qu'ils soient en mesure de devenir eux-mêmes parents, ~~ils ont besoin de se sentir à l'aise avec les jeunes et les vieux~~ : en effet, il leur sera beaucoup plus difficile, plus tard, de se faire leur place entre les deux générations si les parents ne le leur ont pas permis au cours de leur développement.

Les grands-parents

L'École des parents, décembre 1950.

Le rôle des grands-parents dans l'éducation des enfants pose divers problèmes d'interférence dans les relations de parents à enfant. En effet, l'enfant se trouve devant deux groupes d'adultes : les grands-parents plus âgés, mais en qui souvent la vie affective, dans ses manifestations positives d'amour, ou négatives d'aigreur et d'agressivité, a repris une place prépondérante et parfois infantile, puis les parents, moins adultes que ces derniers, mais qui jugent que les grands-parents ne sont pas assez « raisonnables » avec le petit-enfant.

Double problème par conséquent, « parents-enfants » de la première génération, « parents-enfants » de la seconde génération ; les difficultés familiales créées par l'existence et l'influence des grands-parents naissent donc de trois sortes de relations : relations des grands-parents et des parents, relations des parents et des enfants, relations des grands-parents et des petits-enfants.

Or, en ces difficultés, il est bien difficile de conseiller, parce que tout conflit est particulier et demande une information et une solution particulières.

QU'EST-CE QUE LES PARENTS ATTENDENT DES GRANDS-PARENTS ?

Que les grands-parents soient proches ou au loin, qu'ils cohabitent ou non, les parents attendent d'eux quatre choses principales :

Qu'ils soient une sécurité

Ce sentiment de sécurité, besoin fondamental de la vie enfantine, est un reste de l'enfance des parents qui survit en leur maturité ; qu'il s'agisse d'argent, de présence ou de conseils moraux, les parents attendent des grands-parents ce qu'ils en ont toujours attendu depuis leur toute petite enfance : qu'ils soient là quand on a besoin d'eux, qu'ils aident, qu'ils consolent, qu'ils forment une protection contre les accidents et les dangers.

Qu'ils soient une autorité

Cela évoque encore le besoin qu'a l'enfant de l'autorité parentale, qui est une des sources de la sécurité enfantine. Mais les parents devenus adultes demandent que cette autorité grand-parentale vienne appuyer la leur, les approuver éternellement dans ce qu'ils font pour l'enfant, parce que les parents se sentent toujours, en face de leur enfant, un peu comme des enfants.

Qu'ils regardent les parents comme des adultes et les laissent évoluer librement comme tels

Ce désir est surtout centré sur ce besoin du mari que ses parents le considèrent comme adulte vis-à-vis de sa femme et des enfants, et sur ce besoin de la femme que ses parents la considèrent comme adulte vis-à-vis de son mari et des enfants. Or, pour les grands-parents, les parents ne sont jamais adultes : ils restent les « enfants » qu'ils ont eus et connus petits et qu'ils ne peuvent voir comme des égaux.

Il existe une autre source de conflit qui, en fait, traduit un conflit sous-jacent d'immaturité des parents : il arrive qu'on accepte comme normal le gros cadeau des grands-parents qu'en tant que jeune ménage, on ne peut donner à l'enfant ; il peut arriver, au contraire, que ce cadeau soit ressenti par les parents comme une injure qui leur est faite et un danger de captation de leur enfant.

Quelquefois aussi, on considère comme une obligation bien fâcheuse la visite aux grands-parents, qu'on ne peut pas ne pas faire.

Qu'ils ne captent pas les enfants

Les parents veulent bien avoir recours aux grands-parents en cas de besoin : on confie, en cas d'absence, les enfants au grand-père ou à la grand-mère comme à des domestiques de choix. Mais en même temps, quand on n'a pas besoin des grands-parents, on s'inquiète de leur tendresse envahissante, de leurs gâteries, et on voudrait qu'ils s'effacent davantage.

Ainsi, les parents demandent aux grands-parents d'être toujours là quand on a besoin d'eux, mais aussi de ne pas être là quand on n'en a pas besoin.

QUE SONT, QUE VEULENT ET QUE SENTENT LES GRANDS-PARENTS ?

En face de ces exigences parentales, que sont les grands-parents ? *Des engendreurs d'engendreurs*, des parents de parents. De sorte que, loin de répondre aux besoins des parents en face de leurs enfants, ils ne font qu'ajouter bien souvent à ces difficultés les difficultés qu'ils ont eux aussi connues autrefois comme enfants, puis comme parents.

Sentiment d'infériorité

Si les grands-parents ont eu des sentiments d'infériorité, ils les ont gardés. Il n'est pas toujours possible de devenir grands-parents ; il se peut que les actuels grands-parents se soient mariés avant d'avoir atteint la maturité psychique nécessaire et qu'ils soient ainsi devenus parents alors qu'ils étaient encore enfants. Et ils deviennent grands-parents alors qu'ils ne sont pas mûrs pour devenir ancêtres. Ils ont un retard d'une génération qu'ils ne peuvent rattraper, d'autant plus que, pour les grand-mères, l'étape de la ménopause marque la fin de toute possibilité de compenser ces sentiments d'infériorité.

C'est ainsi que certains grands-parents, après avoir été les parasites de leurs enfants, sont *les parasites de leurs petits-enfants*, et vivent dans un état de dépendance psychologique en face d'eux. Ils déçoivent aussi les parents qui, attendant d'eux la sécurité, ne reçoivent qu'insatisfaction et insécurité.

Complexes non liquidés

S'ils n'ont pas, dans leur enfance, liquidé leur complexe d'Œdipe, les grands-parents vont le revivre doublement : ils vont d'abord le revivre avec les parents, et ensuite avec les petits-enfants. C'est ainsi qu'on rencontre des grand-mères amoureuses de leurs gendres et des grands-pères de leur bru (selon les caractéristiques du complexe d'Œdipe enfantin : amour pour le parent du sexe opposé, rejet du parent du même sexe auquel en même temps on s'identifie), avec des réactions d'impuissance et de sentiment d'infériorité nées du fait qu'ils ne veulent pas prendre conscience de ce sentiment ou qu'ils n'ont jamais très bien pris conscience de leurs instincts auparavant. Ces sentiments sont au contraire très gentiment acceptés quand la grand-mère ou le grand-père ont été heureux jadis dans leur foyer. Et quand les petits-enfants vivent à leur tour le complexe d'Œdipe, première manifestation sociale et noyau de toutes les relations sociales ultérieures, les grands-parents revivent *avec* les petits-enfants l'amour du père ou l'amour de la mère et les oppositions complémentaires. Le petit-enfant sert alors de *soutien à leurs complexes non liquidés* ; et l'on assiste parfois à des situations affectives si complexes qu'on peut les qualifier de véritables névroses familiales.

Sentiments de culpabilité

Si les grands-parents se sentent coupables vis-à-vis des parents, en particulier d'avoir éprouvé de la *jalousie* au moment du mariage de leurs enfants, à l'égard de l'intruse ou du ravisseur, ils vont essayer, vis-à-vis des petits-

enfants, de se justifier ; et s'ils ont éprouvé une douloureuse déception parce qu'ils pensaient qu'ils ne plaisaient
plus assez pour garder pour eux le fils ou la fille, ils vont
essayer de plaire aux petits-enfants et de se les attacher.

Insatisfactions

Quand les grands-parents ont des raisons d'insatisfac-
tions d'origine surtout affective, c'est-à-dire quand ils estiment avoir des raisons personnelles d'avoir plus souffert
que d'autres, ils attendent de leur condition de grands-
parents des *compensations* : ils demandent le respect qui
leur est dû — la culture et la civilisation l'exigent : c'est leur
droit. Or, cette exigence ne se justifie pas toujours sur le
plan des faits, et de toute façon cette notion de respect est
hors de la portée du petit-enfant. D'où toutes sortes de
conflits possibles, multipliés dans la vie quotidienne, pour
peu que les grands-parents et les parents soient obligés de
vivre ensemble.

Sentiments d'insécurité

Les grands-parents sont vieux et surtout se sentent vieil-
lir ; or, leur primitif besoin de sécurité, auquel leurs
propres parents avaient répondu jusqu'à leur mort, ne
trouve plus à se satisfaire. Loin d'apporter à leurs enfants la
sécurité que ceux-ci réclament d'eux, ils sont en proie à la
peur de l'âge, de la vieillesse, de la maladie, de la mort qui
se fait réalité proche de jour en jour ; *sentiments d'insécurité
justifiés* auxquels viennent s'ajouter leurs sentiments
d'infériorité, comme nous l'avons vu plus haut. De sorte
que, au lieu d'être des aides, ils sont des *charges morales*,
même si, en même temps, ils représentent une décharge
matérielle : situation paradoxale où les contradictions
coexistent cependant.

C'est pourquoi les grands-parents, aigris, insatisfaits,
manifestent, de façon souvent bien importune, *leur grand
besoin d'amour* : cet amour qu'ils réclament est une charge,
car il se fait jaloux, exigeant, se sentant frustré par la
présence des amis, des enfants eux-mêmes, puis des amis
des enfants... Ces situations tendues viennent encore se
compliquer du fait de l'existence de troubles caractériels
chez certaines grand-mères. — Telle cette aïeule qui

éprouvait un véritable besoin de faire des scènes et qui, en même temps, ne pouvait supporter le trouble et les déchirements qu'elle créait ainsi au sein de la famille. —

QU'EST-CE QUE L'ENFANT ATTEND DE SES GRANDS-PARENTS ?

Troisième pôle de la trilogie : l'enfant. Que voit-il dans ses grands-parents ? Les parents de ses parents. Et qu'attend-il d'eux ? *Que ses grands-parents*, et surtout le couple primordial du *père* de papa et de la *mère* de la maman, *se profilent dans le même axe* que ses parents. Que son besoin de sécurité ne soit pas infirmé ou contrarié par le fait que ses grands-parents jugent ses parents en enfants, et que ses parents soient offensés de ce jugement, anxieux, blessés, comme déséquilibrés. Mais il n'est pas possible que, d'une génération à une autre, les conceptions sociales, éthiques, esthétiques soient les mêmes. Il n'est pas possible non plus que règne l'entente la plus totale et la plus parfaite. Or, ce n'est pas cela qui est important pour l'enfant ; ces divergences n'ont d'importance que si elles sont l'occasion de disputes, de tensions affectives, de « drames » familiaux.

Il est bon que l'enfant comprenne que ses grands-parents ne pensent pas comme ses parents, car il se sentira alors *le droit* lui aussi *de ne pas penser comme ses parents*, ce qui est une étape importante de son développement. Mais il est mauvais que l'enfant sente ses grands-parents juger, infirmer, condamner les jugements de ses parents, et ses parents, de leur côté, s'opposer en rivaux, répondre en offensés pour ne pas dire en injuriés ou en battus. Car l'*anxiété de l'enfant* et l'*anxiété des parents* sont tout aussi dangereuses pour le développement et l'équilibre enfantins.

La grand-mère infirme-t-elle l'autorité de la mère ?

C'est sous cet angle-là que les conflits familiaux avec les grands-parents sont les plus grands, et c'est déguisés ainsi que les conflits œdipiens apparaissent au psychanalyste. Si la situation est installée, cela traduit un conflit intérieur de culpabilité, tant chez la grand-mère que chez la fille (ou belle-fille). L'enjeu secret est l'autre membre du couple.

Que faire dans cette situation ? La mère doit agir sans répondre, dans le sens de l'autorité qui est la sienne. Si la grand-mère proteste, elle lui concède qu'elle a raison et qu'elle-même a peut-être tort. Elle ne dit pas à la grand-mère : « Oui, tu as raison mais... » Elle ne donne pas d'autre explication à l'enfant, devant la grand-mère, ou bien, si nécessaire, elle ajoute : « Tu n'as pas de chance aujourd'hui de ne pas te trouver seul avec grand-mère. » Et seule avec l'enfant, reparlant du conflit, elle fait comprendre à celui-ci la différence de point de vue provenant de la génération et des conceptions différentes, dues à la fois à la nature et à l'expérience.

Le grand-père est-il trop sévère ou trop mou ?

Ne pas le juger en présence de l'enfant, mais dire : « Grand-père est d'une autre génération... » et trouver toujours un point de vue sur le grand-père qui le fasse apparaître estimable bien que, par son comportement, il apporte quelque trouble dans l'opinion de l'enfant ; affirmer tranquillement les différences d'opinions, montrer comment elles s'expliquent : « C'est l'âge... De son temps, on pensait comme ça... » *Mais il ne faut pas chercher à l'emporter, à faire que l'enfant donne raison à l'un ou à l'autre* : cette tension, l'enfant ne peut la supporter, alors que les divergences n'ont pas d'importance si l'enfant peut en parler *sans angoisse* avec ses parents.

Il apprend par là même à devenir un être social vis-à-vis des autres et vis-à-vis des autres générations : *se distinguer*, sans s'opposer. Ne pas dire à l'enfant : « Ta grand-mère a tort... », mais : « Fais ce que *toi*, tu crois être bien, ce à quoi tu accordes raison. »

RÔLE RÉEL DES GRANDS-PARENTS

Le rôle réel et social des grands-parents est ce qui fait leur importance, rôle de l'assise génétique de la famille, que l'on souhaiterait voir les grands-parents mieux comprendre. Sans eux, rien ne serait, parce que c'est par eux que le bien indispensable, le plus précieux a été donné : la vie. « C'est parce que grand-père et grand-mère m'ont donné la vie que, moi, j'ai pu te donner la vie. » « Et c'est pour cela qu'on les aime, pour cela qu'on doit les aimer. » Il est indispensable que l'enfant ait la notion intuitive, puis consciente, de la fécondité, pour qu'il comprenne la valeur génétique des grands-parents[1].

Ce rôle est au-delà de toute moralité et de tout niveau social ; il demeure en dépit de tout ce que pense le grand-père ou la grand-mère et de tout ce qui peut sembler bizarre à l'enfant. C'est à ce titre qu'ils ont droit au respect, à l'amour. « C'est celui qui m'a fait vivre ; donc, toi aussi, il t'a fait vivre ; bien sûr, maintenant il est vieux ; mais nous, comment serons-nous quand nous serons aussi vieux que grand-père ? »

Si on ne présente pas ainsi à l'enfant le droit des grands-parents au respect, si on veut trouver « raisonnable » ce respect qui s'adresse à un être que l'enfant trouve tellement peu « raisonnable », l'enfant ne peut aimer ses grands-parents. Mais, au nom de la vie qu'ils ont donnée, l'enfant comprend que l'amour qu'on doit leur porter est au-delà de ce qu'ils *sont* maintenant. « Ils m'ont fait vivre ; et maintenant qu'ils sont vieux, c'est nous qui les faisons vivre, les nourrissons, les aimons. »

Les grands-parents ont besoin de beaucoup d'amour et de beaucoup de liberté d'action. Les enfants ont besoin de sécurité, avec l'amour de leurs grands-parents tels qu'ils sont, ou tels qu'ils les voudraient, indépendamment de leur ressemblance avec leurs parents.

RÔLE SYMBOLIQUE DES GRANDS-PARENTS

Le rôle symbolique que jouent les grands-parents, vivants ou morts, est très important pour l'enfant. C'est en parlant de son grand-père ou de sa grand-mère que l'enfant exprime ce qui lui est arrivé dans sa toute petite enfance, à l'âge qui précède ses premiers souvenirs conscients.

En effet, on a souvent remarqué dans les consultations psychothérapiques que lorsqu'un enfant de quatre à cinq ans parle de ses grands-parents, il ne s'agit nullement du grand-père ou de la grand-mère réels qui existent ou qui ont existé. Il s'agit à la fois *d'eux et de lui-même*, un lui-même dont il n'a nulle conscience et nul souvenir, qui est sa propre enfance d'avant ses premiers souvenirs et d'avant ses premières relations conscientes avec ses parents. Il exprime et revit ainsi ses conflits de tout petit bébé.

C'est pourquoi, quand un enfant fabule sur ses grands-parents : « Grand-mère a fait telle chose... a dit telle autre » ou dit, comme le faisait un petit enfant devant nous : « Quand j'étais petit, je suis tombé dans le lac... » — accident mortel qui était arrivé à son grand-père —, il ne faut pas faire de vérifications ou de confrontations avec le réel, ni essayer de convaincre l'enfant de « mensonge » ; l'enfant exprime par ces mythes et ces fables ce qui lui est arrivé personnellement, mais dont il ne peut se débarrasser autrement, puisqu'il n'a pas de souvenirs conscients de ce qu'il vivait alors.

L'enfant raconte par ces récits ses premières relations avec ses parents, relations dont, en fait, il n'a pas de souvenirs. Il donne l'image de sa mère ou de son père ou de toute personne qui occupait alors auprès de lui cette place qu'il avait avant tout autre souvenir et toute autre image. C'est ainsi qu'un enfant exprimait l'angoisse qu'il avait eue, étant bébé, d'être abandonné d'une bonne qui s'occupait de lui, par un récit où la grand-mère en jouait le rôle.

En effet, le grand-père est l'Homme qui a un lien génétique avec la mère : il est l'Homme de la mère, qu'elle aime et qui l'aime chastement ; elle est chair de sa chair ; le raisonnement vaut aussi pour la grand-mère qui est la Femme qui a un lien génétique avec le père. Le grand-père représente donc le Père d'avant toutes les images du vrai papa, comme la grand-mère représente la Maman qui a précédé toutes les images de la vraie maman. C'est par cette fabulation que l'enfant exprime ce qu'il sentait pour son papa et sa maman, avant d'avoir de ceux-ci des images réelles et des souvenirs conscients.

D'autre part, l'enfant a aussi un lien génétique semblable avec ses parents : il est lui aussi l'Homme de sa mère, qu'elle aime et qui l'aime chastement ; il est lui aussi chair de sa chair, de même qu'une fille est la Femme qui a un lien génétique avec le père. On comprend donc que l'enfant, dans ses fabulations inconscientes, puisse s'identifier à son grand-père ou à sa grand-mère pour parler de lui-même.

Lien génétique et complexe d'Œdipe

Le fait que le grand-père maternel (pour un garçon) soit dans la même relation génétique avec la mère que son petit-fils explique certaines impasses caractérielles et certains conflits somatiques qui se reflètent dans de mauvaises relations sociales.

En effet, en cas de séparation des parents, quand la mère retourne avec ses enfants vivre auprès de ses parents, le petit garçon a tendance à remplacer le parent absent par le père de sa mère (l'Homme de sa mère) et à se sentir ainsi le fils de son grand-père. Or, dans ce cas, parce que le grand-père et la mère sont en relations sexuelles chastes (père et fille), le complexe d'Œdipe que vit l'enfant dans ses premières années, et qui est le noyau de toutes bonnes relations sociales ultérieures, ne peut se résoudre.

Le complexe d'Œdipe est caractérisé en effet par l'amour que porte l'enfant à son parent du sexe opposé, ce qui implique rivalité avec le parent du même sexe. Mais cette rivalité, cette opposition, se résout normalement en se sublimant, en s'élevant au-dessus du conflit de personne à personne, de sorte que l'enfant (garçon) s'identifie à ce qui, dans le père, possède la mère, c'est-à-dire la virilité. Or, si le petit garçon remplace son père par son grand-père, il ne peut s'identifier au principe masculin du grand-père, puisque cette virilité ne possède justement pas la mère. La socialisation de l'enfant est ainsi perturbée et risque d'être déviée à tout jamais.

Les grands-parents décédés

La mort des grands-parents ne crée en l'enfant aucun traumatisme, quel que soit le chagrin très grand qu'il peut en éprouver. Au contraire, on peut dire que ce deuil contribue à son développement quand son père et sa mère sont pour lui jusque-là les personnages principaux. Comment ?

Pour l'enfant, la mort de ses grands-parents ne le sépare pas d'eux, puisqu'ils vivent en lui, identifiés à sa toute petite enfance. Leur mort est comme la promesse de la vie à venir, de la fin de la petite enfance sans souvenirs à l'enfance du papa et de la maman réels. Cela explique que l'enfant ne participe pas à la tristesse de ses parents, reflet d'un sentiment de culpabilité qu'il n'éprouve pas. L'enfant aime les cimetières et il porte sur la tombe de ses grands-parents des offrandes de tout genre, comme un primitif, offrandes qu'inconsciemment il se fait à lui-même, à sa propre petite enfance qu'il identifie à ses grands-parents.

De plus, comme les grands-parents jouent surtout un

rôle fantasmagorique, l'enfant est d'autant plus libre qu'ils sont morts. Et un enfant à qui on ne fait pas de morale à propos de ce deuil — c'est-à-dire à qui on ne dit pas qu'il faut avoir l'air d'avoir du chagrin —, qui voit la peine de ses parents et qui lui-même, par affection pour eux, éprouve de la peine, accepte avec sérénité cette épreuve comme un fait non angoissant, exactement comme il accepte le déroulement des saisons.

On peut même dire que, jusqu'à sept ans, si l'enfant n'a pas de relations très intimes avec ses grands-parents, leur mort est un événement intéressant, qui lui fait comprendre le sens temporel de l'existence humaine. C'est pourquoi il est très mauvais d'éviter aux enfants la prise de conscience de la mort de leurs grands-parents. (Ajoutons néanmoins qu'il peut y avoir un réel traumatisme à montrer le cadavre d'un être aimé et encore plus à faire embrasser un mort par un enfant qui l'a aimé vivant.)

La prise de conscience qu'il est bon que l'enfant ait, c'est celle des événements sociaux — enterrement, port du deuil familial — car ils ont comme effet d'intégrer l'enfant socialement à la famille, dont il fait partie.

D'autre part, il est préférable de ne pas parler, avant que l'enfant ne le demande — rarement avant douze ans — ou bien, s'il ne le demande pas, avant la puberté acquise, de tel ancêtre illustre ou légendaire tant pour ses qualités que pour ses défauts. Car avant cet âge, l'enfant est écrasé par cet exemple, étant donné qu'il confond son vrai grand-père et sa propre petite enfance. Mais au contraire, même si on en sait peu de chose, il faut à partir de cet âge parler à l'enfant de ses grands-parents, non pas tels qu'ils étaient dans leur vieillesse, mais tels que, par leur vie, et à partir d'eux, ils ont influencé le destin de la famille.

Que doivent faire les grands-parents ?

Le rôle des grands-parents est de beaucoup parler de leur passé personnel et du passé familial dont ils se souviennent parce que les racines de la famille plongent dans ce passé et que la famille actuelle vit en continuité avec la famille d'autrefois. Ils doivent raconter les histoires traditionnelles qu'on se transmet de génération en génération, les anecdotes, les coutumes du temps passé, les mœurs de la province d'origine, ou de l'époque. Ils doivent montrer surtout — ce qui passionne les enfants — comment on vivait de leur temps : « Quand j'étais petite..., mon père..., on s'habillait ainsi..., on voyageait ainsi... » ; insister sur la différence des mœurs anciennes et actuelles et avouer des préférences éthiques, affectives, esthétiques.

Les grands-parents doivent s'abstenir de chercher à corriger, à dresser leurs petits-enfants. Ils ne doivent critiquer, juger, blâmer ou féliciter ni les actes des parents ni les actes des enfants. Cela parce que ce ne sont pas les remontrances des grands-parents qui servent le plus à éduquer un enfant, mais l'affection qu'ils développent en eux et, par là même, l'imitation d'une certaine tenue dont ils donnent l'exemple.

Et par-dessus tout, les grands-parents ne doivent pas faire peur aux enfants, car ils jouent un rôle au-delà de leurs actes, et les peurs qu'ils inspirent vont rejoindre de puissantes peurs ancestrales et primitives.

Les grands-parents ne doivent pas faire partager, sous prétexte d'éducation, leur peur des actions risquées, car leur anxiété et leur propre insécurité se reportent sur l'enfant. Il faut dire : « Je suis vieille..., je ne peux pas faire comme toi..., je ne peux pas te voir faire cela... je m'en vais..., fais ce que tu veux... », et bien souvent, l'enfant revient de lui-même, renonçant à son action risquée pour ne pas ennuyer grand-mère.

Ainsi, ils doivent :

— *raconter des faits*, ce qui plaît à l'imagination de l'enfant ;

— *écouter l'enfant*, ce que les parents n'ont pas le temps de faire ; dans ces confidences, à condition de ne pas blâmer et de ne pas juger ce qui est dit, ils contribuent à aider l'adaptation sociale de l'enfant ;

— *plaindre l'enfant*, mais sans juger le père ou la mère dans les cas où l'enfant vient à parler d'eux : « Tu as de la chance de pouvoir me le dire », afin qu'il sente la compréhension de son épreuve en même temps que la non-dévalorisation de ses parents dans leurs actes qui ont causé cette épreuve.

C'est ainsi que les enfants trouveront auprès de leurs grands-parents une *sécurité* différente de celle que leur donnent leurs parents, tout aussi nécessaire et plus primitive.

Que doivent faire les parents ?

— Avant tout, affirmer calmement les différences de points de vue en cas de conflits entre parents et grands-parents devant l'enfant, ne pas prendre ombrage de l'opposition et éviter de créer une tension affective dont seul l'enfant souffrira.

— Quels que soient les conflits, conclure devant l'enfant que *les grands-parents sont les plus importants*, puisqu'on leur doit le fait de vivre. « Quand nous-mêmes serons vieux, comment serons-nous ? Quand vous, enfants, serez parents à votre tour, comment serez-vous ?... »

— Ne *jamais blâmer les fabulations* qui donnent le nom des grands-parents à des personnages connus ou inconnus, terribles ou non, méchants ou non.

— Comme l'enfant a besoin de faire des mises au point constantes pour se situer lui-même, par rapport à ses parents et par rapport à ses grands-parents, faire en sorte qu'il comprenne que *le respect qu'on doit aux ancêtres peut aller de pair avec le fait qu'on ne juge pas leurs actes* selon des normes habituelles et qu'on tient compte avant tout de leur âge, de leur génération et des différences qui en découlent. Car, s'il est nécessaire que l'enfant se situe, il est aussi nécessaire qu'il puisse le faire dans la paix du cœur et du foyer.

Car aucune différence de conceptions ne peut, et ne doit, gauchir *l'axe de sécurité génétique* des grands-parents aux parents et des parents aux enfants, quels qu'ils soient socialement, et les uns et les autres. Il faut ainsi que les parents, pour leurs enfants comme pour leurs propres parents, replacent les grands-parents dans la lignée humaine.

Rencontre avec Françoise Dolto, l'auteur du Cas Dominique

Gérontologie, 4 mars 1974.

GÉRONTOLOGIE : *Merci de nous accueillir. Nous souhaite-rions dialoguer avec vous sur les relations entre la vieillesse et l'enfance.*

FRANÇOISE DOLTO : Les personnes âgées ont, comme les enfants par rapport aux adultes, une autre manière de concevoir le temps et l'espace. Pour les adultes, le temps c'est de l'argent ; et l'espace, c'est l'espace nécessaire, professionnel et familial ; c'est l'espace où il est agréable ou désagréable de vivre, trop petit, trop grand, peuplé ou désert selon qu'il est accessible et amical. Pour l'enfant, l'espace, c'est lui-même : là où il n'est pas, il n'y a pas d'espace, c'est le monde inconnu... Et le temps où il n'est pas, c'est un temps dont il est furieux quant au passé qu'il ait existé. L'enfant ne veut pas admettre que ses parents se soient connus avant qu'il n'existe ; d'ailleurs tous les enfants sont convaincus qu'ils ont assisté au mariage de leurs parents. Symboliquement ce n'est pas faux puisque pour un enfant ses parents sont vraiment unis pour lui et par lui.

Or les personnes âgées voudraient que le mode de vie connu au temps de leur jeunesse adulte continue ; elles sont heurtées par les habitudes de vie qui changent, par l'évolution du mauvais jeune temps par rapport au bon vieux temps qu'elles idéalisent. Je crois que cette relativité du temps enrichit l'enfant qui entend ses grands-parents parler de l'époque où ses parents avaient son âge, ce que l'enfant ne peut pas concevoir par lui-même. Si elle n'est pas accompagnée de paroles de témoins de ce temps, aucune photo de famille ne vaut les récits de menus faits de l'époque que l'image a figés, de l'espace et de la vie, au temps où lui n'était pas du monde.

Les enfants ont besoin d'entendre parler de leurs propres parents quand ils étaient petits, pour relativiser le temps. Ils prennent conscience de la réalité d'une vie antérieure à la leur. Ainsi ils comparent les souvenirs que racontent leurs grands-parents à la version qu'en donnent leurs parents et qui n'est pas la même. C'est une pédagogie qui leur fait comprendre la disparité de l'imaginaire d'une même personne selon son âge, son rôle.

G. : *Et qui les rassure ?*

F.D. : Oui, ils s'aperçoivent qu'un être humain est un être de contradictions et les grands-parents peuvent permettre aux enfants de le comprendre.

Les grands-parents dans une famille — je parle de grands-parents non névrosés — ont de toute façon des tensions avec leurs enfants. L'enfant s'aperçoit qu'on peut aimer des gens avec qui on se dispute, ce qui semble impossible. Une maman ne se dispute pas, sinon avec « son homme » ; l'enfant comprend que c'est réparable lorsqu'ils restent ensemble. De même il s'aperçoit que ses parents à la fois déplorent et tolèrent plus ou moins bien la présence au foyer, ou les propos, de la grand-mère ou du grand-père, ce qui lui permet de constater les contradictions. L'éducation d'un enfant doit lui permettre de comprendre la contradiction humaine, de l'assumer, et de vivre avec elle, chez les autres autant qu'en lui-même.

Au cours de ces différends familiaux qui a raison ? Il s'aperçoit que ce n'est généralement ni la question ni l'origine du différend, mais le désir. Il constate que parents et grands-parents ont leur caractère, ce qui lui permet, si j'ose dire, d'en prendre de la graine et de se faire lui aussi le sien avec ses jugements personnels.

G. : *Les voisins ne participent-ils pas aussi à cette éducation ?*

F.D. : Certainement, mais à condition qu'ils soient de tous âges et que les parents autorisent leur fréquentation sans critiquer le mode de vie et sans s'immiscer non plus dans les relations de leurs enfants avec ces voisins.

G. : *Est-ce que le changement brusque dans la notion de l'espace et du temps serait dû à la mise à la retraite ?*

F.D. : Non, cela accompagne la diminution de l'agilité motrice, qui est un des aspects de la vitalité. Le tonus d'une personne âgée est moins vigoureux que lorsqu'elle était en pleine force de l'âge. Un déplacement qui, lorsqu'elle était jeune, lui semblait minime devient pour elle un petit voyage qui la fatigue. Elle dit : « Ah oui, je le faisais du temps où j'étais jeune, mais maintenant je ne le fais plus. » Si bien que cela donne à l'enfant une relativité par rapport à l'espace. Pour lui, traverser la rue, aller chercher un croissant et revenir, ce n'est rien ; mais pour la grand-mère, il faut mettre un vêtement, descendre l'escalier, sortir — il fait souvent mauvais à ses yeux — et puis remonter ses escaliers ! C'est déjà une petite aventure. Or beaucoup d'événements quotidiens de la vie courante ont comme effet de transformer en personnes négligeables, en « laissés-pour-compte », les vieux qui ne suivent pas le rythme, qui ont la vue basse ou sont durs d'oreilles. Il faudrait changer cela. Dans les familles où les parents ne sont pas névrosés, ils expliquent : « Elle est fatiguée, elle a vieilli, grand-mère, il a vieilli, grand-père, il ne peut plus marcher aussi vite qu'avant ; mais tu l'aurais vu quand il montait à cheval, quand il conduisait sa voiture ; c'était un casse-cou ! » ou bien : « Si tu l'avais vue danser, ta grand-mère, elle était formidable ! »

C'est intéressant pour l'enfant de saisir ainsi le cheminement d'un être proche que, sans paroles, il ne juge que d'après ce qu'il voit. Cela l'initie au sens de la vie : il y a la vie biologique du petit âge à l'âge adulte et à la vieillesse mais il y a aussi la vie du cœur, et puis la vie spirituelle qui est tout autre... Quand les gens ne sont pas névrosés, ils ont aussi une vie spirituelle et cette vie n'est pas affectée par l'âge qui mine la vie biologique ; au contraire même, l'approche certaine, à court terme, de la mort leur permet de décanter les valeurs, et parmi elles, de discriminer celles qui demeurent par-delà le temps, et restent vivantes. Les personnes âgées qui sont respectées et aimées sans paralyser le rythme familial apportent dans les foyers une véritable dimension spirituelle. Elles sont des confidentes, des consolatrices, elles sont indulgentes et compréhensives. Elles donnent la chaleur de leur cœur, elles apaisent.

Les grands-parents sont ceux qui peuvent très bien comprendre les tensions entre leurs petits-enfants et leurs enfants, et dire : « Tu sais, toi-même, tu m'en as fait voir au même âge que ta fille et ton fils ! Tu ne t'en souviens pas, mais ne t'inquiète donc pas. » Les enfants sont parfois très coupables de donner à leurs parents du fil à retordre, comme on dit. Évidemment, des personnes âgées névrosées peuvent encore dire comme le font si souvent les parents excédés : « Tu vas tuer tes parents » ; mais à une grand-mère, l'enfant peut se permettre de répondre moins dangereusement qu'à ses parents : « Ma mère ou mon père ne t'a pas tuée. » Et le grand-père ou la grand-mère peut répondre : « J'ai dû le lui dire, comme on te le dit aussi. Les enfants sont parfois bien durs à vivre, alors on leur dit ça... Essaie peut-être de ne pas le faire exprès... Mais c'est de ton âge. » On parle, ça soulage.

G. : *Cela expliquerait cette espèce de complicité entre la grand-mère et le petit-fils, parfois même sur le dos de l'adulte ?*

F.D. : En effet. Dans les familles saines, on dit : « Tu as de la chance que ta grand-mère soit là. » Sa présence permet plus d'indulgence. Toutes ces nuances de relation affective entre les âges sont nécessaires pour que se dégage un esprit de sagesse grâce à des subjectivités différentes et contradictoires.

G. : *Vous apportez là des arguments à notre combat contre la ségrégation des personnes âgées.*

F.D. : Elle est en effet épouvantable, inhumaine pour les personnes âgées autant que pour la jeune génération. Même si elle est plus commode à première vue pour les adultes, elle est néfaste à l'esprit de famille, le vrai, celui qui permet à chacun de développer son caractère propre, en sécurité, dans un groupe. Moi qui vois surtout le point de vue des jeunes, je constate qu'il est mauvais pour les jeunes d'être séparés de la génération précédant celle de leurs parents.

G. : *Avez-vous l'expérience de jeunes enfants qui sans leur grand-mère ne seraient jamais arrivés à la puissance et à la créativité qu'ils ont atteintes ?*

F.D. : Mais oui, des grands-parents providentiels, ça existe. Mais j'ai vu aussi des enfants qui, s'ils n'avaient pas vécu étroitement au contact de leurs grands-parents, n'auraient pas été névrosés. Car malheureusement, le sentiment de frustration des grands-parents se paie souvent sur le dos des petits-enfants. J'ai écrit dans une revue un article sur les parents qui placent leurs enfants en nourrice ou en garde chez leurs propres parents et qui ne les paient pas pour cela. J'ai trouvé révoltant que les grands-parents soient si rarement rémunérés pour ce service, comme si c'était un dû. Les grands-parents mettent cet argent éventuellement sur le livret de Caisse d'épargne de leurs petits-enfants s'ils n'en ont pas besoin : c'est leur affaire. Mais que des parents puissent se servir de leurs parents comme de domestiques à leur service, l'enfant en est à jamais affecté !

G. : *L'enfant le sent...*

F.D. : Oui. Il entend sa grand-mère se plaindre : « Mais je suis fatiguée, ma fille ne s'en rend pas compte, elle le devrait tout de même. » Même les grands-pères ou les grands-mères les plus généreux de cœur ont besoin de détente, ils n'en ont plus du tout et, de plus, ils subissent la jalousie de leurs propres enfants. Les parents sont déjà jaloux d'une nourrice qu'ils paient, à plus forte raison de celle qu'ils ne paient pas. Tôt ou tard des tensions apparaissent. L'enfant en grandissant s'attache aux personnes et à la maison où il a grandi. Il connaît à peine ses parents qui désavouent peu ou prou ses moindres comportements en en faisant reproche à la grand-mère. L'enfant n'est plus en sécurité avec personne.

G. : *Dans la vie actuelle, les femmes qui travaillent professionnellement accordent moins de temps à leur maternité et à l'éducation de leurs enfants. Dans ce nouveau contexte fami-*

*lial, l'image des grands-parents prend de l'importance.
Est-ce que les reprises en main rares ou périodiques de la
mère ne traumatisent pas les grands-parents et les parents ?*

F.D. : Elles traumatisent peut-être plus encore l'enfant. Il y
a d'autant plus traumatisme que la reconnaissance du service rendu reste uniquement psychologique et affective, et
il y a trop d'ambivalence de part et d'autre pour que la
reconnaissance s'exprime.

G. : *Cela ne libère pas en fait ?*

F.D. : Non. Les parents ne peuvent pas se libérer quand ils
donnent leurs enfants en garde à leurs parents sans les
rémunérer. Je connais justement un couple âgé qui garde
ses petits-enfants pendant la semaine et en dehors des
vacances des parents. En échange de cette garde, ce couple
âgé fait un beau voyage avec l'argent qu'ils ont gagné. Cela
est juste. De toute façon les parents auraient été obligés de
confier leurs enfants à une autre personne qu'ils auraient
dû rémunérer. L'affection n'a pas de prix, mais le travail,
l'entretien, le temps se paient. Un service rendu est une
responsabilité et un travail qui doit se payer. Or, souvent,
les grand-mères qui font ce travail ne veulent pas être
rémunérées ; alors nombreuses sont celles qui ont sur leurs
petits-enfants une possessivité destructrice ; il faut bien en
effet qu'elles s'y retrouvent d'une autre manière. Pour cette
raison, il devrait être interdit aux parents de moins payer la
grand-mère qu'une personne salariée.

G. : *Les grands-parents sont souvent complices de cette
exploitation.*

F.D. : Oui, mais cela infantilise les géniteurs de l'enfant, et
à deux niveaux. D'une part, ceux-ci se sentent obligés
d'avoir une reconnaissance qui n'a pas de prix, le résultat
est qu'il n'y a pas de limite dans les exigences qu'ont leurs
parents sur eux dans leurs moments de dépression. D'autre
part, les géniteurs prennent l'habitude de ne pas compter
dans leur budget le prix de l'entretien et de la garde de leur
enfant. Cet argent, il faudrait le trouver si la grand-mère
rendait l'enfant à ses parents. Aussi, quand elle se dit fatiguée, on ne veut pas l'écouter, elle est alors obligée de

« faire du somatique », de tomber malade ou de se casser la jambe pour que ses enfants se rendent bien compte qu'elle leur rendait effectivement des services. Ce sont des agressivités réciproques qui, à bas bruit, travaillent le corps dans des situations sans issue du point de vue affectif.

G. : *La grand-mère n'a-t-elle pas peur de ne plus être aimée si elle commence à demander de l'argent ? Et puis il y a des grands-parents qui n'ont pas besoin de cet argent.*

F.D. : Peut-être, mais l'enfant lui, a besoin de ressentir et de savoir que ses parents l'assument, à défaut de l'élever. L'amour parental, grand-paternel, est autre chose que l'obligation, autre chose aussi que la générosité, ou que le désir d'aider. Que ma fille ait besoin de moi, je l'aide mais qu'elle se décharge de ses responsabilités sur moi, c'est le contraire du respect et de l'amour. L'amour donne, en échange d'amour donné, sans habitudes, sans obligation. La grand-mère peut rendre ce service par un amour qu'elle croit gratuit, mais elle s'engage parfois aveuglément en assumant des charges trop lourdes à la longue. Elle croit qu'elle peut le faire. Mais les parents qui confient à la grand-mère leur enfant à garder lui en veulent le jour où elle n'en veut plus ; ce jour-là, non seulement ils perdent leur liberté mais aussi ça leur coûte brusquement très cher. Il faut que les parents sachent assumer leurs enfants et leurs parents âgés, car ils sont tenus de les assister. La responsabilité filiale accompagnée d'assistance morale est un devoir. La responsabilité parentale d'assistance et d'éducation est aussi un devoir. Amalgamer les deux, c'est un peu se débarrasser de son enfant en en tirant profit. Les deux devoirs des adultes ne peuvent pas être confondus.

G. : *À propos de ces rapports d'argent, la création d'une Sécurité sociale n'a-t-elle pas amoindri sinon supprimé la solidarité familiale ?*

F.D. : Non, on ne peut pas dire cela, c'est une sécurisation pécuniaire exclusivement. On a bien été obligé de le faire. Mais la reconnaissance, l'honneur et l'assistance qu'on doit à ses vieux parents existent toujours au cœur des hommes dans la loi naturelle. Il est certain que la Sécurité sociale **a** fait, avec du bien, un certain mal aux gens parce qu'elle permet aux adultes, hélas, d'oublier la loi naturelle qui veut que devenu adulte, on assiste ses parents quand ils ne sont plus capables de s'assumer puisqu'ils nous ont assumés alors que nous n'en n'étions pas encore capables. Une sorte de désintérêt affectif s'est installé sous le prétexte que les vieux touchent une retraite, ce qui ne représente qu'un minimum matériel vital, mais en laisse beaucoup dans l'isolement affectif. Cela provient d'une carence éducative plus que du fait de la Sécurité sociale. Par la civilisation industrielle et le rush des campagnes vers la ville, les familles naturelles se sont dissociées. C'était la vie des générations mêlées, en famille, qui éduquait les enfants. Sous prétexte d'instruction, on a complètement oublié de pallier cette carence éducative croissante que l'école ne donne pas. L'instruction publique a complètement effacé la référence à la loi génétique, loi naturelle chez l'humain et chez l'animal, mais qui, chez l'être humain, est aussi symbolique. La plupart des enfants ne savent même pas ce que c'est qu'un oncle, une tante, un cousin, un grand-oncle, une grand-tante. J'espère que l'information sexuelle qui est désormais au programme va rendre aux enfants le sens des liens génétiques, sinon elle n'aura aucun sens.

L'amour ne peut exister confondu avec la dépendance. Il naît chez l'être humain à partir du moment où il n'y a plus besoin de l'assistance d'autrui pour l'entretien de son corps. Sinon quelle différence y aurait-il entre les humains et les mammifères, car chez ceux-ci, les géniteurs assument leurs petits jusqu'à ce qu'ils puissent seuls subvenir à leurs besoins ? C'est la loi symbolique qui réunit chez les humains toutes les générations ensemble, au-delà de leurs besoins, par l'expression de leurs pensées, de leurs sentiments, de leurs désirs et par des lois de responsabilités familiales et sociales. Encore faut-il que le mot famille retrouve son sens, celui de parenté paternelle et maternelle, à travers les générations. Le vocabulaire lui-même des liens de parenté n'a plus de sens chez la plupart des enfants.

G. : *Entre la grand-mère d'autrefois avec ses cheveux blancs dans son fauteuil, matronant et maternant tout l'univers autour d'elle, et la grand-mère d'aujourd'hui, dynamique, active, et toujours jeune, n'y a-t-il pas une grande différence pour l'enfant ?*

F.D. : Cette nouvelle image rejoint en fait celle d'autrefois où les grands-parents travaillaient jusqu'à leur dernier jour. La « belle époque » où les femmes bourgeoises vivaient oisives était une période imbécile qui ne touchait heureusement qu'une infime partie de la population. Désormais tout le monde continue d'être en activité. Les progrès de la médecine, ceux des prothèses dentaires, optiques, auditives, le bénéfice de la Sécurité sociale pour les soins médicaux permettent aux adultes vieillissants de conserver plus longtemps une vie allante. Mais les liens génétiques demeurent, quelle que soit la jeunesse d'apparence.

G. : *Et l'arrière-grand-mère ?*

F.D. : C'est elle qui correspond en effet maintenant au prototype âgé dans son apparence autrefois dévolu à toute grand-mère. C'est une personne nettement d'une autre époque, mais elle aussi est utile parce qu'elle raconte ce qu'était la vie de son temps. Du reste les grands-pères et les grand-mères de cinquante à soixante ans, bien que jeunes encore par leur aspect et leur activité, ont vu d'autres choses que leurs propres enfants et peuvent raconter à leurs petits-enfants la vie de cette époque-là, déjà folklorique pour les enfants d'aujourd'hui.

G. : *Pour les enfants d'aujourd'hui, leur grand-mère, c'est quelqu'un qui n'est pas âgé, c'est quelqu'un de jeune.*

F.D. : Oui, mais c'est quelqu'un qui a vécu un autre temps et qui a vu une époque différente, d'autres manières de vivre. Les histoires du passé sont fascinantes pour les enfants.

G. : *Dans « Le Chaperon rouge », la grand-mère porte un chignon et a des cheveux blancs ; au fond c'est une arrière-grand-mère.*

F.D. : Oui, c'est une arrière-grand-mère, peut-être même une arrière-arrière-grand-mère ! Le changement est le résultat des progrès de la médecine et de la gérontologie. Par exemple, autrefois, les femmes ne se remettaient pas de leurs maternités comme maintenant. Et il n'y avait aucune commodité. Le travail était dur, usait la santé.

G. : *Ainsi les petits-enfants ne voient plus leur grand-mère comme nous voyions la nôtre.*

F.D. : Toute grand-mère est pour ses petits-enfants une représentante de l'histoire de la famille de la lignée paternelle ou maternelle. J'ai moi-même connu une arrière-grand-mère du côté maternel. Elle était née en 1840. Que de souvenirs pour moi auréolait son grand âge encore valide ! Elle était la dernière d'une famille nombreuse et elle nous parlait de ses frères aînés, de ses tantes. L'arrière-grand-père avait connu Franklin, Napoléon, l'Amérique, les premiers chemins de fer, Napoléon III. Le XIXe siècle tout entier pour moi était par elle rendu actuel à travers les récits qu'elle faisait. Ma grand-mère maternelle, sa fille, est née en 1858. C'était la guerre de 70, la Commune de Paris, la République, les impressionnistes, Wagner, Liszt et tout cela vécu autrement que par mon autre grand-mère, celle du côté paternel qui avait vécu les mêmes choses mais en parlait différemment. Les angoisses, les querelles de famille des deux côtés se rapportaient à des événements qui revenaient dans leurs propos autour de tel ou tel de leurs êtres chers, à propos de l'affaire Dreyfus, de la Commune, des Républiques, des colonies, du croup, des idées socialistes, des gens pas « comme-y-faut », des gens à « l'esprit large » ou « étroit ». Toutes ces passions, mal éteintes pour elles, animaient leurs propos et ceux de leurs vieilles amies dont je me demandais comment elles avaient pu être jeunes un jour. Pourtant, quand je revois leurs photos, de l'époque où j'étais enfant, elles n'avaient pas encore l'âge que j'ai aujourd'hui !

Je vous parle de moi. Je ne suis pas encore grand-mère parce que je me suis mariée tard. Ma mère est une femme qui a élevé sept enfants, nés entre 1902 et 1923. Maintenant que j'ai l'âge qu'elle avait en étant déjà plusieurs fois grand-mère, je suis plus active parce que j'ai un métier, alors qu'elle s'ennuyait un peu, ses enfants grandis mariés, de ne plus avoir d'enfants ; mais elle s'occupait beaucoup chez elle ; elle recevait tous les jours l'un ou l'autre de ses petits-enfants, ou allait chez ses enfants, et pour mes enfants leur grand-mère qui est morte maintenant, ma mère, leur laisse le souvenir radieux d'un être dont tous les souvenirs la situent dans l'histoire. Mais ils ont d'elle des souvenirs amusés et déjà folkloriques pour eux. Or, pour moi, je ne peux pas dire que j'ai toujours eu des souvenirs radieux de ma mère, parce que j'ai été à un tournant de générations. Ma mère avait peur de mes désirs et surtout de celui de faire ma médecine. Elle a été jalouse de ma liberté. « Comme tu as de la chance de gagner de l'argent, me disait-elle, au moins tu peux en rajouter dans le ménage *(sic)* sans toujours en demander à ton mari, alors que pour moi c'était difficile, je me suis toujours sentie en tutelle et ton père ne se rendait pas compte. » Il est vrai que les hommes de cette époque-là, mon enfance et ma jeunesse, ne se rendaient pas du tout compte du travail à domicile que faisaient les femmes, ni du prix de la vie qui augmentait, tandis que les enfants grandissaient.

Voilà les souvenirs que j'ai de ma mère, à savoir l'impact dans ses soucis des dévaluations successives. Mes parents s'entendaient bien, mais il y avait des tensions. La maison était lourde : sept enfants qui faisaient des études ! Dans un couple, même bourgeois, autrefois, il y avait beaucoup de soucis d'argent du fait que la mère ne gagnait pas sa vie. Maintenant, il y a une vie commune économique et des soucis partagés par les deux époux qui travaillent. De nos jours, la petitesse du logement concourt à la difficulté de vivre ensemble à la maison, c'est l'éclatement obligatoirement rapide de la cellule familiale. On vit dans une presse qui fait que, le dimanche, on n'a pas le goût ni le temps d'aller faire des visites, voir la famille, les oncles, les tantes, etc. Ils sont loin, et les voyages coûtent cher. On n'a pas assez de place pour se réunir en famille élargie chez soi, on connaît moins sa famille, et on ne la fréquente qu'à l'occasion des mariages et des enterrements, de façon rare et ponctuelle. Qui peut encore loger impromptu des parents de passage ? On s'aperçoit les uns les autres vieillissant, on ne se connaît plus vraiment. Les plus âgés meurent, le temps passe.

G. : *On peut dire cependant que la mort est désormais soigneusement cachée à l'enfant.*

F.D. : Hélas oui, cela fait partie de toute la peur de notre société devant la décrépitude. Les enfants ne connaissent que les morts par accident. Le fait qu'on farde la mort ou qu'on la camoufle est un des aspects de la névrose de notre société, différente en cela de la société que j'ai connue dans mon enfance. Parfois c'est par le deuil ou le demi-deuil qu'on était tenu de porter qu'on entendait parler de tel grand-oncle ou grand-tante..., mais enfin, c'est qu'ils avaient existé. On parlait d'eux. Cela ravivait des cousinages perdus de vue. Les enfants entendaient parler de leur famille, y prenaient leur place génétique, saisissaient les liens de parenté à cette occasion.

G. : *Vous sentez ce manque chez les enfants ?*

F.D. : Oui, ce rôle structurant de la mort est comme disparu, et ce n'est pas seulement parce qu'on ne porte plus le deuil, c'est parce qu'on veut nier la mort, je crois. Depuis qu'on soigne si bien, la mort ne paraît plus ce qu'elle est, inévitable.

J'ai sorti d'affaire des enfants qui n'étaient devenus névrosés que parce qu'on leur avait caché la mort d'une grand-mère. Je me rappelle le cas d'un enfant qui était très bon élève à l'école primaire, en CM2, et qui avait commencé à fléchir au troisième trimestre. L'année suivante, il n'a pas repris et a tout à fait perdu pied, et on m'a amené un enfant retardé scolaire, pâle et morne, à la limite indifférent. Le docteur ne lui trouvait rien de malade physiquement. Qu'est-ce qui s'était passé en fin du deuxième trimestre de l'année précédente ? Tout de suite, j'ai cherché ce qui s'était passé dans la famille. « Ah oui, sa grand-mère était morte, mais il la voyait peu, toutes les trois semaines ou tous les mois. Elle est morte pendant les vacances de Pâques, j'avais laissé les enfants à la campagne. — Est-ce qu'il l'aimait ? — Oui, il l'aimait beaucoup. — Que lui avez-vous dit ? — Oh, rien du tout, comme c'était pendant les vacances... Mais il ne nous en a jamais parlé. — Ne vous a-t-il pas posé de questions ? — Si, un jour, nous lui avons dit qu'elle était à l'hôpital. »

J'étais sûre que c'était la source de la névrose quasi subite de l'enfant. Alors comment réparer ça ? Il fallait lui dire que sa grand-mère était morte. C'est ce que je lui ai dit dans la salle de consultations devant ses parents. Je lui demandai s'il savait ce qu'était la mort. « C'est quand on est malade, ou qu'on a un accident. — Oui, mais aussi, c'est quand on a fini de vivre. Qu'est-ce qu'on fait quand les gens sont morts ? » Pas de réponse. Aux parents alors : « Qu'est-ce que vous avez fait dans votre famille quand la grand-mère est morte ? — On a fait des obsèques. — Et pourquoi votre enfant n'y a-t-il pas assisté, puisque c'était dans votre quartier ? — On pensait que c'était mauvais pour un enfant, ça aurait pu le traumatiser. » Cette disparition insolite sans mot dire, la peine de sa mère (ou de son père) sans explication, n'était-ce pas le traiter comme un chien ou comme un étranger, ce petit-fils ? La vie n'a de sens que si on sait qu'il y a la mort. « Alors jeudi prochain, ai-je dit aux parents, vous allez emmener votre fils assister à des obsèques dans votre paroisse et vous direz : "C'est comme ça que cela s'est passé pour ta grand-mère. On t'avait cru trop petit pour te le dire." Et puis après, vous le conduirez sur la tombe de sa grand-mère lui porter des fleurs. »

À mesure que je parlais pendant la consultation, cet enfant rosissait à vue d'œil. Son regard morne s'éclairait. Sa grand-mère lui était rendue. Trois semaines plus tard, les parents m'ont téléphoné : « C'est incroyable, cet enfant est maintenant bon en classe, il a passé toute la soirée qui a suivi la consultation chez vous à nous parler de sa grand-mère et à nous poser des questions. Il était tout heureux d'aller mettre des fleurs sur sa tombe. Nous n'aurions jamais pensé que son état venait de cela. » Pourtant ce n'est pas surprenant : la conspiration du silence sur des choses aussi importantes pour un enfant, prouve qu'on ne le respecte pas, et qu'il ne fait pas partie de la famille. Les naissances, les mariages, la vie, la mort, toutes les questions que ces événements posent, toutes les paroles échangées sur des moments forts des familles sont la base de l'intelligence humaine. Parler de la vie et de la mort est comme devenu coupable, inconvenant !

G. : *La personne âgée finalement, c'est un être pour-la-mort et pour-la-vie.*

F.D. : Oui, c'est un être pour la vie qui n'est pas productivité mais échanges affectifs et communication et sa mort donne un sens à la vie des autres aussi bien qu'à la sienne d'ailleurs. Il faut que les grands-parents le sachent. Tous les enfants demandent à une vieille personne : « Est-ce que tu vas mourir bientôt ? » Souvent les vieilles personnes se formalisent, les parents grondent. Une grand-mère aimante répond tout naturellement : « Mais oui, sûrement, et j'espère bien avant toi. » Au contraire c'est : « Veux-tu te taire ? Ce qu'il est impoli ! Il n'est pas gentil, il n'a pas de cœur ! » Le mieux, évidemment, c'est d'être bien vivant jusqu'au moment où l'on meurt, mais l'enfant ne s'y trompe pas. Ce n'est qu'en parlant de la mort que la vie prend tout son sens, et quand il questionne une personne âgée quelquefois chère sur sa mort prochaine ou non, ce n'est pas qu'il manque de cœur, c'est qu'il est intelligent.

G. : *Mais il y a aussi des enfants qui sont traumatisés par la mort ?*

F.D. : Oui, à cause de notre besoin les uns des autres, à cause de notre identification à autrui, nous sommes tous traumatisables par la mort, mais surtout si on ne peut pas en parler. Tous les traumatismes affectifs et psychiques se guérissent quand on en parle. Quant au rituel qui accompagne la mort, rite privé ou rite social, il est un langage d'assistance dernière et d'adieu à la personne.

G. : *On dit parfois que la retraite est une mort sociale. Est-ce vrai aussi pour les enfants ? Le ressentent-ils aussi par rapport à leur grand-mère, leur grand-père ?*

F.D. : Au niveau des petits-enfants, certainement pas. Cela dépend de la grand-mère et du grand-père. S'ils prévoient la façon dont ils s'occuperont, cela peut être un renouveau. Il y a des gens qui sont retraités d'une manière intelligente ; ce sont ceux qui ont su garder d'autres intérêts que leur seule activité rémunérée. Bien des retraités fournissent un travail réel, libre d'obligation, plus intéressant pour eux qu'auparavant et surtout plus varié. Ils sont même heureux d'avoir pris leur retraite parce qu'elle a été préparée. Ils goûtent à la liberté en sachant se donner à des intérêts anciens ou nouveaux pour lesquels ils n'avaient pas, au temps des soucis professionnels et des horaires, le temps de se consacrer. Quant à leurs petits-enfants, ils peuvent leur être plus disponibles.

G. : *Il s'agit d'une minorité privilégiée de la société.*

F.D. : Vous voulez dire privilégiée par l'argent ? Non, je ne crois pas ; privilégiée par le cœur, oui, peut-être. Je pense que les vieux ne savent pas qu'ils sont aimés et utiles. S'ils pouvaient vraiment tous l'être, je crois que la retraite serait sereine. Il y a un potentiel social considérable qui est ainsi perdu, qui pourrait être fait par les retraités jeunes et vieux, des bêtises de jeunes qui pourraient être évitées ou rattrapées par les grands-parents, peut-être encore plus par les grands-parents des autres enfants que par ceux dont ils sont vraiment les grands-parents. C'est au niveau des quartiers, de la commune, que, dans les villes, une ouverture aux personnes âgées pour donner du mi-temps, du quart de temps, rémunéré ou bénévole, devrait s'organiser. Elles interviendraient dans l'entraide sociale, les menus travaux de bricolage, d'entretien en tout cas pour les anciens travailleurs manuels, hommes et femmes.

Ce qui empêche les adultes parents de s'intéresser l'un à l'autre, de « vivre », ce sont les tensions familiales. Les enfants n'ayant pas d'autres adultes à qui parler et pas de lieux pour le faire, les parents sont piégés, les enfants aussi. Bien des familles deviennent ainsi, pour chacun, un univers carcéral où tout le monde souffre de revenir, qui après l'école, qui après son travail. Où est alors le rêve pour chacun d'un foyer de réconfort ? Les enfants attendent l'âge de s'évader et combien de parents ne vivent qu'à travers leurs enfants qu'ils embarrassent et qu'ils freinent dans leurs libres initiatives parce qu'ils veulent les garder plus longtemps entre eux ? Sans leurs enfants, ils n'ont plus rien à se dire. Accaparants, accaparés par les soucis de leur travail et par les soucis de leurs enfants, ils s'aperçoivent qu'ils ont oublié de se faire des amis, de se développer eux-mêmes, d'évoluer au contact de leurs égaux d'âge et d'intérêts. C'est l'amère solitude des couples qui était un peu trompée par les relations au travail, mais qu'on retrouve avec la retraite, le vieillissement subit, le sentiment de détresse, de se sentir inutile du jour au lendemain, sans autre pour parler, rire, s'exprimer.

G. : *Et la grand-mère, le grand-père dont on dit qu'ils radotent ?*

F.D. : Ce sont justement ces adultes dont je parle qui deviennent tels. Ce sont des frustrés de longue date qui n'ont plus d'échanges avec les autres, refermés sur eux-mêmes, leurs déceptions, leurs revendications, leurs malaises physiologiques. Ce sont des moribonds affectifs. Ils sont nuisibles aux enfants dont ils éteignent la joie de vivre. Horrible vieillesse ! Les grands-parents que les enfants aiment, savent et prennent plaisir aux jeux que pratiquent les enfants en phase de latence, avant la puberté, les jeux dits « de société ». Les grands-parents trichent, autant que les enfants ; ça se fâche, ça se dispute. Il y a de l'orage, mais c'est merveilleux ! Tandis qu'avec les parents, tout incident caractériel est beaucoup plus grave. Nombreux ceux qui me lisent et qui se rappellent ces « parties » de dames, de cartes, de jacquet avec une bonne maman passionnée, adorablement rageuse quand elle perdait, triomphante de gagner, enfant et aïeule s'ayant à l'œil. Tout cela pour la gloire ou pour des haricots !

G. : *Vous nous avez beaucoup parlé de l'utilité des personnes âgées pour les enfants. Dans l'autre sens, est-ce vrai aussi ?*

F.D. : Je crois que oui. Du point de vue symbolique, l'enfant apporte joie et fraîcheur à la vieillesse. Il est spontané, il n'a pas l'angoisse de la mort, il est l'avenir. Leurs petits-enfants sont pour eux un baume dans les moments d'angoisse. Pour les vieux qui aiment leurs petits-enfants, ceux-ci sont l'avenir. Ils savent qu'ils vont rester dans le cœur de leurs petits-enfants. Ils ne seront pas complètement morts, puisque le souvenir reste de la tendresse des moments sans ombre, gaieté, drôleries, fâcheries, gentillesses, surprises, gourmandises. Ces petits-enfants sont les garants de la continuité. C'est l'histoire qui fait la vie symbolique de l'humanité et l'histoire est vivante grâce au fait de l'âge et de la mémoire. Même lorsque des grands-parents aimés deviennent à la fin de leur vie un peu radoteurs, leurs petits-enfants grandis sont très contents de venir encore librement auprès d'une grand-mère ou d'un grand-père qui, trois ou quatre ans plus tôt, étaient très vivants pour eux et qui désormais vieillis, mais non aigris, sont associés, eux et le cadre où ils vivent, aux bonnes parties de leur petite enfance, à leur propre histoire d'enfants, à l'époque où leur indulgence, leur disponibilité à eux leur laisse des souvenirs radieux. Les grands petits-enfants ont encore grâce à cela des trésors d'indulgence et d'attention pour leurs vieux grands-parents. Leur mort qui vient à son terme ne laisse pas ces sentiments de culpabilité si fréquents au cœur des enfants à la mort de leurs parents.

C'est bien avant la retraite qu'il faut avertir les gens du rôle qu'ils auront à jouer après, et les y préparer, qu'ils se sentent attendus. Il faut remettre en cause non pas la retraite, mais la vie des adultes sans violons d'Ingres, ni activités sociales, politiques, industrieuses, culturelles, à partir de l'adolescence de leurs enfants. Dès que leurs derniers enfants sont en âge de s'autonomiser, de se séparer temporairement d'eux, il faudrait que les parents retrouvent une vie de couple étendue dans des rencontres et des activités de loisirs avec d'autres couples, des gens de leur âge pour des activités culturelles, ludiques, créatrices, sportives, sociales ou politiques.

G. : *Les parents ne se libèrent eux-mêmes qu'en libérant leurs enfants.*

F.D. : Oui, alors que vous voyez des gens qui se cramponnent à leur dernier-né, si ce n'est à toute leur nichée, le plus tard possible. Ils créent chez leurs enfants des inhibitions culpabilisantes par l'angoisse qu'ils éprouvent à les voir s'échapper de leur tutelle abusive. Cela crée des névroses familiales.

G. : *Aimeriez-vous prendre votre retraite ?*

F.D. : Oui j'aimerais avoir le temps de peindre, de visiter des musées, des expositions, de lire, d'aller au concert, de faire des balades sinon des voyages, le temps de voir des amis, ce que je ne peux jamais faire. J'attends avec plaisir, si je peux y arriver, l'âge où je pourrai avoir du temps pour vivre, je veux dire un temps non minuté.

G. : *La retraite est donc une bonne chose à condition qu'elle soit préparée.*

F.D. : À condition qu'elle soit préparée, oui, et que la curiosité pour les êtres, et les choses ne soit pas émoussée. Je pense qu'il y a un travail tout trouvé pour les retraités, c'est d'initier les jeunes au goût du métier qu'ils ont pratiqué leur vie durant, quel que soit celui-ci. Dans les écoles, qui devraient disparaître telles qu'elles sont, je veux dire dans les bâtiments où vont les jeunes, il devrait y avoir, surtout dans les maternelles, des grands-pères et des grand-mères engagés comme contractuels. On a bien des contractuels qui nous « cassent les pieds » avec les amendes de stationnement des voitures. Il y aurait des gens âgés qui pourraient venir à temps partiel dans les maternelles et petites classes primaires et surtout dans les crèches, parce que leur rythme est au niveau de celui des tout-petits. Elles enseigneraient le langage, les chansons, les rondes aux petits enfants. Dans certains centres de petite enfance, on a pu abattre le mur qui les séparait du terrain de boules des retraités ; les enfants voyaient les grands-pères, ceux-ci voyaient les enfants, venaient leur parler. Tout ce monde parlait ensemble, ce qui créait une vie tout autre. En rapprochant ainsi les générations, les gens vivent beaucoup mieux.

Ces personnes sans qualification particulière parleraient en jouant et en occupant les enfants, leur racontant des histoires et permettraient ainsi aux maîtresses des écoles d'instruire réellement les enfants, ce qui ne peut bien se faire que par petits groupes et par périodes de temps morcelé de 10 à 20 minutes maximum où l'attention efficace d'un enfant peut se focaliser sans le fatiguer. Ces enfants profiteraient ainsi du talent pédagogique des maîtres et maîtresses d'école qui pourraient ainsi grouper les enfants qui à tour de rôle seraient instruits dans ces leçons particulières collectives alternant avec des repos éducatifs assumés par ces personnes âgées, ni surveillantes ni maîtresses, mais amies des enfants comme peuvent être les personnes qui aiment les enfants et savent les intéresser. Je sais que ce serait une révolution que d'introduire dans le cadre des crèches et de l'école cette ouverture sociale à des gens qui n'ont que leur cœur et du temps, mais il me semble que ce serait enfin la vie dans l'école et la formation affective et langagière personnalisée dès la crèche !

G. : *Par contre les relations entre les grands-parents et les adolescents sont plus difficiles.*

F.D. : Je crois que les adolescents devraient avoir la possibilité, par la création d'hôtels-clubs, de sortir de leur milieu familial et de vivre à leur gré, aussi indépendants qu'ils le désireraient des grands-parents aussi bien que des parents. Mais pour les grands enfants et adolescents, les ateliers de détente, de travaux manuels non scolaires, non programmés, pourraient aussi être assumés, encadrés par des retraités qui guideraient les jeunes dans leurs initiatives créatrices, riches du désir de travailler de leurs mains bien avant l'âge des classes professionnelles systématisées. Ce serait des ateliers d'occupation choisie, ajustée d'exemples, de conseils, de conversations ; tout cela totalement dissocié d'un projet pédagogique, dissocié de toute institutionnalisation.

G. : *L'amélioration des relations entre les générations extrêmes ne se fait-elle pas sur le dos de l'adulte ?*

F.D. : Vous voulez dire que le père et la mère de chacun de ces enfants se sentiraient frustrés ? Que les instituteurs et maîtres qualifiés en perdraient leur prestige ? Pas du tout ; c'est même le contraire. L'homme jeune, l'adulte a besoin de se reposer quand il rentre de son travail le soir et d'être avec sa femme plutôt que toujours et obligatoirement avec ses enfants. L'enfant a besoin de savoir qu'il a un père, un père qui le contrôle à un rythme relativement régulier et non pas d'être en communication constante et exclusive avec lui. Il en est de même pour la mère. Au-delà de huit ans, c'est mauvais pour un enfant d'être, hors de l'école, exclusivement en contact avec sa fratrie et en contact tout le temps avec ses parents ; mais comme les enfants ont beaucoup besoin de contacts affectifs, de recevoir des réponses à leurs questions sur tout, d'exercer leur activité, de jouer, de faire, de parler et qu'ils n'ont jamais d'adultes interlocuteurs autres que leurs parents, ceux-ci, surtout dans les villes et les petits logements, n'ont aucun repos et ne trouvent plus la juste relation. Chacun des membres de la famille frustré devient frustrant pour les autres. On s'écrase ou on explose. La tension s'exprime en réactions stériles caractérielles ou en isolement affectif source de dissensions et de troubles psychosomatiques à tous les âges. Les tensions familiales, surtout dans les villes, viennent de cette vie concentrationnaire, dans des logements trop petits pour des familles dont les enfants grandissent vite, dont les parents sont surmenés et dont tous ces membres d'âges différents ne peuvent plus trouver la possibilité de ventiler leur angoisse dans des échanges vrais.

Le rôle des grands-parents retraités, proches de cœur, est alors d'être des confidents calmes qui écoutent, rassérènent, consolent, redonnent confiance à celui ou celle qui vient, sûr de la discrétion, raconter ses échecs, ses bêtises, ses projets encore vagues. Ainsi, les jeunes qui commencent à avoir des amourettes peuvent en parler aux grands-parents en disant : « Tu ne le répéteras pas à papa et maman » ; et le fait de le dire aux grands-parents, en étant sûr de leur discrétion, permet une bonne évolution. En sens inverse, les grands-parents peuvent se confier à leurs petits-enfants sans risquer de les traumatiser, alors qu'ils ne pourront rien en dire à leurs propres enfants, craignant d'ajouter à leurs soucis, de leur compliquer la vie. Si les grands-parents étaient avertis de l'importance de ce rôle, je crois qu'ils pourraient beaucoup aider les jeunes.

Les grands-parents éloignés savent-ils qu'ils devraient écrire assez souvent individuellement à leurs petits-enfants, dès que ceux-ci savent lire, et ne point se formaliser si ceux-ci ne répondent pas, mais persévérer ? À leur surprise, le jour où l'enfant en aura besoin, il saura à qui il pourra se confier, écrire une longue lettre, peut-être pleine de fautes d'orthographe, mais qui signifiera qu'il avait ce jour le besoin d'un ou d'une amie. Une réponse immédiate, affectueuse, sans morale, et le pacte d'amitié sera conclu, prêt à jouer le jour où cet enfant, en grandissant, aura besoin de se raconter, de demander conseil ou seulement de débonder son cœur. Rien n'est plus ennuyeux que les lettres obligatoires à qui que ce soit et celles aux grands-parents, imposées, supervisées par les parents ou en réponse — quand on a rien à dire encore — aux lettres banales de grands-parents qui ne racontent rien ou parlent d'école. Mais rien aussi n'est plus merveilleux que de savoir au loin un grand-père, une grand-mère qui vous aime simplement, parce que vous êtes son petit-fils ou sa petite-fille, de vieux amis, quoi.

On entend trop souvent des grands-parents se plaindre que leurs petits-enfants ne leur écrivent jamais. La faute à qui ? Savent-ils seulement que ces grands-parents pensent à eux tout seuls, en tant que tels. Paul ou Jeanne ? Peut-être ont-ils seulement, Paul ou Jeanne, le vague petit remords de n'avoir pas écrit la lettre rituelle et insipide du jour de l'An. Ils ne connaissent pas « leur » grand-mère ou « leur » grand-père. Ils les voient dans le brouhaha, à certaines réunions de famille, un peu plus parfois aux vacances mais des liens cœur à cœur, peut-être ébauchés, n'ont pas eu de suite. Grand-père ou grand-mère, il faut penser à écrire individuellement à ces « ingrats », à ces « indifférents » si nous les aimons. Sinon comment sauraient-ils que nous les aimons.

G. : *Madame Dolto, vous avez soixante-cinq ans. Alors, l'âge ?*

F.D. : Quand je me réveille le matin, moi aussi, j'ai mes « vieilles douleurs ». Je prends un bain, je m'active, et ça va mieux. Voilà l'âge, mais je sens qu'il y a toujours en moi comme un esprit d'enfance, des envies culturelles, des espoirs de rencontre de gens jeunes, ou de mon âge ou même plus âgés, des envies de découvrir des gens à aimer, à admirer. Tout m'intéresse encore. Je crois que je ne serai jamais blasée. Je constate la souffrance, l'angoisse : celle du passé à forme de sentiments de culpabilité, celle du présent à forme d'impuissance, celle de l'avenir à forme d'épreuves et de mort certaine. Mais, stupide ou non, j'espère toujours. Je fais confiance aux autres, à la jeunesse surtout.

G. : *Autrement dit, on ne retombe pas en enfance.*

F.D. : Non, on garde un esprit d'enfance, et l'esprit d'enfance, c'est de s'attendre à ce qu'il peut y avoir d'aventure, d'inattendu, de nouveau chaque jour. Finalement à mon âge, et malgré mon métier ou à cause de lui, je découvre tous les jours quelque chose ou quelqu'un qui me fait croire et espérer dans les êtres humains. J'espère, oui, j'espère que jusqu'au bout, les autres continueront de m'aider à vivre.

G. : *Françoise Dolto, merci.*

Les parents séparés

L'École des parents, mars 1950.

J'ai à vous parler aujourd'hui des enfants de parents séparés. Je me bornerai à vous communiquer des réflexions tirées de mon expérience personnelle, expérience de médecin et de psychanalyste, expérience ainsi limitée. J'essaierai de dégager ici les points qui m'ont paru les plus frappants et les moins connus dans les nombreux cas que j'ai eu l'occasion d'examiner, tant parmi les enfants difficiles, que parmi les enfants névrosés, appartenant à des familles dont les parents vivaient séparés. Si particulières ou parfois paradoxales que puissent paraître au premier abord certaines conclusions, je crois, qu'à condition de bien vouloir chercher à les comprendre en toute impartialité et en toute sincérité, on peut en tirer un certain profit en ce qui concerne la conduite éducative à tenir vis-à-vis d'autres enfants de couples dissociés.

Et pour mieux faire comprendre la portée de nos conclusions, commençons par nous demander ce que l'on entend par l'expression « parents séparés ». Ce sont, habituellement, les parents divorcés ou du moins ceux qui vivent séparément. Mais ne devrait-on pas faire rentrer dans la même catégorie les parents qui, sans être séparés par le divorce, ne sont pourtant pas véritablement unis, en dépit des apparences ? Un désaccord, une divergence fondamentale sur l'un des trois plans qui, schématiquement, constituent la vie de l'homme : cœur, esprit, corps — ou sur plusieurs de ces plans à la fois — suffit à créer au sein du couple une séparation de fait plus lourde de conséquences souvent pour l'enfant qu'un divorce pur et simple. Il y a des gens qui vivent ensemble mais qui ne s'aiment pas — je veux dire : qui n'aiment pas leurs défauts réciproques, alors que la garantie d'un amour authentique est peut-être cet amour du conjoint jusque dans ses défauts (et peut-être même à cause d'eux)... Par lâcheté, par manque de générosité — ou par manque de vitalité, de dynamisme, d'esprit de conquête — certains couples laissent se gâcher une union qu'ils avaient cependant, au départ, cru pouvoir réussir. Ils sont devenus comme incapables aussi bien de « réaliser » cette réussite, que de consacrer la rupture par l'aveu sincère de leur échec.

C'est chez les enfants de ces couples « ratés », séparés de fait, mensongèrement « unis », que l'on rencontre souvent les névroses les plus graves. Pourquoi ? Parce qu'il leur est encore plus difficile de trouver leur voie, de construire leur personnalité d'homme ou de femme dans un foyer qui ne leur offre qu'une apparence trompeuse de ce qu'est un vrai foyer, de ce que sont des adultes, qui plus est : de ce que sont des parents, des époux.

Nous parlions la dernière fois de l'« imago », c'est-à-dire de l'image intériorisée des adultes parentaux que chaque enfant tend spontanément et sans en être conscient à produire en la construisant au jour le jour. Cette « imago » se constitue chez l'enfant d'après l'exemple reçu des parents, d'après le climat qu'ils créent par leur couple. Le père et la mère organisent ainsi à leur insu, par leur façon d'être et non par les paroles qu'ils disent, tout ce qui chez l'enfant est notion vivante de « masculin » et de « féminin ». Comment, dans un foyer où le père et la mère ont renoncé à tenir leur rôle et leur place de complémentarité féconde dans un but commun, l'enfant peut-il, sans éprouver une impression de menace pour sa propre cohésion et sa vitalité, chercher à s'identifier à des « images » mutilées, incomplètes de l'adulte — qui lui apparaît insuffisamment fort dans la vie, ou insuffisamment aimé ?

On peut dire en ce sens que le problème est plus simple lorsqu'on a affaire à des parents séparés par le divorce.

Quels que soient les inconvénients psychiques graves causés par celui-ci du fait, par exemple (quand la garde de l'enfant est partagée), de l'existence de deux foyers et, en conséquence, d'une réadaptation sans cesse nécessaire, il semble qu'il y ait moins de névroses, et de névroses graves, chez des enfants qui se trouvent en face d'une situation claire, tranchée — où l'on ne passe pas sa vie à « faire semblant », où l'on sait où le sol manque, et sur quoi l'on pose le pied.

Mais si la vraie sincérité veut que l'on regarde les choses en face, ce n'est pas afin de choisir la solution la plus facile : la fuite dans le divorce ou la fuite dans la routine sont également lâches. C'est afin de voir clair dans la réalité, et de connaître ses responsabilités, afin d'assumer la conduite de sa vie et de ne pas se laisser conduire par ses vicissitudes. Il y a des difficultés de la vie commune à vaincre en commun, qui ne peuvent que renforcer l'union et prouver l'authenticité de l'amour des conjoints... Mais ce n'est pas là notre propos, puisque nous avons à parler des parents séparés.

Nous resterons donc à l'intérieur des limites habituelles de ce sujet : nous nous plaçons devant la situation de fait dont on nous a demandé d'examiner les conséquences sur le caractère et la santé des enfants. Nous chercherons donc, en fonction des données de notre problème, c'est-à-dire les parents séparés, quelle conduite éducative avoir à l'égard de l'enfant pour éviter les troubles que cette situation peut entraîner par elle-même, et pour y remédier.

IMPORTANCE DE L'ÂGE DE L'ENFANT AU MOMENT DE LA SÉPARATION DES PARENTS

L'enfant ayant plus ou moins besoin, et de façons diverses, de chacun de ses deux parents selon les différents stades de son développement, on comprend que la séparation soit plus grave à certains moments qu'à d'autres. Ainsi l'enfant ressent d'autant plus profondément cette mésentente des parents qu'il est plus jeune à l'époque où elle apparaît. On peut dire qu'il y a véritablement traumatisme (au sens propre : « blessure »), c'est-à-dire choc psychologique grave, ressenti dans tout l'être, et sur les différents plans de la vie psychique et organique si l'enfant est très jeune. Après cinq, sept ans, l'enfant, certes, a de dures difficultés à surmonter, mais il n'y a pas nécessairement traumatisme comme dans le cas précédent. Pourquoi ?

C'est en effet entre zéro et trois ans que la vie de l'enfant entre ses parents s'équilibre. Cet équilibre, il l'acquiert plus lentement parfois, selon les circonstances. Mais il a une crise à traverser pour accéder aux étapes suivantes de son développement. Si on ne lui assure pas les conditions nécessaires à ce développement, on risque de bloquer en lui certains processus de croissance.

Les besoins de l'enfant de moins de sept ans au cours de son évolution

Essentiellement, l'enfant très jeune a besoin de sécurité. Sécurité qu'il trouve auprès de sa mère, quelle qu'elle soit, sécurité qu'il a besoin de retrouver d'heure en heure, égale à elle-même, sans défaillance. C'est grâce à ce sentiment de sécurité que l'enfant peut se construire.

Quelle que soit la situation de famille, l'enfant, jusque vers cinq ans, peut trouver auprès d'une mère, même en l'absence d'un conjoint, cette atmosphère de sécurité, de tendresse, de stabilité, seule susceptible de lui assurer un développement normal.

Mais, après cinq ans, le garçon comme la fille, qui jusque-là se rejoignaient dans le besoin commun et unique de la mère, ont besoin d'une présence masculine au foyer, le garçon, parce qu'il lui faut « s'identifier » à un homme aimé de la mère et responsable de lui (normalement à son père) pour devenir lui-même adulte, et s'y préparer en renonçant à l'identification maternelle des premières années, la petite fille, parce qu'il lui faut, pour s'identifier sainement à la femme, que sa mère lui apparaisse non comme mère, mais comme femme, mère des enfants d'un homme qu'elle aime. À travers l'imitation de sa mère, c'est le père qui oriente son développement : le père en tant qu'homme incarne un principe d'attraction dynamique pour le développement de la fille.

Voyons ces réactions plus en détail. La petite fille, passé quatre, cinq ans, a besoin de la présence d'un homme au foyer, estimé par la mère ou par la nourrice — afin qu'elle puisse se sentir attirée vers lui, et s'orienter vers lui, sans craindre pour autant de perdre l'amour et l'estime de celle qui l'élève, encore moins la sécurité qu'elle trouve auprès d'elle, et la stabilité qui en résulte pour son développement. Il faut qu'elle possède simultanément la liberté de ce tropisme, de cette attirance vers cet homme, et la sécurité auprès de sa mère. Mais il faut également que la petite fille se sente vis-à-vis de cet homme en totale sécurité génitale, c'est-à-dire qu'elle n'ait pas l'impression qu'il est attendri par ce qu'il y a de sensuel en elle — auquel cas elle éprouverait sa présence comme un danger, et non comme une source de réconfort et comme une aide.

Le garçon éprouve lui aussi un tropisme sexuel qui l'oriente vers le sexe opposé. Mais il a besoin que cette attirance soit ratifiée par le « père », qu'un homme l'amène à admirer et à aimer sa mère, d'une part, et par là même à se conduire en homme. Il est donc simultanément attiré par la mère et par l'idéal masculin qu'il veut réaliser en lui. Il faut alors qu'il sente que la mère auprès de qui il trouvait jusqu'ici la sécurité continue à l'aimer dans toutes les caractéristiques garçonnières qu'il est en train d'acquérir. Que la mère ne dise pas, par exemple, « qu'il devient maintenant comme les hommes, et qu'il n'est plus gentil ». Il faut que l'idéal masculin auquel il aspire soit accepté par la mère.

Donc que l'enfant ne perde ni l'amour ni la confiance de la personne qui l'a élevé, mais qu'en même temps il puisse s'orienter vers un être de sexe opposé au sien.

Un enfant qui, à cet âge, a pu se construire devant un couple en se constituant une image intérieure de lui-même grâce à la présence d'un homme et d'une femme, unis et s'accordant (même si l'homme n'est pas son vrai père et qu'il n'a pas eu d'autre mère), arrive dans des conditions favorables au carrefour du complexe d'Œdipe.

Au contraire, quand l'enfant est demeuré seul avec l'un de ses parents qui en a la garde, au moment où ces forces contradictoires s'affrontent en lui, il croit avoir « perdu » ou « gagné » selon qu'il est resté avec le parent de son sexe, par malchance, ou, par chance, avec celui de sexe opposé.

Si le garçon a eu la « chance » de rester avec sa mère, ou la fille avec son père, ils croient avoir tout gagné, ayant à la fois la sécurité, et la possibilité d'avoir totalement à eux le parent préféré à ce moment-là : ils ont évincé le rival.

Mais ce n'est là qu'un aspect du problème, et cette chance apparente devient bientôt sentiment d'impuissance. Car le problème du complexe œdipien demande une double solution : il exige au-delà de cette rivalité du fils à l'égard du père, ou de la fille à l'égard de la mère par rapport à l'autre parent, une identification au rival, sur lequel se modèle la personnalité de l'enfant.

Aussi l'enfant resté avec un seul de ses parents ressent-il bientôt ce manque de l'autre, essentiel à sa propre construction. Il croyait en être détaché, parce qu'il était attiré par celui qui lui reste ; en fait il a toujours besoin de celui dont il est séparé.

En ce sens, la séparation des parents en cette période de conflits pour l'enfant est pour lui un événement castrateur, dans la mesure où le processus de développement se trouve bloqué avant son accomplissement. Même si l'enfant a cru y gagner sur le moment, la suite prouve qu'il a perdu.

Sa seule compensation est de pouvoir mettre sur le compte de ce divorce les difficultés rencontrées par la suite pour s'adapter — difficultés provenant de la non-solution de la situation œdipienne au moment favorable. Le sujet s'en prend à celui qui est parti pour toutes les difficultés qu'il a dû surmonter à cause de ce départ mais garde la fierté de lui-même. Cette possibilité d'exprimer de l'agressivité contre quelqu'un, de la haine même, fait qu'il est plus facile de sortir de cette impasse que dans le cas d'un deuil, événement également « castrateur », mais où l'on ne peut que retourner contre soi l'agressivité, la révolte devant les faits.

Si donc l'enfant, au moment de la séparation, n'a pas encore résolu son complexe d'Œdipe, on peut s'attendre à de grosses difficultés, dont la résorption est une question de cas particuliers.

Si la séparation des parents se situe après cette période critique

L'enfant de plus de sept ans est beaucoup plus facilement, et plus rapidement « récupérable » s'il a des difficultés — surtout si un psychologue ou un psychanalyste s'occupe de lui. En effet, à partir de cet âge, l'enfant devient autonome beaucoup plus vite, et tire ainsi son épingle du jeu. D'ailleurs, les parents séparés sont toujours heureux que leur enfant se développe bien, et chacun de leur côté font ce qu'ils peuvent en ce sens.

C'est ainsi que le médecin à qui on demande de traiter l'enfant peut facilement voir l'un et l'autre des parents.

Celui qui a la garde de l'enfant et qui vient consulter pour lui, déclare toujours : « Oh, je ne sais pas si son père (ou sa mère) voudra venir. » En fait, le conjoint veut toujours, du moment où il a compris que le médecin a besoin de voir et le père et la mère pour connaître mieux l'enfant qui est né d'eux. Un enfant ainsi traité, sachant que son père et sa mère sont d'accord pour le faire soigner, guérit plus facilement des troubles qui font de lui un inadapté au milieu des enfants de son âge.

Ajoutons d'ailleurs que les enfants difficiles ne sont pas forcément, loin de là, des enfants névrosés. Qu'entend-on par « névrose » ? C'est le fait de se sentir impuissant, d'être réellement incapable de sortir d'une situation inextricable où l'on est complètement enlisé. Or, dans beaucoup de cas, les enfants pour lesquels on vient consulter un médecin ou un psychanalyste peuvent sortir seuls des difficultés dans lesquels ils se débattent — même si on ne les soigne pas — mais ils perdent beaucoup plus de temps, et parfois aussi, à cause de ce temps perdu, ils ont un retard de développement par rapport aux enfants de leur âge. Ces difficultés sont évidemment propres à la situation de famille particulière dans laquelle se trouvent ces enfants, mais elles sont du même ordre que celles que rencontre tout individu pour arriver à construire sa personnalité.

QUELQUES DIFFICULTÉS PROPRES AUX ENFANTS DE PARENTS SÉPARÉS

Les enfants « sidérés »

Les enfants des parents divorcés, lorsqu'ils sont un peu plus grands, présentent souvent une attitude d'inadaptation, tant au point de vue intellectuel qu'au point de vue affectif ; ce sont des enfants qui, normaux jusqu'ici, semblent tout à coup « sidérés », incapables de réagir, d'avoir une conduite adaptée. Ils ne font plus d'efforts en classe, ils semblent souffrants sans être malades... Pourquoi ?

C'est que, tandis que l'enfant, dans une situation délicate, fait tout ce qu'il peut pour se tirer d'affaire, ses deux parents, chacun de son côté, font tout, sans s'en apercevoir, pour l'empêcher de réussir.

Ce qui est en effet le nœud des difficultés éprouvées par

les enfants de parents séparés, c'est la nature de ce qui continue à unir les parents par-delà leur séparation. Pour l'enfant, qui reste le témoignage de leur union, il est difficile de penser que ses parents ne sont plus unis que par la haine (n'ont plus que ce sentiment en commun). Si les parents restent au contraire unis par l'amour possessif de leur enfant, celui-ci se trouve pris entre deux feux. Chacun des deux conjoints veut garder l'amour de son enfant, et craint qu'il ne se détache de lui en subissant l'influence de l'autre. D'où un tiraillement perpétuel pour l'enfant, à travers lequel le père et la mère, chacun de son côté, épient tout ce qui peut avoir été dit par l'autre sur son propre compte, ou tout ce qui dans l'enfant est la marque de l'autre. Exemple, ce mot d'un père : « Il me regarde avec les yeux de sa mère, je ne peux supporter cela. »

On comprend qu'un « amour » ainsi nuancé de crainte et de haine ne puisse être éprouvé par l'enfant comme quelque chose de rassurant, de positif : il n'y trouve pas cette sécurité indispensable à son développement. Au contraire, il se sent menacé par cette lutte qui se poursuit... et dont il est à la fois l'enjeu et la victime.

L'aide du psychologue, ou du psychanalyste, en ce cas, consistera à permettre à l'enfant de retrouver son autonomie, et l'estime de lui-même (qu'il ne savait plus à quel « lui-même » accorder, étant tiraillé en deux sens). Cette solution, il pourrait d'ailleurs la trouver, plus lentement peut-être, de façon spontanée. Le fait de pouvoir s'exprimer librement avec le psychologue qui ne prend parti ni pour le père ni pour la mère, mais pour l'enfant — et qui part de la souffrance de l'enfant pour en supprimer la cause — permet au petit de regarder en face les raisons de grandes personnes pour lesquelles les parents se sont séparés. Raisons qu'il pressentait, mais auxquelles spontanément, il substituait malgré lui celle-ci : « Si j'avais été plus sage, si j'avais été plus gentil, peut-être que papa et maman ne se seraient pas séparés... »

Ce qu'il faut donc, c'est supprimer chez l'enfant ce sentiment de culpabilité : « C'est sûrement ma faute si mes parents sont malheureux », et cette conviction qu'il aurait pu arranger les choses s'il avait su s'y prendre... Comment ? En lui faisant prendre conscience d'une façon objective des raisons sexuelles qui sont en général à l'origine des séparations — ou tout au moins des motifs de « grandes personnes » qui ont contribué à l'échec du mariage. Il faut qu'il sente qu'il n'y est pour rien, et que parallèlement, il puisse continuer à estimer ses parents malgré leur échec relatif ou réel. Il faut qu'il reconquière son autonomie personnelle. La disparition du sentiment de culpabilité est la condition de son adaptation à la société. Il évolue très vite ensuite, heureux de sentir que, bien que désunis, chacun de ses parents éprouvera une joie personnelle à sa réussite parmi ceux de sa génération.

Cas de délinquance

Certains enfants sont gênés précisément dans leur adaptation à la société parce qu'ils ont l'impression que, par le divorce, leurs parents ont acheté le droit de vivre au prix d'une délinquance. Ils croient y voir une faute. Vis-à-vis de leurs camarades, ils n'osent pas dire que leurs parents sont séparés, craignant le blâme de leurs amis, et souffrant par avance de leur réprobation.

Par ailleurs, s'ils savent que leurs parents, même séparés, continuent à les aimer, leur souffrance est plus sociale que profonde, et n'atteint pas les couches vitales de leur être.

On verra assez fréquemment ces enfants, au moment de l'adolescence, devenir de petits délinquants. Cette délinquance juvénile, d'ailleurs passagère, est parfois due à un effort d'identification de l'enfant, à l'idée qu'il se fait du divorce de ses parents, considéré comme une délinquance.

Ces enfants sont donc de faux délinquants qui commettent des actes répréhensibles poussés inconsciemment par l'identification à cette « imago » délinquante sur le plan de l'institution de la famille. On dirait, quand on analyse leur cas que, pour pardonner la « faute » qui les a fait souffrir, il leur faut la partager : c'est par l'épreuve de la délinquance à laquelle ils assimilent le divorce qu'ils cherchent à rejoindre leurs parents. Tout se passe comme si pour avoir le droit de devenir adultes comme leurs parents, ils avaient besoin de passer par une épreuve analogue à celle qui, pour eux, caractérise la vie d'adulte de leurs parents.

Il faut donc voir dans certaines délinquances d'enfants de parents séparés un essai de rapprochement, d'identification aux parents. Car si l'enfant fait « quelque chose de très mal », c'est pour participer dans la mesure de ses moyens — et à son insu — à cet acte « très mal » qu'a été pour lui le divorce de ses parents. Il faut savoir également que lorsqu'on a réussi à faire tirer au clair pour l'enfant le problème de cette identification à un acte considéré comme délinquant, mais aussi comme constitutif de la vie d'adulte de ses parents, et par conséquent inséparable pour lui de l'accès à sa condition d'adulte, le bilan de l'épreuve devient positif. Il se dégage, en effet, quelque chose de cohésif de cette volonté inavouée de l'enfant de partager sous une autre forme l'épreuve vécue par ses parents, et l'affection qu'il a pour eux devient plus consciente et plus profonde après cette période critique.

J'ai eu à suivre et à conseiller un père qui avait la garde de son enfant. Celui-ci avait entendu que sa mère était partie avec un homme riche qui l'avait détournée de son foyer par sa fortune. En visite chez sa mère, il déroba près de 100 000 francs à l'amant de celle-ci et les cacha dans les tuiles du toit. Son but était de ruiner l'amant afin que sa mère revînt au foyer.

Inadaptation sociale

Nous avons au passage souligné certains effets d'inadaptation sociale, qui sont caractéristiques de toutes les situations où l'individu n'a pas résolu son propre problème. Dans la mesure où l'enfant de parents séparés n'aura pas surmonté les difficultés rendues souvent plus rudes à vaincre par l'instabilité des conditions de vie où il se trouve, il sera en effet inadapté. Mais, dans la mesure où il lui est permis plus vite qu'à un autre enfant de vivre de ses propres ressources, c'est-à-dire de conquérir plus jeune son autonomie, son indépendance vis-à-vis du milieu familial, une fois son problème surmonté, il évolue parfois plus vite et plus librement qu'un autre enfant, et se trouve plus facilement adapté au moment du mariage, par exemple, qu'un enfant resté « attaché » dans ses complexes familiaux.

Il importe de souligner ici que si les difficultés sont réelles, le drame le plus souvent n'existe pour l'enfant de parents séparés que dans la mesure où ceux-ci ont une attitude névrotique. C'est en effet au niveau des parents, et non de l'enfant, qu'il faut chercher la névrose. Heureusement, en un sens, car l'enfant garde sa chance d'évoluer indépendamment d'eux. Mais il est évidemment néfaste pour son développement de subir cette influence, si elle existe.

IMPORTANCE ÉDUCATIVE DE L'ATTITUDE DANS LA VIE DES PARENTS SÉPARÉS

On entend toujours parler, à propos des parents séparés, de celui qui a « tort » et de celui qui a « raison » — formule qui perd habituellement son sens lorsqu'on se donne la peine de regarder les choses en face. Car on s'aperçoit généralement que la désunion du couple était en germe dès le mariage, qu'elle était inscrite dans le couple initial.

Dans bien des cas, en effet, la désunion est due au fait que l'un des conjoints, quand ce n'est pas l'un et l'autre, n'a pas, au moment du mariage, résolu son complexe d'Œdipe. C'est dire que la femme, par exemple, n'aura pas dépassé la période de rivalité avec sa mère (il y a des mères et des filles qui n'arrivent jamais à s'entendre) et aura gardé son père pour idéal masculin. Aussi cherchera-t-elle dans le mariage l'homme qui lui donnera l'enfant qu'elle désire pour être l'égale de sa mère. Elle choisira souvent un homme beaucoup plus âgé qu'elle.

Le garçon qui ne sera pas arrivé à l'identification au père avant son mariage, mais sera resté fixé à sa mère, ou bien choisira une femme « maternelle » — et non amante et épouse — ou bien rompra son mariage pour retourner vers sa mère... — ou encore résoudra son problème à l'occasion de ce premier amour, pour se fixer ailleurs ensuite quand il sera, grâce à cette épreuve, devenu tout à fait adulte. Il serait évidemment souhaitable que, en telle circonstance, son conflit puisse être liquidé et ces divers inconvénients lui être épargnés par l'aide que pourrait lui apporter un médecin spécialiste.

On peut donc dire qu'ensuite le problème de l'enfant dépendra en pareil cas de celui de ses parents névrosés. Ainsi l'on voit des couples mal partis où l'un des parents prend l'initiative de la séparation pour reconstruire un foyer équilibré — parce que lui-même aura trouvé son véritable équilibre à la faveur du mariage raté — et où les enfants à qui ce nouveau foyer est donné s'élèvent ensuite mieux. Pourquoi ? Parce qu'ils ont devant eux l'image d'un couple équilibré, stable.

On voit ainsi la fille d'une mère qui, non mutilée par un mariage raté mais ayant au contraire liquidé son complexe d'Œdipe tardivement grâce à cette expérience, a reconstruit sa vie, être prête elle-même à se marier beaucoup plus rapidement que ses camarades. Affectivement, elle est plus mûre — si celui qui tient la place du père au nouveau foyer est vraiment paternel avec elle — parce qu'elle s'est développée sans barrage ; et, profitant de l'expérience de sa mère, des problèmes que celle-ci a résolus devant ses enfants, elle construira elle-même un foyer en général plus solide. De la même manière, le garçon se développera à la condition que son père conserve toute sa responsabilité vis-à-vis de lui.

Au contraire, il y a véritablement drame lorsque les parents ne surmontent pas la séparation, et conservent une attitude de névrosés.

Ainsi, c'est une menace pour l'enfant si le parent auquel il est confié *manque de vitalité*. Citons l'exemple d'un père qui mettait ses difficultés sur le compte du divorce et ne faisait rien pour réagir. Il manquait totalement de « ressort », de vitalité. Il se couchait en rentrant de son travail, et transformait ses filles en gardes-malade. Attitude terriblement déprimante pour les enfants, et dénuée de courage devant la vie. La loi aveugle dans ce cas avait laissé les enfants à celui des parents qui était resté au foyer — et pour cause dans ce cas.

Quand le père renonce à s'occuper du garçon, il oblige celui-ci à le désavouer, et à « coller » à sa mère, ce qui peut être extrêmement grave et nuisible pour son développement d'homme.

Lorsque c'est l'impuissance sexuelle, la frigidité de la femme, par exemple, qui est la cause profonde du manque d'union du couple et provoque sa séparation, il n'est pas rare que la mère, vivant sur sa déception, empêche sa fille de se développer normalement et crée de graves problèmes pour elle. La femme frigide a très souvent un complexe d'infériorité ; pourtant il y a quelque chose dans sa vie si elle a construit un enfant. Mais après cet enfant, elle est mère, et cesse d'être la femme de son mari. D'où la séparation fréquente. Or, si elle a la garde de l'enfant, elle se replie complètement sur sa fille, par exemple, à qui elle donne l'image d'une femme mutilée et victime. Elle lui barre le passage vers la vie d'adulte dans sa plénitude. À dix-sept, dix-huit ans, la fille se trouve dans une impasse. C'est la névrose de la mère qui fait obstacle à l'évolution de l'enfant.

Enfin, si le conjoint séparé se pose en victime, s'il fait tout ce qu'il peut pour étaler aux yeux de tous son infortune et sa vie définitivement ratée (« Pour moi tout est fini — je ne suis pas de ceux qui recommencent leur vie — j'avais tout donné, j'ai tout perdu — je suis malheureux pour toujours », etc.), il donne à la fois la preuve de son impuissance, et l'exemple de l'attitude la plus nuisible au développement de ses enfants — si la garde lui en est confiée.

Il ne s'agit pas ici de trancher la question de savoir s'il est « bien » ou « mal » de se remarier — mais d'aider les parents à être pleinement sincères vis-à-vis d'eux-mêmes, et dans leur attitude — ce qui est une façon de préserver les chances de l'enfant.

Si une femme séparée de son mari — ou même divorcée — prend une attitude « victimée » (elle est celle dont la vie a été gâchée par un mauvais mari, mais qui « vertueusement » ne se remarie pas, tout en faisant bien sentir combien elle est devenue une pauvre chose à cause de ce mariage raté), c'est qu'elle n'est pas capable de prendre ses responsabilités devant elle-même et devant la vie. Si elle invoque l'interdiction religieuse de se remarier, mais au fond reste mutilée par cette défense, et n'y obéit que par crainte du « qu'en-dira-t-on » et des conventions sociales, c'est qu'elle n'est ni adulte ni religieuse.

Ou bien, en effet, on est vraiment religieux et on trouve dans sa foi des consolations qui permettent de sublimer la tension sexuelle et affective provenant de la solitude — au lieu de s'enliser dans la névrose. Des catholiques, on peut dire, en effet, que s'ils ont tout donné dans l'amour consacré par le mariage, ils n'ont rien à donner à un autre. Mais ils ont dans leur religion la possibilité de sublimer leur besoin de don. À tout moment, ils sont secourus par la vie mystique pour interpréter l'abandon et la faute humaine de leur conjoint comme un moyen pour tous deux de se développer spirituellement.

Ou bien encore plus souvent, on fait semblant d'être catholique et on ne fait que sacrifier aux conventions sociales : la « victime » refuse la lutte et les conditions qui l'obligeraient à vivre non pas par fidélité au mariage, mais par impuissance.

L'attitude de victime de parent séparé est donc la preuve qu'il n'agit ni en adulte ni en catholique — qu'il n'est pas assez évolué pour être l'un ou l'autre, ou les deux à la fois. D'où le danger de cette attitude névrosée qui donne à l'enfant l'image d'un être diminué, incapable d'autonomie.

Retenons de ces remarques sur l'importance du comportement des parents séparés devant l'enfant qu'il est essentiel de n'avoir pas une attitude victimée, et de témoigner d'un dynamisme constructif, d'une prise en charge de ses responsabilités, d'une volonté de vivre (au lieu de « s'abandonner ») que l'on se remarie ou non. Il est important que le père prenne spécialement la responsabilité du fils, qui a besoin de lui pour devenir un homme, et que la mère prenne garde de ne pas faire échec au développement complet de sa fille (en particulier sur le plan affectif et sexuel) par une attitude de vaincue devant la vie.

Une dernière remarque éducative d'importance capitale : ne jamais déprécier devant l'enfant l'attitude du conjoint. C'est une tendance courante chez le parent « déçu » de prendre prétexte de tout et de rien pour déverser des reproches sur les torts du conjoint (en particulier, celui qui n'a pas su reconstruire sa vie, sa personnalité, reproche à l'autre de ne pas donner assez d'argent pour l'enfant — même si la pension versée est tout à fait correcte d'après les possibilités du père et d'après les décisions légales).

En définitive, nous insisterons sur le fait que le problème le plus grave reste pour l'enfant la nécessité de l'identification à ses parents pour devenir lui-même un adulte. Il faut que l'enfant sache que ses parents, s'ils sont séparés maintenant, étaient unis au moment de sa naissance, et ont désiré tous les deux sa venue. Il pourra ainsi n'être pas partagé entre deux êtres qui le sollicitent séparément.

Par ailleurs, il semble plus difficile que l'enfant parvienne au terme de son évolution normale s'il doit se débattre dans une situation fausse où il est amené à faire semblant de croire (tout en se prenant plus ou moins au jeu) que ses parents sont unis parce que ceux-ci font eux-mêmes semblant de l'être... Et si l'on reste unis en apparence, pour des raisons diverses (d'ordre social, ou financier, etc.), il vaut mieux s'en expliquer à l'enfant, que de l'entraîner dans un mensonge que sa sensibilité ne manquera pas de déceler, et dont les conséquences apparaîtront par des troubles graves.

Aussi bien, ce qui assure le bon développement de l'enfant dans une famille unie, c'est la sécurité, l'affection et la confiance qu'il rencontre auprès de chacun de ses deux parents. Ce sont les mêmes conditions que, dans des circonstances moins favorables, l'on doit tenter de réaliser pour lui éviter des difficultés et permettre son épanouissement.

Que dire aux enfants quand les parents divorcent ?

Le Nouvel Observateur, 17 octobre 1977.

JOSETTE ALIA : *Il est frappant de voir que, au moins dans vos entretiens à la radio, vous considérez toujours l'enfant dans le cadre d'une famille traditionnelle, père, mère, enfants unis. Mais que se passe-t-il lorsque ce triangle éclate ? Lorsque l'enfant devient un enfant du divorce ?*

FRANÇOISE DOLTO : Divorce ou pas, pour l'enfant le triangle père-mère-enfant demeure. Le père et la mère peuvent vivre séparés, ils peuvent se remarier, s'éloigner ; la cohésion de l'enfant, c'est son père et sa mère. Le divorce est un événement social : si les parents l'assument bien, s'ils savent l'expliquer à l'enfant, celui-ci l'assumera bien lui aussi.

J.A. : *Expliquer à un enfant qu'on va divorcer, c'est difficile...*

F.D. : Pas du tout. Il faut lui dire très simplement les choses telles qu'elles sont : « Nous ne pouvons plus vivre ensemble, ton père et moi. Nous ne nous entendons plus. La preuve, c'est que nous ne voulons plus avoir d'enfants ensemble. Mais notre mariage n'est pas raté puisque toi, tu es né. Tu as voulu naître et nous l'avons voulu aussi, ton père et moi. Maintenant tu restes notre fils — ou notre fille

— mais nous allons vivre chacun de notre côté. Tu as la chance d'avoir un papa qui aura une autre femme et une maman qui aura bientôt un autre mari, et comme cela tu auras deux familles. »

J.A. : *Est-ce que ce n'est pas très traumatisant pour un enfant ?*

F.D. : Non. Le plus traumatisant, ce serait de lui dire : « C'est à cause de toi que je divorce, c'est pour ton bien que nous nous quittons », etc. Alors l'enfant souffre parce qu'il se sent responsable de la séparation de ses parents ; et cela, c'est le pire.

J.A. : *L'attitude la plus courante reste pourtant celle qui consiste à cacher les mésententes conjugales le plus possible — parfois à la limite du possible.*

F.D. : Alors, l'enfant ne comprend plus du tout pourquoi ses parents se séparent. D'ailleurs l'enfant « sent » très bien le climat familial, il en a tout à fait l'intuition. Si on ne lui met pas des mots sur les tensions cachées, il souffre doublement : il se sent responsable, il ne sait pas pourquoi.

J.A. : *On peut parler à un enfant en âge de comprendre mais que faire avec les tout-petits ?*

F.D. : On peut parler à un enfant de n'importe quel âge. Vous savez, avant même la naissance, *in utero*, un enfant entend parfaitement la voix de son père, de sa mère. Il a besoin très vite de retrouver ces voix à la naissance, dans les grands bruits du monde qui l'investissent brusquement. Le premier colloque du bébé avec sa mère est très important et certains enfants se souviennent des toutes premières choses dites autour d'eux. On peut toujours se faire entendre d'un enfant. À condition de ne pas lui parler « bébé », de ne pas forger des histoires à son intention, de lui dire la vérité, bref, de respecter en lui le futur homme, ou la future femme.

J.A. : *Quand les parents sont en pleine crise conjugale, peuvent-ils conserver assez de sang-froid pour réagir ainsi ?*

F.D. : Pas toujours, et c'est pourquoi il vaut mieux parfois que l'explication soit donnée à l'enfant par une tierce personne.

J.A. : *Une grand-mère ?*

F.D. : Sûrement pas ! La grand-mère n'est jamais neutre. L'idéal, c'est que cette tierce personne soit elle-même psychanalysée, si possible, pour qu'elle ne « projette » pas ses problèmes personnels sur ce cas particulier.

J.A. : *Et là, tout va mieux ?*

F.D. : On n'a pas idée du soulagement qui envahit un enfant, lorsque, enfin, il peut mettre des mots sur sa souffrance. Lorsqu'un adulte, hors de la famille, l'informe et le déculpabilise. Malheureusement, cela se produit souvent fort tard : c'est quand on s'aperçoit que quelque chose ne va pas, que l'enfant régresse ou qu'il a des difficultés scolaires qu'on pense à faire appel à un « psy ». Alors qu'il serait si facile, et tellement plus efficace, de faire intervenir le « psy » dès le début, presque systématiquement. Par exemple, au moment où le juge prononce le divorce, des « conseillers de parentalité » (eux-mêmes analysés) devraient parler aux enfants, leur expliquer en particulier pourquoi la justice se mêle de cette affaire et s'en mêle si mal !

J.A. : *Ce n'est pas le juge qui fait le divorce.*

F.D. : Non, mais c'est la procédure de justice qui fait que le divorce tourne presque toujours mal. D'abord, cette procédure est trop longue : pendant des mois, des années, rien ne peut être réglé, le climat se détériore, tout le monde s'angoisse et l'enfant « boit » littéralement cette angoisse — avec tous les dangers qui peuvent en résulter pour lui, surtout s'il est encore petit. En fait, on devrait pouvoir divorcer aussi rapidement qu'on se marie : deux semaines pour la publication des bans ? Deux semaines pour le divorce... Mais, surtout, les lois qui régissent le divorce sont en contradiction complète avec le bien-être de l'enfant. Par exemple, les juges distribuent, sur le papier, des torts à l'un ou l'autre des deux parents. Or le divorce des parents est toujours un malheur. Et, dans ce malheur, ni le père ni la mère ne devraient avoir tort : cette situation ne concerne qu'eux, elle est une nécessité, voilà tout. L'enfant doit absolument pouvoir conserver son estime à son père et à sa mère pour garder sa propre estime de lui-même, lui qui est le résultat du croisement de ses parents dans l'espace et le temps. La notion de « qui a tort, qui a raison ? » peut causer beaucoup de dégâts. Même chose pour la garde. Là encore, le problème est très mal réglé par la loi. À qui confie-t-on la garde de l'enfant ? En général à celui qui a le plus d'argent, le plus de temps, mais surtout à celui qui peut, apparemment, vivre sans un autre conjoint : l'adultère ou le concubinage de l'un des parents peut le priver de ce qu'on appelle le « droit de garde ». Or cette conception est totalement fausse. On devrait, au contraire, privilégier l'adulte qui refait sa vie, qui se remarie ou qui vit avec un autre adulte, qui a d'autres enfants... celui qui a le mieux pansé sa blessure, en somme.

J.A. : *Pourquoi ?*

F.D. : Parce que rien n'est plus mauvais pour un enfant que d'avoir le sentiment que son père, ou sa mère, est complètement tourné vers lui, qu'il vit en fonction de lui — oh ! ces pères le dimanche, au restaurant, en tête à tête avec leur petite fille ! Pour qu'un enfant se développe bien, normalement, il faut qu'il sache qu'il n'est pas un objet qu'on s'approprie, qu'on garde, qu'on choie. Il faut aussi qu'il sache qu'en aucun cas — que les parents vivent ensemble ou non — il ne peut être le consolateur de l'un ou le rival de l'autre, le bouc émissaire de leurs tensions, ou l'ambassadeur, voire l'espion, de l'un des parents à l'égard de l'autre. Mais il doit savoir et admettre que son père et sa mère ont leur propre vie affective, sexuelle, en dehors de lui. Lorsqu'un enfant a compris cela, c'est-à-dire lorsqu'il a compris l'interdit de l'inceste, étape essentielle de son développement, il peut affronter les situations de rupture — même s'il en souffre. En fait, sur ce plan-là, les enfants du divorce s'en tirent mieux parfois que les enfants des couples unis : la relation parentale pèse moins sur eux.

J.A. : *Avec quels mots le faire comprendre ?*

F.D. : Les plus simples : « Ta place dans mon cœur est imprenable, tu es mon fils ou ma fille mais cela ne suffit pas. J'ai besoin aussi de vivre avec un autre adulte, de dormir avec lui. » Les enfants, quel que soit leur âge, comprennent bien ce langage. La sexualité d'un adulte est toujours admise par un enfant.

J.A. : *Pas forcément ! Le nouveau beau-père ou la nouvelle femme peuvent être l'objet de haines tenaces et destructrices...*

F.D. : Oui, mais il s'agit alors de tout autre chose : c'est que la castration œdipienne n'est pas encore acceptée. Dans ce cas-là, la meilleure chose, c'est de poser le problème clairement : « Je t'aime mais ma vie n'est pas la tienne. J'ai besoin de vivre avec quelqu'un d'autre. Ce n'est pas toi qui me feras renoncer à quelqu'un que j'aime. Si tu es trop malheureux, on va te mettre ailleurs. Tu y seras mieux. » Ce discours est absolument bénéfique : l'enfant le ressent comme une libération. Il cesse de se considérer à la fois comme l'enfant et comme le conjoint de sa mère ou de son père. Il y a un autre homme, ou une autre femme, pour remplir ce rôle. Pour lui, un cap essentiel est franchi et souvent les choses s'arrangent très vite à partir de ce moment-là.

J.A. : *Et si cela ne s'arrange pas ?*

F.D. : Alors il faut avoir le courage de se séparer de l'enfant, ne serait-ce que momentanément. Il ne faut jamais, divorcé ou pas, laisser un enfant semer la zizanie dans un couple (c'est d'ailleurs la cause de nombreux divorces). Sinon, il en portera toute sa vie la responsabilité cachée.

J.A. : *Comment faire accepter l'arrivée d'un prochain demi-frère ?*

F.D. : Un enfant est toujours heureux de voir l'un de ses parents fécond : un adulte qui procrée est un bon modèle à vivre. Même si au début l'enfant est jaloux : tant mieux. La jalousie est nécessaire parce que structurante...

J.A. : *Au fond, à vous entendre, on peut croire que le divorce*

*n'est pas destructeur, qu'il peut même être plutôt bénéfique
pour l'enfant, s'il est bien vécu par les parents qui se
séparent. Mais tel n'est pas toujours le cas. Il y a les parents
qui se déchirent, qui jouent de l'enfant comme d'un enjeu, qui
vivent et font vivre autour d'eux l'enfer.*

F.D. : Oui. Et nous voyons des enfants détruits par le
divorce de leurs parents, des enfants qui régressent parfois
gravement, ou d'autres qui continueront à s'identifier à
leur père ou à leur mère, qui n'atteindront pas leur propre
identité, hypothéquant ainsi leur bonheur futur. C'est pour
cela qu'à mon sens, en cas de crise aiguë, il peut être bon
d'adopter des solutions radicales, comme celle du place-
ment familial. Là encore, il faut expliquer : « Ici, le climat
ne te convient pas, tu n'as plus besoin de ta maman, ou de
ton papa, tu as besoin d'une maison où vivre. Ça coûtera
plus cher pour nous mais nous ferons ce sacrifice, tu iras
ailleurs. » Cet ailleurs, naturellement, ne saurait être la
maison des grands-parents. Elle peut être celle d'un oncle,
d'une tante, qui ont eux-mêmes des enfants. Au fond, ce qui
serait bien, ce serait de créer des hôtels d'enfants où les
enfants malheureux dans leur foyer pourraient toujours
trouver refuge. Comme ce serait utile ! À condition naturellement que dans la journée il ne quitte pas son école, sauf
s'il le désire vraiment. L'école... quand pour lui la vie à la
maison est devenue un enfer — sans pour autant en blâmer
les parents.

J.A. : *Pourtant les enfants entre eux sont cruels. Les copains
ricanent : « Pourquoi n'as-tu pas le nom de ton père ? » Au
fond, les enfants sont conformistes.*

F.D. : Je connais le cas d'une enfant très perturbée, incapable de suivre l'école, qu'on devait se résoudre à faire
entrer dans un institut médico-pédagogique. Un jour, elle
dit à ses parents : « Mais quand est-ce que vous allez divorcer, tout de même ? Quand ? » Alors, les parents, très sur-
pris : « Mais nous n'avons pas du tout envie de divorcer,
nous nous entendons très bien. » Ce qui était vrai. « Ah, dit
la petite fille, je croyais que c'était toujours comme ça, les
parents : au bout d'un temps, ils divorcent et puis ils se
remarient et puis on a des demi-frères et des demi-sœurs. »
Elle vivait au milieu de familles pour la plupart divorcées et

remariées. Et elle se disait : « Mais mes parents sont en panne, quand est-ce qu'ils vont faire ce qu'ils doivent faire ? » On lui a expliqué que le divorce n'était pas de règle et que ses parents étaient tout à fait normaux. Elle a retrouvé 20 points de Q.I. en trois semaines, et puis tout est allé bien...

J.A. : *C'est tout de même un cas exceptionnel ?*

F.D. : Oui. Mais qui prouve une chose : ce qui compte, ce n'est pas le fait même du divorce. Ce qui perturbe, c'est l'angoisse. Elle peut être suscitée par le climat du divorce mais aussi par le sentiment de n'être pas comme les autres, ou encore par tout autre chose... Comment dissiper l'angoisse ? En tirant la situation au clair, en la recouvrant par des mots. Alors, il n'y a plus de traumatisme grave. Il y a certes des difficultés, mais l'enfant y fait face, par les paroles, lui aussi. L'essentiel est de garder la communicabilité et d'exprimer sa souffrance.

J.A. : *On pourrait dire, en conclusion, que cette notion de l'importance de la chose dite résume votre philosophie, en ce qui concerne les enfants du divorce ?*

F.D. : Oui. Et c'est exactement la même chose pour un enfant à qui l'on n'a pas appris la mort d'un parent proche. Il est mutilé de quelque chose qui n'a pas été dit et qui l'a mis dans l'épreuve, qui a mis sa famille dans l'épreuve, sans que des mots explicatifs et libératoires aient été prononcés. J'ai vu un enfant perdre complètement pied parce que, depuis dix-huit mois, on lui avait caché la mort de sa grand-mère maternelle. Elle était morte pendant les vacances. À la rentrée, il a demandé : « Est-ce qu'on va un jour chez grand-mère ? » Ils y allaient tous les quinze jours. « Non, elle est malade. » Et puis encore : « Elle est malade, elle est malade... » Le garçon — il avait sept ans — n'a rien dit. Mais il a raté son année scolaire. Puis il a commencé à décliner. J'ai dit aux parents : « Mais il faut absolument lui apprendre la mort de sa grand-mère, quand, où, et pourquoi vous n'avez pas osé lui en parler. Et puis vous l'emmènerez au premier enterrement possible pour qu'il voie les rites de deuil, et il ira porter une fleur sur la tombe de sa grand-mère. » En quelques semaines, sans le secours d'aucune psychothérapie, le garçon a retrouvé son niveau de classe... L'attitude des parents, dans ce cas, avait été à peu près la même que celle de parents qui veulent divorcer mais n'osent pas le dire, de peur de « faire de la peine » aux enfants. C'est une attitude nocive : on met l'enfant dans la situation d'un objet, d'un animal domestique aimé. Pour le divorce, pour la mort, pour n'importe quelle circonstance difficile, le mieux est de mettre toujours des mots véridiques sur l'épreuve. Des mots, des scènes, des images. C'est ce qui se passait autrefois : dans les grandes familles tribales, les enfants savaient tout, ils se socialisaient très tôt, ils gardaient le sens des filiations, des naissances, des enterrements, de la vie, de la mort. Ils assistaient aux accouchements dans le grand lit conjugal. Ils voyaient mourir la grand-mère. Toute la famille allait au cimetière. Aujourd'hui, les enfants ne savent plus qui ils sont, où ils sont. Ils appellent « tata » la voisine de palier, on dit à un chien : « Viens voir ta maman. » Comment lutter contre cela ? Difficile. On peut rétablir certains rites — comme la visite au cimetière le jour des morts. Je l'ai dit un jour, et j'ai reçu beaucoup de lettres : « Comme c'était bien de pouvoir parler des morts, et de toute la famille. Après on était content de se sentir vivant, on a fait un bon goûter, les enfants étaient gais... » Mais le resserrement sur la famille triangulaire — père, mère, enfant —, donc le resserrement sur l'enfant, me semble inéluctable. Pour les enfants, quelle charge affective ! Quel poids ! C'est pourquoi, aujourd'hui plus qu'hier, il faut penser à eux, leur parler, les aider en leur disant toujours la vérité en ce qui les concerne. Or, ce qui les concerne avant tout, c'est le comportement de leurs parents entre eux et à l'égard de leurs enfants. Le divorce, s'il est bien vécu, peut être pour l'enfant un facteur de maturation, de cohésion personnelle et d'affection conservée au père comme à la mère, en dépit des épreuves. Il reste que, dans la plupart des cas, l'égoïsme et l'infantilisme des adultes font encore du divorce un malheur...

Réflexions sur l'adoption

Médecine de l'homme, août-septembre 1978.

MÉDECINE DE L'HOMME : *Comment les enfants adoptés peuvent-ils se situer par rapport à leurs parents adoptifs ? Le fait qu'ils aient été adoptés très petits, ou plus âgés, présente, certes, des différences importantes, mais la situation est peut-être fondamentalement la même ? Pouvez-vous nous aider à répondre à cette question ?*

FRANÇOISE DOLTO : La question de l'âge auquel l'enfant est adopté est une question importante. Après vingt mois, environ, l'enfant est capable de désirer son adoption et, plus ou moins, de choisir ses adoptants, *a priori* autant que les parents adoptifs peuvent le choisir. Lorsqu'il s'agit d'un enfant qui a acquis l'autonomie motrice et qui parle, il est important qu'il lui soit dit très clairement au départ ce qui l'attend et que ce soit lui qui décide s'il est d'accord ou non. La plupart du temps, dans les institutions, il y a été préparé. Il espère être adopté lorsqu'il voit d'autres petits compagnons qui le sont de dimanche en dimanche.

Pour les parents adoptifs il semble très important de leur dire devant l'enfant, au cours des rencontres préparatoires, qu'ils ne doivent pas changer le prénom que possède cet enfant et qu'ils ne lui cachent jamais, ultérieurement, le fait qu'il a été adopté, ni le lieu où ses parents adoptifs et lui-même se sont rencontrés et choisis. De toute façon, pendant les premières semaines vécues dans le foyer adoptant, des relations interpersonnelles inconscientes, que nous ne pouvons jamais prévoir, vont se jouer. Mais ces interactions interpersonnelles auront des résultantes d'autant plus positives pour la structure de l'enfant que les parents pourront lui affirmer qu'il a été un enfant de l'amour entre ses géniteurs, père et mère de naissance, qui n'ont pas pu, pour des raisons qu'ils ignorent, assurer l'éducation et la tutelle de leur enfant.

M.H. : *Vous avez dit un jour une chose paradoxale que j'ai gardée en mémoire : ces enfants adoptés sont sûrement des enfants de l'amour, parce qu'il n'y a pas eu pour eux toutes ces complications et considérations souvent étrangères à l'adoption réelle, qui est toujours nécessaire, même s'il s'agit d'un enfant selon la chair.*

Vous disiez que, pour ces enfants de conception non légitime, il y a eu un moment au moins où leur père et leur mère selon la chair ont connu désir et amour, et que c'est très important à fixer au départ.

F.D. : Oui, il est impossible de concevoir qu'un être humain puisse naître sans qu'un désir et un amour soient associés à cette naissance. Il n'y aura peut-être pas eu d'amour au moment même de la conception s'il s'agit de l'enfant d'un viol, par exemple, mais il y en aura eu pendant le temps de sa gestation, puisqu'il est né viable. La mère a pu le mener à terme, elle l'a mis au monde, elle a accepté de le donner à son destin, c'est-à-dire à une institution ou à une famille d'accueil. Mais il y a aussi des cas très douloureux où la mère ne peut pas, pour des raisons économiques, assumer son entretien et son éducation. Pourtant, neuf mois de vie symbiotique, ce n'est pas rien !

Il n'est pas possible, pour qu'un fœtus prenne vie, qu'il n'y ait pas au moins trois désirs inconscients de vie — c'est cela qui origine un être humain : un désir du père géniteur pour la femme qu'il a fécondée ; un désir tout prêt à gester d'une femme, désir associé depuis son enfance à l'image de sa mère ou de son propre père, si ce n'est à la réalité de la présence du géniteur ; et le désir de naître de cet être humain, désir dont nous ne savons rien, sauf ses effets de symbiose fœto-maternelle dans une gestation arrivée à terme, qui implique que le nouveau-né a survécu à la séparation d'avec ses enveloppes amniotiques et à la toute première mutation cardio-respiratoire après la séparation de son placenta par la section du cordon ombilical.

M.H. : *Il semble que ces désirs dont vous parlez cristallisent sur le prénom. On dit qu'il ne faut pas changer celui-ci. Puis-je rapporter un petit souvenir ? Dans un restaurant se trouvait une famille avec un petit garçon ; le restaurateur lui demande son nom. L'enfant, tout fier de lui, dit un prénom très courant. Le restaurateur répond alors : « C'est pas un beau nom ! » Le visage de l'enfant se décompose. Il revient se nicher dans sa mère et se met à sangloter.*

F.D. : Cette histoire n'est ni amusante ni gentille. C'est un coup de Jarnac donné par cet homme : ou bien il a voulu taquiner méchamment, ou bien il a voulu projeter son mécontentement à lui quant à son propre prénom. C'est justement cela, saper la confiance en soi d'un enfant. Cela provient souvent des projections des adultes sur un enfant — et justement des adultes adoptants sur l'enfant qu'ils adoptent, lorsqu'ils changent son prénom comme pour effacer tout souvenir de son passé en l'accueillant sous leur patronyme. Bien sûr, il est toujours possible d'associer au prénom de cet enfant le prénom qu'ils eussent donné par tradition familiale à leur enfant s'il était né de leur chair. Mais ces second ou troisième prénoms, qui associent l'enfant adopté, légitimé, à l'enfant symbolique qu'il devient pour ces deux lignées adoptantes, lui sont alors plus tard expliqués comme le signe que les grands-parents adoptifs, à travers ses parents, sont eux aussi, par ces traditions de prénoms, présents dans sa vie symbolique depuis le jour où il a trouvé famille. Or, bien souvent, le nouveau prénom est donné sans aucune référence à une tradition familiale. L'enfant lui-même ne doit pas, ne doit jamais être changé de prénom, parce que l'on ne sait pas l'importance nocive que cela peut avoir ; mais on sait que l'on touche à l'essentiel d'une structure narcissique première, c'est-à-dire à la cohésion symbolique corps-langage, de l'être parlé en vérité, depuis la naissance d'un être humain jusqu'au moment où, par-delà l'adoption, il acceptera, en adoptant sa famille, l'ordre de la Loi.

Cette cohésion symbolique ne doit jamais être altérée, et la meilleure manière de ne pas l'altérer est de conserver à l'enfant son prénom et de lui déclarer la reconnaissance qu'ont les parents adoptifs pour sa mère de naissance et son père géniteur. C'est de leur désir qu'est venue l'autorisation qu'ils ont donné à leur enfant, cet enfant qu'ils ne pouvaient assumer eux-mêmes, de trouver une famille adoptante. Son adoption est la preuve d'une solidarité humaine et de l'importance que la société, depuis sa naissance, a donné à son existence, à son désir, reconnu par la loi, d'aimer un homme et une femme qui, en l'éduquant, lui permettront, à son tour, de devenir homme ou femme, inséré dans une famille qui le reconnaît pour son descendant.

M.H. : *Une idée me frappe, parce qu'elle symbolise beaucoup de choses : il ne faut jamais que l'enfant adopté ait le sentiment, soit que cela soit dit, soit que cela se sente, qu'il est un objet volé à quelqu'un.*

F.D. : C'est exactement cela. L'enfant se sent toujours inconsciemment, et parfois consciemment, un objet volé, si les parents adoptifs ne veulent pas se référer au temps passé, avant qu'ils ne l'aient connu et au lieu où on le leur a confié. Et, s'ils ne le réfèrent pas à sa naissance, puis à sa petite enfance, non assumée par la tutelle naturelle de ses parents de naissance ou des parents de l'une ou l'autre lignée naturelle, celle du père ou de la mère, leur adoption est en réalité un rapt légal. En fait, les parents adoptifs ne sont des parents sains que s'ils se posent toujours clairement en relais, délégués directement ou indirectement par la génitrice et le géniteur de cet enfant, par la médiation de telle ou telle institution.

M.H. : *Dans tout ce que vous dites, une idée est présente, me semble-t-il : les parents adoptifs devraient parler avec amour de ses parents géniteurs à cet enfant. Mais cela revient à ce que l'on disait tout à l'heure : reconnaître sa conception comme rencontre de plusieurs désirs, reconnaître sa gestation dans la maternance de sa génitrice, accepter celle-ci, la reconnaître, la mettre en valeur pour cet enfant. Tout enfant engendré et élevé dans sa famille natale, comme tout enfant adoptif, a un problème de référence à son origine ; celle-ci doit lui être parlée en donnant valeur à son existence. On peut sans doute penser que ce problème est cependant plus complexe du côté de l'enfant adopté ?*

F.D. : Je ne sais s'il est plus complexe... Il est autre. Il y a des parents de naissance qui font élever leur enfant, dans les premiers mois et les premières années, par des nourrices. Cela donne à l'enfant une beaucoup plus grande complexité dans sa structure que ne l'est celle d'un enfant qui n'a pas « connu » sa mère et qui, de ce fait, a été obligatoirement confié à des instances institutionnelles aux multiples personnes mercenaires. Il y a des enfants de famille bourgeoise qui ont été aimés et élevés par des personnes successives, auxquelles les parents les ont confiés, puis dont ils les ont séparés, en les leur arrachant même parfois, par jalousie peut-être, à cause de motivations plus ou moins nettes : « Cette personne nous vole son affection... L'enfant n'est pas "bien" avec elle... Elle n'est pas propre... » Eux-mêmes, cependant, ne donnent pas la présence, la parole et l'amour de ces nourrices mercenaires. Je pense que ces enfants sont, en leur inconscient, beaucoup plus traumatisés par l'abandon de ceux qui sont leurs parents de naissance, restés continûment responsables de leur enfant, dont ils ont toujours payé le gardiennage, mais qu'ils ont séparé plusieurs fois au cours des dix-huit premiers mois de leur vie des personnes successives qui, pour les enfants, ont été leur « maman éducatrice », leur médiation langagière au monde et leur provende physique. Ce ne sont pas seulement ceux qui se disent ses parents qui sont pour l'enfant le père et la mère par qui il se connaît, mais ceux qui lui donnent soins, présence, paroles, attention et aimance personnalisée.

Les enfants élevés en institution n'ont pas eu de relations personnalisées, mais ils ont au moins la chance d'avoir toujours été placés dans le même cadre spatial avec d'autres petits. Ils n'ont pas connu leurs parents de naissance, mais ils sont prêts à s'attacher à qui les aimera, à condition qu'ils soient accueillis dans la chaleur d'un foyer vivant, tels qu'ils sont, et qu'on respecte leur passé.

Tout cela peut paraître contradictoire pour des parents qui, eux, n'ont pas été des enfants adoptés. Cela leur paraît contradictoire et opposé au bien-vivre de cet enfant. Ils souhaitent que l'enfant oublie, ne sache plus son passé. Ils pensent qu'un être humain ne « sait » de son histoire que ce qui lui en est dit ou ce dont il se souvient mentalement. L'inconscient sait, mais si son histoire véridique n'est pas mise en paroles, la vie symbolique de l'enfant est sur des bases d'insécurité. Si des parents adoptifs préfèrent parfois taire ce passé, c'est que, en se mettant à la place de leur enfant adoptif, ils croient qu'ils vont le blesser en lui parlant de sa douce mère gestante, de ses premiers mois, parce que eux-mêmes ne sont pas convaincus d'avoir été pour leurs parents des enfants de l'amour, ou parce qu'ils l'ont été, l'un ou l'autre, mais qu'ils souffrent de n'être pas aussi géniteurs selon la nature. Leur souffrance d'enfant se réveille quand ils se mettent à la place de leur enfant, et imaginent la douleur qu'ils auraient eue si on leur avait dit qu'ils n'étaient pas fils ou fille de leurs parents ; mais cela leur aurait fait mal parce que, dans leur cas, ce dire eût été mensonger.

L'enfant a toujours l'intuition de son histoire. Si la vérité lui est dite, cette vérité le construit. Et les mots qui la lui disent, surtout quand ils sont prononcés par les parents, à qui cette adoption a apporté une grande joie, ces mots véridiques sont au contraire un soutien de l'amour humain et du désir non incestueux de cet enfant pour ses parents et de ses parents pour cet enfant — d'un amour tendre où l'enfant et les parents sont sûrs de s'être choisis et se donnent la joie réciproque de s'être un jour connus, jour dont on dit la date et le lieu, comme on peut dire aussi ceux de la reconnaissance légale : deux anniversaires, ou plutôt trois, avec celui de la naissance, peuvent être fêtés, symbolisant ainsi le sens de sa personne.

M.H. : *Je trouve frappante cette référence aux origines, qui ne doit ni inquiéter, ni troubler, ni faire peur, mais qui doit au contraire pouvoir être assumée.*

F.D. : Oui, elle doit pouvoir être assumée avec amour et respect pour la mère gestante qui a mis au monde l'enfant que ses parents adoptifs ont eu la joie de connaître et d'aimer. Si cela n'est pas explicité aux parents adoptifs, ils risquent de ne pas comprendre l'essentiel à respecter que symbolise le prénom. Dans l'exemple cité tout à l'heure, que s'est-il passé quand cet homme a dit : « Quel vilain nom ! » au petit enfant ? Il a dénié la valeur éthique de sa filiation à ses parents géniteurs et à lui-même conçu, né et prénommé par eux. Ôter à l'enfant que l'on adopte son prénom de l'inscription première à l'état civil, c'est, sans l'expliciter, faire la même chose. Quand des parents adoptifs cachent à l'enfant son adoption ou, quand en la lui disant, ils ne lui parlent pas avec amour et reconnaissance de sa mère de naissance inconnue d'eux et de lui, c'est qu'ils ne veulent pas lui dire ce qui à eux, pensent-ils, leur aurait fait mal. Mais ils n'étaient pas dans les mêmes conditions puisque, eux, ils ont eu leurs parents. Voilà ce qu'ils doivent comprendre. C'est cette altérité qui doit être extrêmement présente à l'esprit des parents pour que la filiation symbolique devienne d'autant plus forte et, de ce fait, la sécurité existentielle de l'enfant.

M.H. : *En vous écoutant, il me vient une idée paradoxale : pourrait-on dire que, dans la mesure où les parents adoptifs ont une certaine extériorité par rapport à l'enfant qu'ils adoptent, ils seraient dans de meilleures conditions pour cette adoption véritable dont vous avez parlé, adoption qui est filiation ?*

F.D. : Vous voulez parler de la filiation symbolique ? Certainement. Beaucoup d'enfants de parents mariés ne sont pas des enfants du désir ou de l'amour de ces deux conjoints l'un pour l'autre ; l'ensemble des conditions dans lesquelles ceux-ci vivent font qu'ils l'ont laissé venir, mais ils ont, en quelque sorte, subi son existence sans vraiment l'accueillir. Quelquefois, le travail de filiation symbolique ne se fait pas. Il m'arrive de dire : il y a des parents qui ne sont pas « le prochain » de leurs enfants. Il y en a qui font de cet enfant un objet fétiche, interdit d'autonomie, ou qui ne l'ont accepté que pour en faire un être domestique, domestiqué, dont ils ont « besoin », mais qu'ils n'aiment pas.

M.H. : *Par «filiation symbolique», vous entendez, je pense, ce qui permet à l'enfant d'accéder au langage ?*

F.D. : Non seulement l'accession au langage, dont certains attendent de l'enfant qu'ils le parlent avec eux, comme eux, pour eux, mais au langage d'être humain libre : c'est-à-dire la possibilité pour l'enfant de choisir ce qu'il va prendre et laisser de l'identification à ces adultes tutélaires. L'identification à ses parents et à ses proches est fatale, au départ, dans la construction psychologique d'un enfant, jusque vers six ou sept ans ; mais l'identification, pour que l'identité du sujet s'en dégage, doit être dialectisée, à partir de l'âge de trois ans, où la problématique du sexe se pose clairement, jusqu'à l'âge de raison et surtout au moment de la liquidation de la fixation œdipienne. C'est dire que tout enfant adopté, comme tout enfant légitime, vit une première fixation amoureuse et désirante au parent du sexe complémentaire, en référence aux relations du parent du même sexe que lui vis-à-vis de cet autre adulte, son conjoint.

L'œdipe est un phénomène de structure émotionnelle et mentale de l'humain qui se sert de ces êtres tutélaires des deux sexes, aimés et adultes, présents au moment où se construit son premier désir génital imaginaire ; et ceci se passe même chez les enfants qui vivent avec des éducateurs mercenaires. C'est une préséance sensorielle et imaginaire du sexe génital, dont il aura seulement à la maturité les pouvoirs procréateurs, qui, cependant, dès l'âge de cinq à six ans se mettent à dominer en lui, dans des désirs incestueux qu'il mime et verbalise ; dans la relation à un autre être humain, ils deviennent symboliques à cause de la parole et des sentiments qui se lient à ce fonctionnement complémentaire dans l'amour et dans la procréation génitale. Ceci se construit toujours chez l'enfant avec des images d'adultes (ou avec des flashes, s'il ne s'agit pas d'une vue constante), à l'occasion de son observation des adultes qui sont l'un avec l'autre en rapport de tendresse et d'amour — et à cause de sa rivalité jalouse. L'œdipe est inéluctable, c'est un phénomène intérieur chez l'être humain ; ce désir, à la fois amoureux, incestueux, rival, est soulagé de trouver des modèles dans le monde extérieur, qui signifie à l'enfant la loi fondamentale humanisante de l'interdit de la réalisation de l'inceste.

Aussi un enfant se débrouille-t-il toujours pour trouver la butée de son désir imaginaire qui l'angoisse. C'est le dire de cette loi et le comportement chaste à son égard des adultes tutélaires qui, en libérant son désir génital de l'espoir d'accomplir jamais l'inceste, lui permet de choisir hors de la famille des amis et des intérêts personnels. Parfois, il trouve dans une famille possessive ou surchauffante des modèles pervertissants pour cette structure spontanée de sa psychogénitalité, et c'est cela qui fait des névroses, irréductibles sans psychanalyse. En effet, l'éthique inconsciente s'organise au moment de ce que nous appelons le complexe de castration et sa liquidation ou non avant la période dite « de latence » qui, elle, va de sept, huit, neuf ans à douze, treize ans, âge de la nubilité, où l'éveil des pulsions génitales réactive ce qui n'a pas été accepté jusque dans l'inconscient concernant l'interdit de l'inceste, tant du côté des adultes tutélaires que du côté de l'adolescent.

M.H. : *Comme les autres, les enfants adoptés connaissent cette structuration de l'œdipe. Pensez-vous que le fait qu'ils sont élevés par des parents adoptifs va être un élément qui transformera le vécu de cette expérience et que, éventuellement, il pourrait le faciliter.*

F.D. : Oui, le faciliter ou le compliquer, les deux. Cela dépend du couple des parents, à la fois de l'exemple qu'ils donnent et des informations qu'ils fournissent à l'enfant concernant le sexe. Ils peuvent faciliter ce vécu libérant, comme d'ailleurs le peuvent aussi les parents de naissance, lorsque ces deux adultes continuent, quoique l'enfant soit apparu dans leur couple, d'être l'un pour l'autre l'objet préférentiel de leur désir. Le danger, pour un enfant adopté, peut venir du père comme de la mère si tout d'un coup, celui-ci est tombé dans une demande d'enfant qui ne correspond peut-être pas chez lui ou chez elle à un désir de paternité vraie, de l'homme avec cette femme, et de maternité vraie de la femme avec cet homme. Cela peut être, pour la mère, un désir de maternité d'objet partiel à elle-même, d'enfant à chérir pour elle-même, quel que soit son conjoint, maternité prévalant sur la féminité, ce dont certaines femmes sont fières ! De même, pour le père, cela peut être un objet partiel à sa convenance, un fils ou une fille comme but, raison de travailler, ou héritier, cela, quelle que soit sa conjointe.

Certainement, l'arrivée de l'enfant dans une famille — que ce soit la sienne, parce qu'il a été auparavant élevé en nourrice, ou que ce soit une famille qui l'adopte — risque de modifier les affinités du couple l'un pour l'autre, et risque de les faire se piéger dans une fixation hostile ou amoureuse à cette relation au « troisième » : cela, selon son sexe, son aspect, sa nature, sa santé, ses dons spontanés, et selon leur expérience, quand ils étaient jeunes, de la venue d'un petit frère ou d'une petite sœur, à laquelle cette arrivée d'enfant « tout fait », mais non pas eux, les réfère. N'étant pas parents géniteurs, plus encore que des parents géniteurs, ils répètent dans la relation à un petit inconsciemment ou consciemment quelque chose qui a déjà marqué leur vie, soit qu'ils identifient l'enfant à eux-mêmes par rapport à leur père ou à leur mère, soit qu'ils s'identifient à leur père ou à leur mère dans leur comportement éducatif par rapport à un petit qui est arrivé après eux dans leur famille.

Il y a aussi le fait qu'un enfant adopté peut remplacer un enfant mort ou des fausses couches d'enfants terriblement désirés, dont la mère, ou le père, ou les deux n'ont pas vraiment fait le deuil ; c'est-à-dire qu'ils n'ont pas donné sa mort à cet enfant aimé et qu'ils veulent le voir revivre pour retrouver leurs sentiments bloqués à la mort ou à la non-survivance d'un enfant aimé. Et cela, c'est ce dont héritent parfois des enfants adoptés, mais pas seulement : cela arrive aussi à des enfants qui naissent après le deuil d'un enfant mort, surtout s'il est du même sexe. Nous savons, nous, psychanalystes, combien c'est lourd à vivre.

On voit aussi des parents être pris soudain par un désir d'enfant — qu'ils conçoivent ou qu'ils adoptent — à la mort de leur mère ou de leur père, vis-à-vis duquel ils n'avaient pas atteint leur statut d'adulte. Cet enfant vient là en place de la relation à ce parent décédé, auquel ils refusent inconsciemment la mort, parce qu'ils ne peuvent pas renoncer à leur statut de relation parentale infantile. Vous voyez comme c'est complexe, mais en fait l'adoption n'est pas plus complexe que l'accueil d'une naissance pour certains enfants qui sont la consolation de leurs géniteurs, le remède à leur angoisse, à leur désœuvrement ou à leur solitude.

M.H. : *Si vos propos ne tendent pas à affirmer que tout est simple, facile, vous dites au fond que ces questions ne sont pas tellement différentes pour les parents adoptifs et pour les parents géniteurs.*

F.D. : Et c'est pour cela que je déplore la loi de l'adoption qui impose un certain temps — quelques mois — avant que l'on donne à adopter un enfant à des parents. Je déplore aussi la manipulation de leur désir d'enfant, que l'on fait trop longtemps au cours des entretiens avec des parents qui désirent adopter. Je connais des parents adoptifs qui, ayant suivi une série d'entretiens psychologiques, sont arrivés à un état d'indifférence par rapport à une adoption qu'ils avaient beaucoup désirée. Je ne comprends pas que ce soit alors le moment que choisisse l'institution pour leur faire adopter un enfant petit, dont ils n'ont plus envie, soit parce qu'ils l'ont trop longtemps attendu, soit parce qu'ils ont trop mesuré la responsabilité qu'ils engagent. Il y a à mon avis une loi de l'adoption qui devrait être faite et qui favoriserait l'adoption dès le premier jour de la vie d'un enfant dont on sait que la mère qui l'a accouché ne veut pas, même si elle en a imaginairement la velléité, le prendre en charge pleinement.

M.H. : *J'ai entendu dire que dans certaines maternités le personnel, quel qu'il soit, faisait tout, lorsqu'une accouchée avait déclaré son intention d'abandonner son enfant, pour créer un lien entre elle et le nouveau-né afin qu'elle rentre dans l'ordre et ne l'abandonne pas. J'ai eu l'impression que de telles manœuvres n'étaient peut-être pas très saines.*

F.D. : Il faut entendre les propos hostiles que tiennent certaines hospitalières lorsqu'une accouchée déclare avant et après la naissance (surtout quand le nouveau-né est beau) qu'elle ne veut pas le garder ! Quel courage il faut à cette femme pour tenir bon et maintenir une sage décision ! Comme il serait mieux qu'un couple soit là, heureux, qui l'en remercie ! À travers ces reproches et ces endoctrinements, qui visent à faire garder l'enfant par sa mère, à travers ces propositions d'aide matérielle au lieu de compréhension et de soutien à ce geste de don, ces hospitalières obtiennent en effet leur renoncement à « l'abandon » (ce mot est très péjoratif !) de l'enfant, elles l'ont obtenu dans un transfert de cette femme sur la femme qui l'a accouchée. La parturition est un moment particulièrement sensible, où la femme est suggestionnable et pas du tout dans la réalité, où toute sa structure se remanie. Or, la plupart du temps, la femme est seule, à peine capable de s'assumer elle-même, déjà mère d'enfants dont elle ne peut pas s'occuper bien qu'elle les ait reconnus ; on n'est pas devant un couple d'homme et de femme capables d'assumer réellement cette nouvelle responsabilité.

Si cette femme conserve ses droits et devient mère célibataire un temps, — quitte ensuite à se marier — c'est l'enfant d'un lien éphémère entre elle et la sage-femme, ou l'assistante sociale, qui a pris pour elle la place d'une grand-mère ou d'une mère moralisante ou d'un père moralisant, mais c'est une relation faussée. Je trouve que soutenir une femme à « donner » son enfant à un couple prêt à l'accueillir, tel est le travail qui devrait se faire et qui, alors, permettrait peut-être de promouvoir chez cette femme la continuation de son évolution et, en tout cas, permettrait que l'adoption, pour cet enfant, se passe dans les meilleures conditions. Car dès sa naissance, l'enfant a besoin d'entendre la voix mêlée d'un homme et d'une femme heureux de l'accueillir dans leur foyer et qu'on ne lui cache jamais que sa mère adoptive n'est pas la mère de naissance, que son père de naissance a été autre que ce père adoptif : c'est cela qui est la meilleure condition d'adoption, avec des risques, comme tous les risques qui existent les premiers jours de la vie chez un enfant qui naît de parents aimants, nouveau-né chétif ou vigoureux mais déjà irremplaçable pour eux.

Pourquoi faut-il qu'un enfant soit probablement sain physiquement pour être adopté ? Tous les parents prennent un risque, et les parents d'accueil doivent savoir qu'ils prennent un risque en adoptant un enfant comme s'il était né d'eux. C'est cela qui est très important, et ce ne sont pas les bonnes conditions psychologiques pour des parents adoptifs que de leur procurer un enfant avec un label garanti de potentialité de santé certaine. Ceci — je ne sais pas d'où c'est venu — est complètement aberrant par rapport à la maternité et à la paternité humaine d'adultes responsables désirant assumer un bébé, celui qui se présentera, pour en faire un homme ou une femme au mieux de ses (et de leurs) possibilités.

M.H. : *Il me semble effectivement que l'on parle de plus en plus de l'adoption des enfants handicapés, mais en ce qui concerne le couple adoptif, il me vient une question. Vous avez parlé de couples qui désiraient adopter un enfant et qui, après plusieurs entretiens, étaient arrivés à une certaine indifférence, mais une indifférence assez négative : ils n'en avaient plus envie ! Je me demande si la véritable question n'est pas en réalité de savoir quelle est la qualité des relations qui existent entre cet homme et cette femme et si ce n'est pas à partir de là que tout peut se créer ?*

F.D. : Vous avez tout à fait raison. Non seulement la qualité de la relation qu'ils ont l'un avec l'autre, mais la qualité de leurs liens familiaux, chacun à sa famille d'origine, et aussi de leurs liens sociaux. Il est également très important qu'ils donnent leur parole qu'ils viendront très vite, si des complications surgissent, pour en « parler » à des personnes psychanalysées qui pourront les aider à comprendre exactement, comme dans des couples formés avant la naissance d'un enfant, le piège dans lequel ils sont tombés du fait de leur joie un peu imaginaire à l'idée de devenir parents et de leur mutation en parents dans la réalité, face aux difficultés inhérentes à cette transformation de vie qu'amène tout enfant dans un foyer, et tel enfant particulier, toujours unique, imprévisible.

Il est important, en effet, de leur dire que ceci ou cela peut arriver dans leur couple comme cela arrive dans des couples constitués déjà avant la naissance d'un enfant désiré et impatiemment attendu.

M.H. : *Il semble donc que les problèmes soient assez proches, soit qu'il s'agisse de parents géniteurs ou de parents adoptifs. Reste cependant la question de savoir si la stérilité biologique a été vraiment assumée et si le couple adoptant a su en faire d'une certaine manière le deuil.*

F.D. : Vous voulez dire : un certain deuil de leur fécondité ? Mais vous savez qu'il n'est pas rare que des couples stériles, lorsqu'il n'y a pas d'obstacles physiologiques ni anatomiques comme l'absence d'ovaires ou une grave maladie des génitoires masculins ou féminins, il n'est pas rare que la présence d'un enfant au foyer déclenche la fécondité d'une femme ou celle d'un homme qui jusque-là semblait stérile sans remède. Cela n'est pas rare ! Et pourquoi pas ? Qu'est-ce que ça peut faire ? Pourquoi veut-on être sûr que ce couple a dépassé l'âge de la fécondité ou l'âge des conflits de jeunes couples pour qu'il adopte ? Pourquoi ne veut-on pas qu'un couple risque d'avoir un enfant adopté alors qu'il est encore jeune et qu'il aura peut-être d'autres enfants adoptés ou de filiation naturelle par la suite ? N'y a-t-il pas dans la loi de l'adoption un souci, je crois... pécuniaire, concernant l'héritage ? Je crois que c'est cela qui est à l'origine de cette loi beaucoup plus que le souci de l'éducation d'un homme et d'une femme dans un couple qui s'aime, qui désire adopter un enfant. Pourquoi faudrait-il si longtemps ? Parce que les législateurs ont pensé à ce petit coucou dans le nid qui prendrait l'argent qui devrait revenir aux « enfants de sang », comme on dit. Je crois que c'est tout à fait dépassé actuellement, et que cela correspond à une sociologie qui en France est rétro et périmée.

M.H. : *Ce rapprochement entre le plan de la génération et le plan financier me semble symbolique de beaucoup d'autres choses et fort intéressant...*

F.D. : Il y a, sur le plan affectif, des gens qui rationalisent l'exigence d'une stérilité presque certaine et déjà de longue date, en prétendant que si des parents ont des enfants à eux, après avoir eu un enfant adoptif, ils aimeront moins, tout d'un coup, cet enfant adoptif aîné. Ceci n'a aucun sens. Tout aîné se sent toujours moins aimé que le suivant : cela fait partie de la rivalité jalouse et structurante de l'aîné. Alors on ne peut jamais aimer semblablement des êtres différents. S'il a en effet des difficultés affectives, dans sa relation à l'enfant adopté né avant qu'il ait lui-même des enfants, les parents adoptifs pourront aussi recourir à des spécialistes, qui aideront à la fois cet aîné à assumer l'arrivée d'un enfant légitime dès sa naissance et lui faire comprendre cette chance qu'il a, lui, l'aîné, de se découvrir aimé différemment, peut-être moins à son idée, mais cela, alors qu'il est déjà élevé et que ceci va secourir son identité à lui-même. Du côté de l'aîné, la venue d'un puîné — la jalousie à son égard — est un événement structurant et positif, s'il est compris et non culpabilisé. Cela tout autant pour un enfant adopté que pour un enfant né de mêmes parents que le puîné. C'est un conflit entre identité et identification, entre amour et rivalité fraternelle. Cela se parle et se dépasse.

M.H. : *En vous entendant parler de l'adoption, du trajet de l'enfant adopté, des difficultés des parents adoptifs, on a l'impression que cette réalité, lorsqu'on s'y arrête, permet probablement de mieux comprendre ce qui se passe dans des familles... disons « naturelles ».*

F.D. : J'ai une expérience plus grande de la psychothérapie d'enfants nés de leurs parents et moins grande d'enfants adoptifs. Mais les conflits dans la famille sont absolument semblables pour les enfants adoptifs ou pour les enfants de sang, lorsqu'ils sont dans une même famille. Ce sont des conflits de rivalités et, parce qu'on sait que l'un des enfants est adopté, on dit que c'est à cause de l'adoption, mais ce n'est pas vrai. C'est seulement parce qu'on le sait. Mais les conflits de rivalité qui structurent la sensibilité humaine et qui peuvent toujours déboucher sur une assomption du sujet, quelle que soit la famille qui l'a élevé, adoptive ou de sang, ces conflits doivent être reconnus.

M.H. : *Vous avez tout à l'heure évoqué un problème assez curieux, celui d'une fécondité qui se réveille, si j'ose dire, à la venue d'un enfant adopté. Nous sommes évidemment dans une zone psychosomatique. Or, j'ai entendu un pédiatre qui voit un certain nombre d'enfants adoptés et qui avait été frappé par le fait qu'un père lui amenait son enfant adopté présentant une allergie, et lui disait : « Mon père avait ce type d'allergie, moi aussi... »; il s'était alors brusquement avisé que l'enfant était adopté... Ce n'étaient évidemment plus les « gènes » qui marchaient...*

F.D. : Nous ne savons pas ce qu'il en est dans l'hérédité des gènes constitutifs de l'individu et ce qui en est des signifiants qui circulent dans l'identification structurante inconsciemment et dans l'amour que des êtres ont les uns pour les autres. Interviennent le mode d'adaptation au monde, la santé, l'habitus, le caractère inconscient, et le langage inconscient efficient dans ses effets d'exemple, j'oserais dire d'éthique inconsciente.

Ceci pose d'ailleurs toute la question des organicistes dans l'allergie ou dans d'autres troubles. Mais j'ai vu des enfants adoptifs désirer prendre des « manies », comme on dit, de leur père, quand il s'agissait de garçons, et les comportements les plus subtils de leur mère, quand il s'agissait de filles : comme pour être plus leur enfant que des enfants de leur sang. S'agissant de filles, il m'est arrivé plusieurs fois d'observer la chose suivante : l'absence du dire premier, dont j'ai parlé tout à l'heure, concernant la mère de naissance, bonne gestante et bonne parturiente, avait fait que ces filles vivaient une identification dont, au fond, nous ne savons ni l'intensité ni les limites ; elles la vivaient vis-à-vis d'une mère qui avait été stérile et ne le disait pas, et qui avait fait de nombreuses fausses couches, avant d'être acceptée comme mère adoptive. Cette situation avait induit chez ces jeunes femmes une impossibilité à être mères fécondes, et celles qui savaient les nombreuses fausses couches qui avaient précédé leur prétendue naissance répétaient stérilité ou fausses couches spontanées, malgré une santé gynécologique parfaite au dire des spécialistes. Ce n'est que par une psychanalyse que la superbe fécondité dont elles avaient hérité au point de vue génétique avait pu dépasser cette identification répétante à une mère réellement stérile. Dans les cas que j'ai eus en cure, les jeunes femmes n'avaient été averties de leur adoption qu'à dix-huit ans ou à leur mariage. C'est comme l'allergie grand-paternelle de tout à l'heure.

M.H. : *Identification répétante, répétitive, avec tout ce que cela comporte d'obsessionnel ?*

F.D. : Ce n'est pas obsessionnel, en ce sens que rien dans le caractère n'en présentait les signes caractéristiques. Ce n'est pas conscient. Cela semble constitutionnel. Je me souviens d'une jeune femme qui avortait à trois mois ; une autre, après des fausses couches de plus en plus tardives, avait accouché d'un enfant mort-né. Celle qui avait plusieurs fois avorté à trois mois avait été elle-même adoptée à trois mois et nourrie jusque-là par sa mère de naissance, multipare. Mais elle ne l'a su qu'au cours de sa psychanalyse, par ses parents adoptifs. L'autre avait été gestée avec amour, mais sa mère, non mariée et sans ressources, avait décidé de l'abandonner ; le père, la voyant naître fille alors qu'il voulait un garçon, avait disparu à sa naissance en abandonnant son amie. Ses parents adoptifs connaissaient ces circonstances, mais ne les lui ont révélées qu'à sa demande, lors de sa psychanalyse. Vous voyez ce que peut peser un non-dit. Pas seulement dans des cas d'adoption !

Dialogue avec les mères à Fleury-Mérogis[1]

Nervure, mars 1989.

FRANÇOISE DOLTO : Je suis venue pour parler avec vous et je ne sais pas très bien quoi vous dire parce que je voudrais vous parler de choses qui vous intéressent, et pour cela il va falloir que vous me questionniez et que je réponde. Sinon, s'il fallait vous faire un discours, je ne sais pas du tout ce que je pourrais vous dire. Je peux simplement vous dire que j'ai déjà visité les lieux. C'est la première fois que je visitais ce qu'on appelle une prison. Je ne me représentais pas du tout les choses comme cela à Fleury-Mérogis. Je dois dire que le côté des mamans — celles qui ont leur bébé avec elles — est une bonne installation, bien que ce soit petit forcément. Je trouve que la façon dont c'est organisé est très bien, au mieux pour la relation enfant-mère et pour la socialisation de ces petits, dans un milieu où ils sont séparés du reste de leur famille pendant longtemps. Je crois que les enfants qui sont élevés comme cela, avec leur maman, auront une intimité presque meilleure que beaucoup d'enfants qui vivent chez eux. Ici la maman a vraiment du temps à consacrer à son enfant et elle n'est pas toute seule non plus dans les moments difficiles puisqu'il y a du personnel qui l'aide. Dans une famille, quand une maman a de bonnes relations avec son bébé mais pas d'aide pour parler de ce qui ne va pas, pas d'autre personne qui soit au courant, qui puisse l'aider et qui puisse aider l'enfant, pour tout cela, ici, c'est très bien. Et puis j'ai vu ce qui sera le nouveau quartier, l'endroit qui se prépare pour les petits, il est encore mieux. Voilà. Maintenant je suis à votre disposition pour répondre à ce que, vous, vous voulez.

ODILE DORMOY : *Je ne présente pas Madame Françoise Dolto que vous connaissez toutes et qui a eu la très grande gentillesse, malgré un emploi du temps chargé, d'accepter notre invitation et de venir parler avec nous. Son intervention s'inscrit dans le travail qu'effectue le S.M.P.R., depuis trois ans, au quartier des nourrices de la maison d'arrêt des femmes.*

Comme l'annonce de la présence de Madame Françoise Dolto avait suscité beaucoup d'intérêt et de demandes, nous avons élargi le groupe habituel à d'autres détenues et aux membres du personnel désireux de participer à cette séance.

Vous venez tous de voir la rediffusion de l'interview de Madame Dolto par Bernard Pivot.

F.D. : Ah oui ! Osez, c'est la première qui va avoir le courage de parler qui aidera toutes les autres.

UNE FEMME : *Je crois que je vais oser. Vous avez dit que les mamans étaient sans doute parfois mieux qu'à l'extérieur parce qu'elles étaient beaucoup plus disponibles.*

F.D. : Par rapport à leur bébé, oui.

LA MÊME FEMME : *Effectivement, dans une unité de lieu, elles sont plus disponibles.*

F.D. : C'est mieux que si elles étaient séparées de leur bébé, et c'est mieux pour le bébé d'être à côté de sa mère.

LA MÊME FEMME : *C'est peut-être bien, mais de là à dire que c'est mieux qu'à l'extérieur, je ne pense pas.*

F.D. : Vous croyez ?

LA MÊME FEMME : *Est-ce que vous ne pensez pas d'ailleurs que le bébé ressent l'univers carcéral ?*

F.D. : Mais si, sûrement. Il faut d'ailleurs le lui expliquer. Il faut toujours tout dire à un bébé pour qu'il puisse s'humaniser. Vous savez, tout ce qui est dit devient humanisé. Ce qui n'est pas dit, même si ce n'est pas pénible, du fait qu'on ne l'a pas dit, cela veut dire que c'est mal. Tout ce qu'on ne parle pas à un enfant, cela veut dire qu'il faut le cacher, que ce n'est pas bien. Donc il faut, au contraire, lui expliquer les conditions particulières qui sont les vôtres et les siennes.

UNE FEMME : *Mais je parle des bébés, des tout petits bébés.*

UNE AUTRE FEMME : *Justement, comment fait-on pour communiquer avec un bébé qui ne sait ni dessiner, ni écrire, ni...*

F.D. : Il faut lui parler. Il comprend le langage comme vous et moi. Vous serez étonnée quand vous ferez ça, quand vous essayerez la première fois en disant, on m'a dit cela, mais c'est dingue, vous essayerez et vous verrez que votre enfant vous a compris et vous répond, c'est étonnant, et cela dès sa naissance.

À dix-huit mois, non, en effet. Si on ne leur a pas parlé jusque-là, à dix-huit mois ils ne comprennent pas qu'on leur parle vrai et il faut leur parler à la manière enfant. Mais si vous parlez à un bébé votre langue comme à un égal, à ce moment-là vous avez un égal avec vous. L'intelligence d'un enfant est extraordinaire. Je ne parle pas de la partie logique qui va se développer en grandissant, mais de l'intelligence de la relation humaine, il l'a totalement dès la naissance.

UNE FEMME : *Mais comment comprendre ce que veut dire un enfant ?*

F.D. : Oui, c'est plus difficile, c'est l'intuition maternelle. Il y a beaucoup de mères qui comprendraient si on leur disait : « Faites attention, écoutez, vous allez avoir la réponse de **votre** enfant. »

UNE FEMME : *Mais si cette mère ne lui parle pas dès la naissance.*

F.D. : Oui, vous savez il y a des mères qui parlent à leur enfant dans le silence, il y a une sorte de communication avec lui.

UNE FEMME : *Mais il ne risque pas d'avoir des problèmes par la suite ?*

F.D. : Il y en a d'autres qui font des discours, mais ils sont vides.

UNE FEMME : *Par exemple, quand un enfant naît en prison, si la mère ne lui parle pas à la naissance, ne lui explique pas, est-ce qu'il ne risque pas d'avoir des problèmes par la suite ?*

F.D. : Peut-être si on ne lui parle pas en effet, mais enfin il y a tout le personnel autour qui lui parle.

UNE FEMME : *Et la séparation ?*

F.D. : Il faut dire qu'elle arrive, aussi, un jour, chez les enfants qui vivent avec leurs parents. Je ne sais pas si elle se passe vers dix-sept ou dix-huit mois, mais elle est préparée. Si elle est préparée, ce n'est pas la même chose que si elle est de but en blanc, sans revenir à la mère du tout.

UNE FEMME : *Vous pensez qu'une mère qui est incarcérée peut bien préparer son enfant ?*

F.D. : Pas la mère toute seule, mais la mère aidée par des personnes que l'enfant connaît.

UNE FEMME : *Mais ce qui compte énormément, c'est ce qui se passe entre son enfant et elle.*

F.D. : La préparation à la vie en société, c'est toujours fait parce qu'on est trois au moins. Il faut une situation triangulaire. C'est la situation procréatrice et c'est la situation formatrice chez l'être humain pendant toute son enfance. Ce n'est jamais la situation à deux.

UNE FEMME : *À partir du moment où la mère va mal vivre cette séparation, l'enfant va le ressentir.*

F.D. : Il va le ressentir et on le lui dira. Quand une mère met son enfant à la crèche et qu'elle souffre de le mettre à la crèche, son bébé en souffre aussi. Il faut préparer la mère et l'enfant pendant les semaines qui précèdent la séparation en leur disant : « Vous allez souffrir tous les deux d'être séparés. Toi, tu vas aller en crèche, ta mère va retourner à son travail, elle est obligée pour telle ou telle raison. » Elle est obligée soit par besoin d'argent, soit pour ne pas se déprimer car il y a des mères qui se dépriment au contact de leur bébé, qui ont besoin de voir des adultes. Elles pourraient, à la rigueur, se passer de l'argent qu'elles vont gagner puisqu'il faut qu'elles le dépensent pour faire garder leur enfant par ailleurs, mais, pour leur équilibre mental, elles ne peuvent pas. Il faut l'expliquer à l'enfant et ça marche. Il en souffre tout de même, mais c'est humanisé parce que c'est parlé. Un enfant a besoin de paroles sur ce qu'il vit et il a besoin d'être prévenu par des paroles sur ce qu'il va avoir à vivre.

C'est comme cela que les paroles prendront leur sens quand arrivera la chose qu'on lui a dite, il comprendra que les paroles représentaient en effet l'expérience qu'il a. C'est comme une maman qui dit : « Je te fais chauffer le biberon. » L'enfant ne sait pas ce que c'est que « chauffer », il ne sait pas ce que c'est que « biberon », il n'empêche qu'au bout de cinq ou six fois où il aura entendu : « Je te fais chauffer le biberon », toujours les mêmes mots qui sont du zoulou, « Je te fais chauffer le biberon », et c'est par un biberon que ces mots sont suivis. Alors, peu à peu, il apprend : « chauffer », « tu vois ton biberon n'est pas chaud, tu vois il est froid », il découvre ce que c'est que ces mots qu'il a entendus bien longtemps avant, et c'est la même chose pour tout. Nous devons parler des choses qu'un être humain va avoir à vivre avant qu'il sache, pour que, quand il vivra corporellement, expérimentalement ce qu'il aura à vivre, il ait des paroles qui humanisent son expérience insoluble, ou douloureuse, ou pénible, ou même joyeuse. S'il n'y a pas de mots sur le joyeux, c'est une joie animale.

Tout ce qui est humain est parlé, exprimé, civilisé. Le temps n'a de sens que s'il est rythmé, s'il est modulé musicalement, sans cela le temps passe dans l'ennui. Le temps qui n'est pas ennuyeux, c'est le temps civilisé, c'est-à-dire le temps langagier, langagé, mis dans le langage de la musique, alors celui-là n'est pas ennuyeux.

UNE FEMME : *Vous, vous pensez qu'il est mieux qu'une mère ait son enfant jusqu'à deux ans même s'il lui est retiré plus tard.*

F.D. : Absolument.

UNE FEMME : *C'est mieux que d'être chez les grands-parents ?*

F.D. : Absolument. Je pense qu'il est bon que l'enfant voie aussi ses grands-parents, qu'il ne soit pas condamné à ne voir que sa mère, qu'il voie d'autres personnes et sa mère aussi bien sûr. Je crois que ce qui est très mauvais, c'est la situation d'un enfant, même dans une ferme en liberté — je ne parle pas d'ici — où une mère vit seule avec un ou deux enfants, c'est très mauvais pour les enfants. Ce qui est bon, c'est qu'une femme soit en rapport avec des adultes, et que les enfants voient la mère avec d'autres adultes, et que la mère les laisse être avec d'autres enfants. Les conditions sont bonnes pour les bébés ici. Il y a déjà l'avantage qu'ils sont plusieurs petits, ils ne sont pas tout seuls comme dans une chambre de maison ou une chambre d'hôtel.

UNE FEMME : *Non, je m'excuse. Pendant la journée ça va, mais le soir il faudrait que les portes des cellules soient ouvertes. À la Maison d'arrêt des femmes, la nuit, chaque mère est enfermée dans sa cellule avec son bébé.*

F.D. : La nuit c'est difficile, je suis tout à fait de votre avis. Mais vous savez qu'il y a beaucoup d'enfants qui vivent dans une chambre, seuls avec leur mère. Elles ne peuvent même pas les laisser crier à cause des voisins, c'est la même chose.

LA MÊME FEMME : *Ce n'est pas la même chose. Le problème qu'il y a pour les mamans ici c'est que dans la journée ça va, mais le soir il n'y a plus de bruit. Il y a beaucoup de bruit dans la journée, et tout à coup plus rien, c'est très dur pour un enfant. De temps en temps, le matin, on sent qu'il a été touché par cela.*

F.D. : Mais du bruit, il en fait lui-même, il pleure.

UNE ÉDUCATRICE : *Je crois qu'il y a tout de même les bruits de la mère ; elle va manger, elle va faire sa vaisselle, le bruit de la télévision.*

F.D. : Le souffle de la mère est toujours pressenti par l'enfant, celui de la mère ou de la personne qui dort près de lui. Toujours, cela rythme, cela humanise le temps.

UNE FEMME : *Je crois que c'est très dur, même dehors, si un enfant est seul avec la mère. C'est très dur. Moi, ma fille est morte de la mort subite du nourrisson.*

Sincèrement, je ne pense pas qu'elle soit morte de cela. Je crois qu'elle est morte de peine ou quelque chose comme ça, parce que je pense que c'est difficile à une mère seule d'élever un enfant. Elle est morte jeune, à un mois. On m'a dit que c'était la mort subite du nourrisson, mais moi, quelque part, je sais profondément que ce n'est pas ça.

F.D. : Et où est-ce que c'était ?

LA MÊME FEMME : *Dans une petite chambre de bonne au sixième étage.*

F.D. : Et vous étiez présente ?

LA MÊME FEMME : *Oui j'étais présente.*

F.D. : On ne sait pas ce que c'est, il y en a de plus en plus et dans tous les pays, quel que soit le type de gouvernement politique. Il y a de plus en plus de morts subites des nourrissons et de plus en plus d'enfants schizophrènes, d'enfants dyslexiques. Cela ne semble pas avoir affaire avec le niveau socioculturel, cela se passe aussi bien chez les gens aisés que chez les gens qui ont très peu de moyens. On ne sait pas ce que c'est et c'est une statistique qui augmente beaucoup.

UNE FEMME : *Oui, mais on ne peut pas savoir à partir du moment où on n'a pas vécu cela avec les gens. On n'a pas fait de statistiques par rapport aux gens, aux mères.*

F.D. : Si, il y a des pays où on essaie de le faire.

UNE FEMME : *Ça se passe aussi bien dans les familles aisées ?*

F.D. : Oui, tout à fait, pour beaucoup d'enfants de familles aisées et d'enfants qui ont des personnes mercenaires qui ne les quittent pas.

LA MÊME FEMME : *Parce que moi, je me sens très culpabilisée.*

F.D. : Oui, tous les parents se sentent culpabilisés, tellement nous croyons que c'est nous qui faisons tout pour un enfant. Nous lui avons donné l'opportunité de vivre, mais nous croyons que c'est nous qui l'avons « fait », alors que ce n'est pas vrai. L'être humain a voulu vivre et puis, de toute façon, la vie s'arrête un jour, personne ne sait pourquoi quelqu'un arrête de vivre. Vous savez c'est très curieux, tous les médecins vous le diront, quand on fait l'examen par autopsie des gens qui sont morts d'accident, dans la rue, par exemple, on se dit : « Comment se fait-il qu'il vivait ? » Voilà quelqu'un dont on ne savait pas qu'il avait vraiment de quoi mourir depuis cinq ans, et il est mort d'un accident qu'il n'a pas provoqué et dont il a été la victime. C'est extraordinaire qu'il y ait des gens qui vivent, qui semblent n'avoir plus rien, plus de quoi vivre, ils vivaient très bien, ils ne savaient même pas qu'ils étaient malades, et puis il y en a d'autres, ils ont l'air sains, et on ne sait pas pourquoi ils meurent. C'est très mystérieux, de quoi vivre et de quoi ne plus vivre, on ne sait pas, la culpabilité de cette mort vient. D'abord nous confondons culpabilité et responsabilité.

UNE FEMME : *Oui, c'est ça.*

F.D. : Tout le temps, et en plus nous croyons que nous sommes totalement les responsables de tout de la vie de notre enfant. Nous ne lui donnons pas à lui la responsabilité de sa propre vie et il faut le faire quand vous parlez à un bébé, il faut lui dire : « Tu n'as pas choisi quelque chose de facile mais tu m'aides. Je te remercie d'être là, parce que tu m'aides. »

Voilà une phrase à dire à un nourrisson, quelle que soit la situation, la vôtre en particulier. Une mère qui a beaucoup de difficultés, quand elle dit cela à son bébé ou quand une autre personne leur dit, ça les aide tous les deux parce que c'est vrai qu'un enfant aide sa mère ; particulièrement dans les nuits difficiles des femmes, les bébés qui les obligent à s'occuper d'eux, c'est très souvent pour venir au secours de la mère qu'ils font cela, c'est mal venu parce que ça les fatigue en plus alors qu'elles voudraient se reposer. Il faut l'expliquer à l'enfant, ça ne va pas de soi pour lui. Pour lui, le fait de désirer prendre sa mère dans ses bras — l'enfant ne sait pas qu'il est petit et que la maman est grande — c'est qu'il se sent à l'égal de la mère. S'il la sent dépressive, il a envie de la consoler. S'il parlait, il dirait : « Ma petite maman, viens que je te prenne dans mes bras pour te consoler. » Manque de pot, c'est elle qui le prend dans ses bras et ça la fatigue, et quand vous expliquez au bébé en touchant son corps et en lui montrant les bras de sa mère : « Tu vois le bras de ta maman, il est grand, toi ton bras il est petit, toi tu es petit dans ton corps même si tu es grand dans ton cœur pour aider ta maman. Ça la fatigue ta mère. Puisque tu aimes ta mère, ce soir après le dîner, eh bien tu t'endormiras tout de suite pour qu'elle puisse dormir. »

Nous faisons un travail dont vous avez entendu parler dans la Maison Verte[2], un lieu où les enfants viennent pour voir d'autres enfants et les mères, pour se reposer tout simplement. La maman nous dit : « Vous lui avez parlé, je ne me rappelle plus ce que vous avez dit, mais le soir, ouf, à la dernière bouchée, il s'est endormi. Depuis quatre mois, enfin, c'est la première nuit où j'ai pu dormir. » L'enfant avait compris que ce qu'il désirait c'était aider sa mère, qu'il s'y prenait de telle manière qu'elle n'en pouvait plus, que ça ne pouvait plus durer comme ça, et on le lui a expliqué.

L'idée qu'un enfant se fait de son corps n'est pas du tout celle que nous croyons. La preuve c'est que, lorsqu'un enfant se voit pour la première fois dans la glace, ce n'est pas du tout lui qu'il voit. Il est ravi et, s'il parle de lui en s'appelant « Toto », il ne dit pas du tout : « Oh Toto », il dit : « Bébé », comme il dit : « Les autres. » Quand il s'approche de la glace et qu'il tombe sur bébé qui n'est pas bébé, qui est du froid, c'est vraiment un choc pour lui, et il faut lui expliquer que c'est l'image que Toto donne à voir qui a l'air d'être bébé, et il est stupéfié.

Est-ce que cela vous arrive de voir des films de famille ? J'en ai l'expérience avec les miens. L'enfant qui regarde avec ses parents un film de famille, à deux ans et demi, trois ans ou dix-huit mois — je ne sais pas jusqu'à quel âge

—, cet enfant s'amuse, et j'ai pu le constater avec un enfant de trois ans et demi qui disait : « Tiens, regarde moi qui arrose le jardin et le petit frère qui joue à la balle avec grand-père. » On lui dit : « Mais non, c'est ton oncle qui arrose le jardin et toi qui joues à la balle avec ton grand-père. » Furieux, il se croyait jeune homme et il ne se voyait pas du tout enfant. Alors, cet enfant qui était mon fils aîné, que vous connaissez bien puisque c'est Carlos, il a mis sa tête en torticolis pour ne pas regarder l'écran, et il est parti claquer sa porte, rentrer dans sa chambre. Chaque fois qu'on regardait un film de famille, il disparaissait, il ne voulait pas le voir. Nous avons fait cela, jusqu'à un jour, en rentrant de vacances, vers l'âge de six ans, il est venu et il m'a dit — je ne savais même pas qu'il se souvenait de l'incident, trois ans auparavant : « Tu te rappelles, maman, quand j'étais petit, je ne voulais pas croire que j'étais moi. » Un enfant ne croit pas qu'il est lui, il se croit un adulte.

Un enfant se croit la personne avec qui il a une relation ou la personne qui, pour lui, est honorable. C'est d'ailleurs pour cela qu'il joue à se déguiser, il joue à « je serais... » : « Je serais Blanche-Neige, je serais la princesse, je serais le gangster », etc. C'est dans les conditionnels, mais ça c'est plus tard qu'ils peuvent le dire, vers huit ou neuf ans. Avant, ils jouent à un paraître autre. Quand ils sont petits, ils sont ce qu'ils souhaitent être. Je vous dis cela parce que le petit qui est avec sa maman, il y a intérêt à le séparer un peu pour qu'ils ne soient pas constamment au contact l'un de l'autre.

L'enfant, qui voit sa mère et qui est vu tout le temps par elle, vit une sorte de fusion. Ils ne sont même plus deux personnes séparées et cela rend difficile, après, leur autonomie. De temps en temps, quand l'enfant s'en va se promener, il faut que la maman reste pour que, peu à peu, l'enfant comprenne qu'il a une identité, représentée par son prénom — le vrai —, et qui reste la même, qu'il soit avec la mère ou avec une autre personne, une identité ressentie autrement mais qui est toujours reconnue par les autres. Lui et sa mère sont deux personnes : il y en a une qui s'appelle Toto, l'autre, la Maman de Toto, et cela ne va pas de soi au début. L'être humain est ainsi fait qu'il se sent le prolongement de l'être qu'il aime, ou bien l'être qu'il aime est son prolongement. Et s'il est à distance, il se croit l'être qu'il aime ; il n'est pas à sa place, il est à la place de l'autre. C'est très compliqué d'arriver à la notion de sa propre responsabilité qui s'arrête aux limites de son corps, limité par sa propre peau et qui est sous la maîtrise de notre volonté.

UNE FEMME : *Et l'enfant qui est seul avec sa mère, y a-t-il des risques de perturbation dans son avenir ?*

F.D. : Perturbation, quelle perturbation ? Il n'a pas les mêmes expériences qu'un enfant qui n'est pas seul avec sa mère, mais ça ne veut pas dire qu'il sera perturbé pour cela. Pourquoi serait-il perturbé ? Il est peut-être trop fusionnel à sa mère, oui ; c'est pour ça que le rôle d'une personne latérale qui le prend, qui le ramène, va et vient... c'est une situation triangulaire qui est saine ; mais de la situation trop duelle avec la mère, la perturbation peut venir, comme elle peut aussi être surmontée d'une façon culturelle. Ce peut être un enfant qui devient très méditatif, très penseur, très intellectuel, un enfant perturbé de façon négative, je ne peux pas vous le certifier, un enfant différent certainement.

Il est certain que la première éducation joue énormément sur l'avenir, mais pas toujours en mal, ça dépend comment c'est repris ensuite. Un être humain peut rendre positives beaucoup de situations qui, pour un autre, sont négatives. Tout dépend de la façon dont on lui parle. C'est pour ça qu'il faut parler vrai aux enfants. Ce qui éduque un enfant, c'est surtout la façon dont on lui parle et l'exemple que nous lui donnons, dans notre façon d'être avec lui, avec nous-même, avec les autres.

ODILE DORMOY : *Oui, il faut bien savoir que ce ne sont pas les situations en elles-mêmes qui perturbent les enfants, mais la façon dont elles sont vécues et parlées.*

F.D. : Oui, c'est la façon langagière dont la situation est parlée, dont les autres projettent sur l'enfant en lui disant des choses dévitalisantes ou, au contraire, en soutenant sa force.

UNE FEMME : *Mais l'enfant peut très bien sentir ici l'angoisse de la mère, même si elle lui dit des mots tendres.*

F.D. : Et c'est pour cela qu'il faut lui dire : « Ta mère est triste, elle a beau te chanter des chansons, dans son cœur elle est triste et tu le sais très bien. »

UNE FEMME : *Cela ne risque pas de le perturber ?*

F.D. : Au contraire, cela risque moins que de ne pas le lui dire alors qu'il perçoit tout.

UNE FEMME : *Si, par exemple, une mère veut faire sortir son enfant d'ici, qu'elle repousse sans arrêt l'échéance à cause du déchirement et qu'elle attend les dernières minutes, c'est-à-dire vers dix-huit mois. Est-ce qu'il ne va pas avoir un très gros problème dans la rencontre avec d'autres personnes à l'extérieur ?*

F.D. : Vous savez, la vie humaine est toute faite de problèmes.

UNE FEMME : *Oui, sûrement.*

F.D. : Ce que l'enfant manifestera, il sera bon que ça le lui soit dit, qu'il « marque le coup » de quelque chose qui lui est pénible, c'est mieux que de ne rien dire. Crier, c'est mieux que se taire quand on souffre physiquement ou moralement.

UNE FEMME : *Et qu'est-ce qu'on fait alors ?*

F.D. : On l'aime, et les personnes qui le connaissent l'aident à passer le cap, ça s'est toujours fait comme ça. Mais on n'avait pas toujours compris la nécessité de dire à l'enfant. On avait compris la nécessité de pallier, de compenser : « Ah, pauvre petit, il n'a pas sa maman. » Alors une autre femme s'en occupe très gentiment, pourquoi pas, c'est bien, mais c'est encore mieux qu'on lui dise : « Je m'occupe de toi à la place de ta maman qui pense à toi et qui ne peut pas le faire. »

UNE FEMME : *Il se passe quelques problèmes aussi pour les mamans incarcérées qui ont des parloirs avec des jeunes enfants. On assiste souvent à des scènes vraiment déchirantes et très difficiles à vivre de chaque côté.*

F.D. : Oui, mais il vaut mieux cela que rien. Moi, juste-ment, je soigne des enfants dont les mères sont incarcérées et qui sont dans des pouponnières à cause de cela. J'ai remarqué que lorsque les enfants sont perturbés — c'est pour cela qu'on les amène aux « psy » — c'est parce qu'on leur a dit : « Maman est à l'hôpital. Papa est parti pour son travail. » Dans ce cas, on ne trompe que le mental et on inhibe l'enfant. On empêche de se développer tous les processus d'intelligence mentale de cet enfant puisqu'il n'a pas le droit de savoir ce qu'il sait. Eh bien, quand on sait cela, on leur parle, on leur raconte ce qu'on ne leur a jamais dit, même aux plus grands, à six ou sept ans. Il faut leur dire la vérité.

UNE FEMME : *Par exemple, moi j'ai une petite fille de deux ans, si je lui dis : « Je suis en prison ou à l'hôpital », pour elle ça ne fera aucune différence.*

F.D. : Pas du tout, ça fait une grande différence car à l'hôpital vous êtes malade, en prison vous êtes bien por-tante. C'est une autre image. Le fait que vous n'êtes pas avec elle, c'est cela dont vous souffrez toutes les deux, mais pour elle, en prison votre vie n'est pas en danger comme à l'hôpital. Ce dont elle souffre, c'est de ne pas vous voir.

UNE FEMME : *Mais l'image que l'enfant a de la prison par rapport au cinéma, à ce que les gens en pensent, elle est très...*

F.D. : Je vous assure, les enfants se rétablissent quand ils savent leur mère ou leur père en prison, quand ils savent pourquoi ils y sont tombés sous le coup de la loi, parce qu'ils ne la connaissaient pas ou qu'ils essayaient de passer à travers et ça n'a pas marché. Mais ils n'ont pas démérité pour ça en tant que parents. Et d'ailleurs c'est assez facile de dire : « Depuis qu'elle était petite, ta maman (ou : depuis qu'il était jeune, ton papa) aurait dû savoir, par son papa, qu'il fallait qu'il se méfie et qu'il fasse attention car il avait des goûts au-dessus de ses moyens et il faut arriver à ne pas dépenser plus que ce qu'on peut gagner. » Tout ce qu'on peut raconter à des gens qui veulent arrondir leur budget au détriment de l'argent des autres, par exemple, l'enfant le comprend très bien.

Je me souviens d'une famille. Le père, un très bon père, quatre enfants, était employé dans une affaire de plomberie dont il était l'homme de confiance. C'est la mère qui m'a raconté cela. Un beau jour, je ne sais pas comment, on s'est aperçu qu'il avait détourné, en dix ans, plusieurs tonnes de plomb. Quand on refaisait la plomberie d'une maison, au lieu de vendre les matériaux à la casse au profit de son patron, il les mettait de côté. La police cherchait où tout cela disparaissait. Elle est venue chez lui et on a tout retrouvé dans son garage, sous les yeux de ses enfants. Le père n'a pas pu dire autrement. Il y avait dix ans qu'il faisait vivre sa famille en arrondissant ses fins de mois avec ce vol constant et quotidien.

En prison, cet homme souffrait énormément d'être séparé de ses enfants, et c'est pour cela que l'enfant avait été amené à l'hôpital, ça ne marchait plus du tout à l'école et il devenait caractériel. Quand j'ai appris l'histoire, j'ai dit à la mère : « Il faut que vous disiez la vérité à vos enfants, et est-ce que votre mari veut bien qu'on dise la vérité à son fils aîné ? » Il s'agissait du fils aîné, c'est lui qui était dérangé, les autres tenaient le coup encore, ils étaient plus jeunes. C'est le fils aîné qui était présent quand les gendarmes étaient venus, il était présent à ce moment-là et il avait vu son père mis devant le fait accompli, ne pas pouvoir nier, emmené par les gendarmes. Et malgré tout, malgré ces images que le garçon avait enregistrées, la mère avait dit : « Non, non, non, il est tombé malade et les gendarmes le conduisent à l'hôpital, voilà. »

À partir du moment où l'histoire a été dite par la mère, d'abord l'enfant n'a plus eu de cauchemars du tout. Il allait voir son père, tous les huit jours, et c'était étonnant. J'avais écrit au père : « Vous savez, il est en traitement. Tâchez de lui parler clairement. » Puis cela a été un rétablissement total.

UNE FEMME : *Quel âge avait-il ?*

F.D. : Il avait huit ans.

Les enfants ont des trésors d'indulgence pour les imbécillités de leurs parents qui les ont fait tomber sous le coup de la loi. Ce n'est pas cela qu'ils cherchaient, bien sûr, leurs moyens étaient insuffisants et ils cherchaient à vivre mieux.

UNE FEMME : *Ça dépend comment on explique la chose aux enfants.*

F.D. : Oui, voilà, c'est ce que je vous dis. Ça dépend de la façon dont c'est parlé, parlé toujours avec le respect. Toute personne a le droit au respect, personne ne peut être identifié à son agir.

Par exemple, un enfant qui vole, ce n'est pas un voleur, ses mains ont volé, cela ne veut pas dire qu'il est un voleur d'intention, toujours, et tout le monde est comme cela. Les gens qui ont commis un acte qui tombe sous le coup de la loi, ils le dénieraient volontiers. Ils voudraient ne pas l'avoir fait, ce qui prouve que le sujet n'est pas toujours en accord avec ce que nous appelons le « moi », c'est-à-dire le corps qui exécute. C'est ça, les enfants aiment dans leurs parents l'être profond avec qui ils sont en colloque intime, qui n'est pas celui qui agit devant la société. Bien sûr, ils sont plus fiers d'un père qui est bien vu dans la société que d'un père qui serait mal vu. Mais à partir du moment où l'amour peut dépasser la faiblesse qui est arrivée dans la vie de quelqu'un, c'est fantastique comme le lien est renforcé entre un enfant et ses parents, un lien de vérité. Je vous étonne, mais je vous parle d'expérience.

UNE ÉDUCATRICE : *C'est très bien que des enfants viennent voir leur mère en prison, mais je vois des problèmes à l'école.*

F.D. : Je maintiens qu'il faut parler vrai à l'enfant et éventuellement lui proposer une version pour ses camarades d'école. À propos de cette « version » : Ce n'est pas du mensonge. Le mensonge, c'est quand on veut tromper. Dans ce cas, il s'agit de sauver quelqu'un.

UNE FEMME : *Il faut voir les cas particuliers. Il y a peut-être des enfants qui ont une sensibilité telle que leur dire que leur mère est en prison peut créer un traumatisme beaucoup plus grave que de leur raconter qu'elle est partie en voyage et qu'elle va revenir.*

F.D. : Vous parlez, vous, des « traumatismes conscients », ça veut dire de la peine que l'enfant éprouve. Ce n'est pas ça qui traumatise pour l'avenir. Pour l'avenir, ce qui est traumatisant, c'est ce qui n'est pas dit, ce à quoi l'enfant ne peut pas réagir puisqu'il ne le sait pas, ça le mine, et si cela n'apparaît pas sous la forme d'une maladie somatique, une maladie physique, cela apparaîtra à la génération suivante.

UNE FEMME : *Mais on ne peut pas savoir à l'avance comment l'enfant va réagir.*

F.D. : C'est pourquoi il faut toujours dire la vérité parce que ce qui est important ce n'est pas comment il va réagir, c'est comment il est « structuré », et le « structuré » ce n'est pas la réaction. Un enfant peut réagir en faisant une scène épouvantable, qui ne lui laisse pas de traces. Un autre enfant peut ne rien dire, ne pas dire un mot et, deux ans plus tard il développera un cancer ou une maladie grave qui est en rapport avec ça parce qu'il n'aura pas pu exprimer son ressenti et que personne ne l'aura aidé à dire ce qu'il sentait et pensait.

UNE FEMME : *Quand on se décide à dire la vérité à notre enfant, comment sait-on ce que ça va donner au bout du compte ? Ce n'est pas ma conscience qui va me dire si, dans deux ans, il va faire un cancer pendant que je serai en prison.*

UNE AUTRE FEMME : *C'est pas ça, la vérité est bonne à dire pour tout.*

UNE AUTRE : *Elle n'est pas toujours bonne à dire, la vérité.*

F.D. : Elle est bonne à dire quand l'enfant la vit. L'enfant la vit, il sait. L'enfant a des antennes pour ce qui concerne ses parents. Il est en communication émotionnelle avec eux. C'est « animal » si on ne met pas les mots justes sur ce qui est vécu par les parents. L'enfant est entièrement en télépathie avec ses parents, il sait ce qui se passe pour ses parents.

UNE FEMME : *C'est difficile de les amener ici au parloir, il faut voir comment il est conçu, c'est très frustrant, pour la mère d'une part...*

F.D. : Il est certain que la mère peut préférer que l'enfant ne vienne pas, il vaut mieux qu'il ne vienne pas mais cela doit lui être dit : par exemple, la maman peut lui écrire un petit mot.

UNE FEMME : *Mais s'ils savent que c'est possible de venir et qu'on refuse cette visite.*

F.D. : Dites : « Ta mère refuse de te voir parce que cela lui fait trop de mal, elle t'aime mais elle refuse parce que ça lui fait mal. » — « Ah, c'est dommage, parce que moi j'aimerais mieux la voir même comme ça plutôt que pas du tout » : c'est cela qu'il pense.

UNE FEMME : *Qu'est-ce qu'il faut faire dans ces cas-là ?*

F.D. : Ce qu'on peut.

UNE FEMME : *Et quand un enfant ne parle pas ?*

F.D. : Justement, ce sont ces enfants-là qui sont traumatisés.

UNE FEMME : *J'ai eu trois parloirs avec ma fille. Les deux premiers ont été vraiment très déchirants, il a fallu qu'on la décroche de moi.*

F.D. : Mais vous lui avez dit que vous la reverriez.

LA MÊME FEMME : *Oui, oui, et puis mercredi elle est venue, et cette fois elle m'a carrément fait la tête. Alors comment je dois réagir ?*

F.D. : Il faut lui dire : « Oui, tu me fais la tête, je sais parce que tu voudrais que je sois tout le temps avec toi et que je te prenne tout le temps. » Il faut lui dire que sa conduite est justifiée.

Vous voyez, ce que vous dites, elle n'a pas le langage et, en même temps, elle a un langage beaucoup plus fort que si elle avait les mots, la preuve, c'est que vous la comprenez.

LA MÊME FEMME : *À votre avis, comment je dois réagir à ça, est-ce qu'il faut continuer à la faire venir ?*

F.D. : La justifier de sa souffrance et lui dire la vôtre. Quant à ce que vous devez faire... Qu'est-ce que vous préférez, vous ? C'est ce que vous préférez qu'il faut faire, en lui disant vos raisons à vous.

LA MÊME FEMME : *Oui, mais c'est égoïste.*

UNE AUTRE FEMME : *On ne sait pas dans ces cas-là.*

F.D. : On est toujours égoïste avec nos enfants, et si nous nous sacrifions pour eux nous leur faisons du mal.

UNE FEMME : *Oui, mais il faudrait peut-être voir leur intérêt plutôt que le nôtre.*

F.D. : Notre intérêt est mélangé au leur, à tel point que nous ne pouvons pas le dire.

UNE FEMME : *On ne sait pas quoi faire au juste.*

F.D. : Personne ne peut vous donner un conseil dans tous les cas, l'important c'est d'être vrai avec elle (la petite). Pour un enfant, il vaut mieux aimer une personne en prison qu'une personne malade, parce que pour l'enfant, c'est comme dans la langue anglaise, pour dire « aimer », il y a deux verbes : *I like*, c'est aimer sans désir sexuel, et *I love*, c'est aimer un homme, une femme, sexuellement.

I like, ça veut dire : « Moi, comme ce que j'aime. » *Like* = « comme ». « Moi comme maman », ça veut dire : « Moi j'aime maman. » Quand un Anglais dit : *« I like you »*, il dit toute une phrase en dessous qui n'est pas dite : « Je suis vis-à-vis de vous d'une telle manière que j'aimerais être comme vous », et cela veut dire : « Je vous aime », pas érotiquement, sensitivement, comme l'enfant aime ses parents, et c'est comme cela qu'il faut entendre le mot d'un enfant qui aime un parent qui est vrai, même s'il est en prison parce qu'il a commis quelque chose, et que le parent lui dise : « J'espère que je ne vais pas avoir trop de temps à être privé de liberté, mais je suis en train de souffrir ça et tu souffres avec moi et je souffre avec toi de ne pas te voir. » Il faut le dire à l'enfant. L'enfant l'entendra en entendement, en compréhension. Il entendra quelque chose avec ses oreilles, mais surtout il aura le sentiment que sa mère lui a parlé vrai de quelque chose qui les touche tous les deux.

C'est tout ce qu'on peut dire. La mère doit parler vrai. « Tu vois, ça me fait trop de peine de te voir, je préfère que tu ne reviennes pas et penser à toi. » Vous pouvez le dire à un enfant si c'est vraiment ce que vous préférez, jusqu'au jour où vous avez changé d'avis, vous écrivez à la famille : « Mon enfant me manque trop, préparez-la à me revoir », et puis vous la revoyez. « Tu vois, moi je ne voulais pas te voir, peut-être que tu en as été malheureuse, maintenant, de nouveau je peux, alors tu me fais la tête, tu as bien raison parce qu'il y avait longtemps que toi tu avais besoin de me voir, mais moi je ne pouvais pas le supporter », c'est comme cela qu'on parle vrai à son enfant.

ODILE DORMOY : *Le cas contraire, c'est le fils d'une cocellu-laire qui est venu, avec sa grand-mère, voir sa maman une ou deux fois. La troisième fois il n'a pas voulu la revoir, il attendait dans la voiture avec son grand-père.*

F.D. : Il n'a plus voulu la voir parce que ça s'était peut-être mal passé du fait de la grand-mère et de la mère. Peut-être que toutes les deux, ensemble, elles n'ont pas su lui dire combien il avait apporté de joie à sa mère. Et si on ne le dit pas à un enfant alors qu'il souffre de venir dans un lieu comme ça voir sa mère, il est content de la voir tout de même mais il voit qu'il n'a pas fait le plaisir qu'il espérait faire, et il en a une difficulté. Alors, pourquoi venir, ça lui est douloureux et ça ne semble même pas faire plaisir à la mère ou à la grand-mère. C'est tout un ensemble, une visite. Je suis sûre que cet enfant-là, si sa maman lui avait dit : « Tu ne peux pas savoir comme ça me rend heureuse de te voir, je pense à toi tous les jours, même si je ne te vois qu'une fois tous les quinze jours, tu es gentil de te priver d'un jour de sortie pour venir me voir, ça me fait très plaisir », je suis sûre que l'enfant serait revenu, seulement il ne savait pas que c'était nécessaire à sa mère. Alors, comme cela lui a été pénible, un jour gâché où on ne peut pas jouer à taper le ballon avec les copains ou aller regarder la télé, à quoi bon puisque personne ne lui dit que c'est nécessaire. Il ne fait même pas plaisir à sa mère puisqu'elle ne le lui a pas dit. Il faut se dire les choses.

UNE FEMME : *Il y a aussi l'éloignement de Fleury. Souvent les enfants prennent le bus, le car, le train.*

ODILE DORMOY : *Ces transports en commun sont fatigants, comme est fatigante l'attente, souvent longue, des familles et dans des conditions pénibles, malgré les efforts qu'a faits récemment l'Administration pénitentiaire pour améliorer cette situation : la construction d'abris, de passages appropriés pour les poussettes.*

UNE FEMME : *On a juste une demi-heure de parloir, je ne sais pas si vous savez.*

F.D. : C'est pour ça qu'un enfant le fera si sa mère lui dit combien ça lui fait plaisir, si c'est vrai. Mais si ça fait tant de peine à la mère, autant ne pas le voir plutôt que d'avoir l'arrachement après l'avoir si peu vu.

UNE FEMME : *Mais comment un enfant de deux ans va comprendre qu'il ne reviendra que dans trois jours ?*

F.D. : Il comprend tout, mais vous êtes comme tout le monde. Personne ne veut croire que les enfants comprennent tout, et même quand ils sont petits, jusqu'à quatre mois, ils comprennent toutes les langues, vous le savez ça. À partir de trois ou quatre mois, ils ne comprennent que la langue que parle la mère, et ils comprendraient même mieux la musique de la langue de la mère que la langue de la mère bien parlée avec un mauvais accent. Et après six mois, ils comprennent les mots, mais c'est très curieux, l'apprentissage d'une langue. Moi j'en suis un exemple, ma mère me l'a raconté, je ne le saurais pas si elle ne me l'avait pas dit. La personne qui s'occupait de moi — qui était une Anglaise, je le raconte dans l'émission de Bernard Pivot — est partie quand j'avais huit mois. Eh bien quand j'ai dit les premiers mots à quatorze mois, alors qu'il n'y avait plus eu une Anglaise dans la maison depuis cette époque — j'ai parlé vers dix-huit mois comme tout le monde — il fallait qu'on me parle anglais, sans cela je ne comprenais pas alors que je vivais dans une famille française, parce que la première socialisation pour moi était avec cette Anglaise.

UNE FEMME : *Comment s'est-on aperçu qu'il fallait vous parler anglais ?*

F.D. : Parce que ma mère voyait que je ne comprenais rien et puis, que moi je disais en babil des mots anglais écorchés, et comme ma mère savait bien l'anglais, elle était étonnée.

UNE FEMME : *J'ai une autre question, cela concerne les enfants qui sont placés à la D.D.A.S.S. et qui viennent voir leur maman au parloir.*

F.D. : Oui, moi c'est ceux-là que je connais.

LA MÊME FEMME : *Il y aurait des problèmes de reconnaissance avec les mères, c'est-à-dire que les enfants auraient du mal à reconnaître leur mère ou refuseraient de la reconnaître.*

F.D. : Ah, ça, c'est une bonne rigolade, car l'enfant reconnaît l'odeur de sa mère entre mille. C'est à l'odeur qu'il reconnaît sa mère.

LA MÊME FEMME : *Même un enfant qui serait séparé pendant longtemps ?*

F.D. : Ah, ça, c'est différent. Un enfant qui a été deux mois en couveuse au début de sa vie, oui en effet, l'odeur de sa mère c'est une odeur d'hôpital, mais c'est un cas particulier. En général quand l'enfant retrouve sa mère, il n'a pas besoin de la voir, il la reconnaît à l'odeur.

UNE FEMME : *Il peut aussi reconnaître son père ?*

F.D. : Mais bien sûr, étant bébé il reconnaît le père qui est personnage principal de la mère. Les premières semaines, les premiers jours marquent pour la vie.

UNE FEMME : *Est-ce qu'ici, ça ne leur manque pas le père, parce qu'il n'y a pas d'homme ?*

F.D. : Si, ça manque, certainement, ça manque aux femmes et ça manque aux enfants.

UNE FEMME : *Comment arriver à recréer une relation ?*

F.D. : Mais ils voient quand même quelquefois quelques hommes.

UNE FEMME : *Et puis ils ont la possibilité de voir leur père au parloir.*

UNE AUTRE FEMME : *Si le père n'est pas en prison aussi.*

ODILE DORMOY : *Vous savez qu'ont été organisées, pour les pères qui sont incarcérés, des possibilités de visites des enfants qui sont ici avec leur mère.*

F.D. : En ce moment, je vois deux enfants de la D.D.A.S.S. dont les deux parents sont dans deux prisons différentes et qui voient leurs deux parents.

UNE FEMME : *Comment se fait-il qu'il n'y ait pas une loi qui prévoit que les mères qui sont incarcérées aient une heure de parloir par semaine ? Je trouve que ce n'est vraiment pas bien. Les mères voient pendant une demi-heure leurs gosses, ceux qui sont à la D.D.A.S.S., ça c'est horrible. Justement à Fleury-Mérogis, les mères avaient une heure, maintenant elles n'ont plus qu'une demi-heure depuis Noël.*

F.D. : Si vous étudiez l'histoire des prisons, elles n'avaient pas même ça.

UNE FEMME : *Et avant, il y avait l'Hygiaphone.*

LA MÊME FEMME : *Peu importe avant, c'est maintenant qui compte.*

F.D. : Il faut que ça change, mais doucement.

LA MÊME FEMME : *On est en 1987, et on n'a pas à aller voir ce qui s'est passé avant.*

F.D. : Mais si, on ne peut pas faire autrement.

LA MÊME FEMME : *Quand on instaure des choses, qu'on*

*offre une heure de parloir à des mères qui ont des enfants,
que c'est comme ça depuis des mois, des années, et tout d'un
coup, depuis Noël, il n'y a plus qu'une demi-heure... mais
c'est horrible, comment le système pénitentiaire permet-il ça ?
Pourquoi il n'y a personne qui dénonce ces choses-là ?*

F.D. : Mais vous le faites là, c'est bien.

LA MÊME FEMME : *Oui, mais je suis en prison, où est-ce que
je vais le dire, moi ?*

F.D. : Vous l'avez dit, et c'est entendu.

LA MÊME FEMME : *Et je trouve que ce serait bien que le
directeur, s'il est là, écoute cela et qu'il prenne parti pour ça.
Moi je n'ai pas d'enfant, mais je ressens vraiment ça comme
quelque chose d'horrible. Je trouve qu'on n'a pas le droit de
donner et après de reprendre.*

F.D. : C'est sûrement un problème administratif.

O.D. : *Il faudrait que vous sachiez pourquoi ce temps de
visite a été restreint.*

LA MÊME FEMME : *On le sait, mais ça c'est pas vrai.*

(Brouhaha.)

O.D. : *Est-ce qu'il y a une autre question ?*

UNE ÉDUCATRICE : *Il y a très longtemps, une directrice de
prison italienne est venue nous parler de ce qui se fait là-bas
et je trouve que c'est très bien. Il y a une salle où, l'après-midi,
la famille peut emmener les enfants. Je crois que ça n'a
toujours pas bougé. C'est dommage que ça n'existe pas.*

O.D. : *Mais toutes les propositions peuvent être étudiées.*

LA FEMME QUI REVENDIQUE : *Je crois que ces suggestions ont été faites depuis longtemps. J'ai vécu avec une
cocellulaire qui avait trois enfants, combien de fois elle est
allée demander audience à la sous-directrice pour parler de
ce problème et elle n'est pas la seule.*

O.D. : *Moi ça fait cinq ans que je suis à Fleury et je peux vous dire que j'ai vu quand même les choses évoluer d'une façon tout à fait intéressante.*

LA MÊME FEMME : *Probablement, mais ça, ce n'est pas une chose impossible puisque ça existe dans d'autres pays.*

O.D. : *C'est un problème d'organisation. Actuellement les choses sont un peu bloquées du fait du surpeuplement de la maison d'arrêt.*

UNE FEMME : *On met de l'argent dans plein de choses en ce moment. À Fleury, c'est la seule prison de femmes qui existe comme ça. On est 523. On est à trois dans une cellule pour travailler, pour se concentrer, on prend des cours et tout, c'est pas normal, ça c'est quelque chose qui devrait se faire en urgence.*

O.D. : *La surpopulation des établissements pénitentiaires est l'une des urgences actuelles dont tout le monde est parfaitement conscient, et des efforts importants sont faits, depuis plusieurs années, pour remédier à cet état de choses. Cependant, il faudrait peut-être qu'un peu plus d'attention soit accordée à la population carcérale féminine qui est souvent vécue comme marginale dans le système pénitentiaire, compte tenu de la faible proportion des femmes incarcérées par rapport aux hommes (4 %). Cela dit, j'ai visité beaucoup d'autres prisons, et sachez bien que les conditions de vie à la Maison d'arrêt des femmes de Fleury-Mérogis sont moins pénibles qu'ailleurs.*

(Mouvements et commentaires divers.)

O.D. : *Ce n'est ni le lieu ni le moment de faire valoir vos revendications. Les situations traumatisantes font partie de la vie, et l'important est de savoir les assumer et de pouvoir en parler.*

F.D. : Écoutez, vous devriez profiter mieux de mon passage que de revendiquer des choses auxquelles je ne peux rien changer, mais je suis tout à fait de votre avis. Vous avez des questions ?

UNE FEMME : *Quand le bébé dort avec la maman tout le temps, est-ce que c'est bon pour lui ?*

F.D. : Moi je trouve que ce n'est pas bon parce qu'il y a du fusionnel qui se fait, comme si le bébé était de nouveau dans le ventre. C'est pour cela que j'ai demandé qu'il y ait une séparation, un paravent, pour que l'enfant et la mère ne se voient pas toujours ensemble. Qu'ils aient une vie eux-mêmes, sans qu'il y ait un regard tout le temps ; le regard ou bien le « peau à peau », le « corps à corps », c'est mauvais. S'il fait partie de son corps, l'enfant ne peut pas se situer comme un individu séparé de sa mère, c'est-à-dire quelqu'un qui peut lui parler. Je ne vais pas parler à ma main à moi, c'est un peu dingue, et quand l'enfant est devenu comme une partie du corps de la mère, il ne lui parle plus et elle ne lui parle plus.

UNE FEMME : *Il y a quand même des pays où les mères gardent les enfants du matin au soir.*

F.D. : Ce n'est pas la même chose. C'est dans un contexte culturel différent. On ne peut pas mélanger quelque chose d'une culture avec quelque chose d'une autre.

UNE FEMME : *Pourquoi ? Ça peut ne pas être négatif, c'est bien le contact avec la mère.*

F.D. : Mais ce n'est ni bon ni mauvais, ce n'est pas négatif. Ce qui est important, c'est qu'elle lui parle, c'est qu'il sente son odeur pas loin de lui, et qu'il la retrouve, qu'il y ait des différences. L'enfant a besoin de variations sensorielles dans une continuité. La continuité, c'est la présence de la mère et une variation sensorielle par rapport à elle, c'est-à-dire pas tout le temps collé à elle, sans cela il ne sait plus où sont ses limites à lui. Il ne faut pas qu'elle lui parle comme une crécelle parce que alors il n'y a plus de silences qui permettent qu'il attende sa parole. Il faut des variations pour que l'être humain devienne intelligent.

UNE FEMME : *Il y a besoin malgré tout d'un contact charnel, de même qu'un adulte a besoin d'un contact charnel.*

F.D. : Alors voilà, y a besoin ! Cette personne vient de dire le mot désir. Il y a besoin, et il y a désir. Il y a un minimum de besoins à satisfaire, sinon l'enfant va tomber malade et la mère aussi peut-être. Mais il y a du désir qui doit être parlé et pas satisfait dans le corps à corps. L'amour se dit, se prouve par l'attention, la compassion, le cœur à cœur. Le corps à corps sans les mots du cœur, ce n'est pas humain. C'est en effet une confusion entre le désir et l'amour chaste entre parents et enfants. Parler le désir c'est dire : « Oui, tu voudrais que je te prenne dans les bras, tu vois je suis occupée. » Que la maman parle à son enfant, au lieu de lui dire : « Ah, fiche-moi la paix. » Il faut qu'elle soit positive à son égard mais d'une autre façon.

UNE FEMME : *Il faut dire la vérité, mais quelquefois « Fiche-moi la paix », c'est la vérité.*

F.D. : Oui, elle veut quelquefois qu'il lui fiche la paix, aussi, mais si elle lui dit et qu'il comprend que cela veut dire qu'elle l'aime, ce n'est pas la même chose que si elle lui dit en lui disant : « Que tu ailles au diable, ça m'est égal, je ne m'intéresse pas à toi. » Ce n'est pas la même chose ! Le ton aimant est différent du ton rejetant.

UNE FEMME : *Comment empêcher son enfant de devenir mauvais, de suivre des mauvais amis ?*

F.D. : Quand ils sont grands, comment les empêcher de faire de mauvaises fréquentations ?

LA MÊME FEMME : *Oui, c'est ça.*

F.D. : Les mères peuvent difficilement empêcher cela. C'est les pères ! Les pères sont, beaucoup plus que la mère, ceux qui dirigent l'enfant dans sa conduite sociale. La mère peut le dire, mais quand elle parle de cela, elle joue un rôle paternel. Le rôle maternel est beaucoup plus celui de comprendre que l'enfant a besoin de trouver une confiance en lui grâce à ses camarades, et un rôle d'accueil chaleureux au foyer familial. Et quand l'enfant cherche ce que la mère appelle des mauvais camarades, cela veut souvent dire qu'il a besoin de camarades qui se permettent de transgresser, parce que sa mère le surveille trop ou est trop possessive, ou trop anxieuse.

Le père, c'est un père-exemple. Par le fait même qu'il va parler devant son enfant à ses camarades — les camarades de l'enfant — l'enfant va voir la différence, il va voir que c'est son père qui gagne dans cette différence. Il va voir que son camarade qui lui en flanquait plein la vue est une mauviette, à côté de son père qui lui en flanque aussi plein la vue et qui ne donne pas tort au camarade pour ça.

C'est très important ce que vous avez posé comme question. C'est grâce à des petits conflits qu'un être humain se forme. S'il est toujours content, il va rester gaga, puéril, sans expérience.

UNE FEMME : *D'après vous, il y a deux rôles distincts du père et de la mère, est-ce qu'on ne doit pas s'entraider ?*

F.D. : On ne doit pas ! La mère joue parfois des rôles paternels et le père joue parfois un rôle maternel.

UNE FEMME : *Quand il n'y a pas de père, qu'est-ce qui se passe ?*

F.D. : Quand il n'y a pas de père, c'est justement là le rôle de la mère, c'est de proposer et de préparer son enfant à se trouver des pères de substitution dans les gens qu'elle connaît. Ça, c'est très important, dès qu'un enfant a deux ans et demi, un garçon, c'est lui dire : « Tu sais, moi je suis une femme, une maman, et pour beaucoup de choses de garçon, puisque tu es un garçon, moi, je ne peux pas t'aider. » Et si une fille se met à être en difficulté avec sa mère, la mère peut lui dire : « Une maman toute seule ne peut pas bien élever son enfant parce qu'elle n'a pas été toute seule pour le mettre au monde, et ton père c'est quelqu'un d'important. — Ah oui, je n'osais pas lui parler. — Mais je vais t'aider, il faut que tu arrives à lui parler. »

Voyez, les enfants ont besoin d'une situation triangulaire, homme, femme — paternant, maternant — et eux-mêmes. Il est certain que la mère peut avoir pour rôle de diriger son enfant, ce qui est une conduite paternante, et le père peut le soutenir dans ses besoins, le changer et lui donner à manger, ce qui est une conduite maternante. Mais en général, c'est tout de même de la mère dont l'enfant attend le continuum de son corps et la subsistance pour sa vie de besoin, et c'est de son père qu'il attend des directives pour la conduite dans la société et les désirs qu'on peut imaginer mais qu'il est interdit de réaliser. Vivre en société, c'est se conduire selon ses lois.

UNE FEMME : *La polygamie. Pouvez-vous expliquer la différence...*

F.D. : Pour les enfants, la polygamie, ça n'a aucune importance. Qu'elle soit officielle ou officieuse, la polygamie, les papas qui ont plusieurs mamans (nom général des femmes pour les petits), pour les enfants c'est très bien. Ils sont très fiers d'un papa qui réussit à faire plaisir à plusieurs mamans. Évidemment ils ne sont pas contents quand ils voient leur mère lancer des casseroles à la tête du papa, parce qu'ils se disent : « Mais pourtant, papa, c'est quelqu'un de très bien, avec toutes ces nanas ! Pourquoi maman n'est-elle pas contente ? » Alors il faut que la mère explique à l'enfant qu'elle, en tant que femme, elle ne trouve pas ça très bien. Ça, c'est la vie. Et la polygamie, ça a toujours existé et ça existera toujours, officielle ou officieuse. Mais ce qui frappe les enfants, surtout les filles, c'est quand la mère leur fait croire que c'est très mal, parce que les enfants croient volontiers que ce qui fait souffrir quelqu'un, c'est mal. Il y a beaucoup de choses qui nous font souffrir et qui pourtant ne sont ni bien ni mal. L'échelle de valeurs est très importante à faire comprendre à l'enfant : « Ce dont moi je souffre, par rapport à ton père, ce n'est pas cela qui ôte de la valeur à ton père pour toi. »

UNE FEMME : *Et l'enfant qui à dix-huit mois sera séparé de sa mère qui purge une longue peine de prison. Si son père est également en prison, l'enfant se trouvera donc confié à la D.D.A.S.S.*

F.D. : Eh bien, vous lui écrirez et la famille d'accueil lui montrera une carte et lui dira : « Voilà une carte de ta maman », et la D.D.A.S.S. s'arrangera pour que votre enfant vous voie avec sa famille d'accueil.

UNE FEMME : *Oui, mais il comprend ce qui se passe ?*

F.D. : Il comprend très bien.

LA MÊME FEMME : *Oui, mais comment fait-il après ?*

F.D. : On verra, je ne suis pas voyante.

UNE FEMME : *À quel âge pourra-t-il poser la question : « Où est mon père ? » Y a-t-il un âge ?*

F.D. : Bien sûr, mais il la pose déjà quand il est petit. Il faut lui dire la vérité maintenant car à dix-huit mois il la pose.

LA MÊME FEMME : *Non, à dix-huit mois il peut pas encore parler !*

F.D. : Pourquoi à dix-huit mois ! Vous avez un enfant ?

LA MÊME FEMME : *Non.*

F.D. : Ben alors ! Hier, une maman m'a parlé de sa petite fille de quatorze mois qui a été adoptée à deux jours et qui ne le sait pas. Je lui ai dit : « Il va falloir que vous le lui disiez, parce qu'elle le sait, mais elle n'a pas de mot pour le dire. » Elle commence à parler. Elle a quatorze mois. Eh bien, la mère a eu la stupéfaction, parce que je l'ai revue hier, huit jours après que je lui avais parlé, elle m'a dit : « Vous savez, il s'est passé quelque chose d'extraordinaire, ma petite m'a dit : "Et ma maman où elle est ?" » (alors qu'elle est sa maman adoptive). Elle a dit : « J'étais tellement suffoquée que déjà elle me le demande. » Je lui ai dit : « Je vous avais dit qu'elle le sentait, mais qu'elle ne vous l'avait encore jamais demandé. » La petite commence à bien parler et à poser cette question. Et la mère n'a pas pu lui répondre. Elle est restée comme ça, la petite l'a regardée, étonnée qu'elle soit suffoquée de cette question, et puis la mère a changé d'avis. Je lui ai dit : « Je crois qu'il faut que vous repreniez : "Un autre jour, tu m'as demandé où était ta maman, je vais t'expliquer." » C'est une mère qu'elle a quittée à deux jours.

L'intelligence de ce qui est arrivé à un enfant est totale, et il vaut beaucoup mieux que l'enfant le sache plutôt que ce ne soit refoulé, surtout dans ce cas-là, dans le cas d'une mère adoptive. Parce qu'une mère adoptive est généralement stérile, ou elle est secondairement stérile. C'est parce qu'elle est stérile qu'elle adopte, et l'enfant qui s'identifie à une mère qui se trouve être stérile dans son corps, elle aura beaucoup de mal à être mère.

J'ai eu en psychanalyse des filles qui ne se savaient pas adoptées et qui n'arrivaient pas à avoir d'enfant, qui fausse-couchaient alors qu'il n'y avait aucune raison à leur avortement, toujours au même âge, à trois mois. Alors, un jour, un gynécologue a dit : « Mais, madame, c'est dans la tête que ça se passe, si vous voulez des enfants, allez faire une psychothérapie ou une psychanalyse », et c'est comme cela que je l'ai vue, et j'en ai eu d'autres depuis parce que le gynécologue m'envoyait ces femmes. Eh bien, c'était une fille qui avait su à dix-neuf ans qu'elle était adoptée, à dix-neuf ans seulement. Toute son enfance, elle l'a ignoré, mais elle a su à cause d'un événement qu'on n'a pas pu lui cacher. Elle était fiancée depuis trois ans officieusement et les fiançailles officielles devaient être le lendemain. Les parents, à l'occasion de la dernière parlotte avant les fiançailles officielles, ont dit au jeune homme que la jeune fille était une enfant adoptée et le jeune homme ne l'a plus jamais vue, sa famille l'a envoyé à l'étranger le lendemain même pour qu'il ne revoie pas cette jeune fille. Bon alors, voyez l'imbécillité de cette histoire. La petite a commencé une dépression de ne plus voir son fiancé. Elle pensait être la fille d'une mère qui lui avait dit toujours un mensonge, elle lui avait dit : « Tu vois, j'ai eu sept fausses couches avant toi, heureusement que tu es arrivée, ça m'a consolée. »

Et pendant qu'elle faisait sa psychanalyse, elle a requestionné son père. Sa mère est morte, six semaines après lui avoir révélé son adoption, tout d'un coup, d'un cancer, à une vitesse éclair, de l'émotion d'avoir à dire à sa fille qu'elle n'était pas sa fille de sang, qu'elle était sa fille adoptive. Elle l'avait peut-être son cancer avant, mais elle vivait avec sans qu'on s'en aperçoive. Alors, pendant sa psychanalyse, la jeune femme parlait à son père : « Mais, parle-moi, maman a fait des fausses couches à quelle époque ? — Mais, ma pauvre petite, ta mère n'a jamais fait le moindre semblant de fausse couche, jamais, jamais. Elle t'a dit cela, je la laissais dire. » Alors, c'est là qu'elle a dit : « Mais alors, je n'ai pas besoin de faire des fausses couches. »

L'identification à la mère est tout à fait inconsciente quand il n'y a pas de paroles qui arrêtent ce processus inconscient d'identification fausse. La jeune femme s'était identifiée à une mère stérile. C'est une superbe fille féconde, qui se devait de répéter le destin de celle qui s'était fait passer pour sa seule mère. Elle aurait sept fausses couches comme sa mère, puis un beau jour il y aurait eu un enfant. Voyez comme c'est drôle : les processus inconscients, ce n'est pas du tout avec notre ciboulot que nous vivons. C'est une petite surface avec laquelle nous faisons des discours, mais le vivant, c'est tout à fait dans l'inconscient.

UNE FEMME : *Je voudrais savoir comment on en vient à faire faire une analyse à un enfant, et comment ça se passe ?*

F.D. : Écoutez, vous pouvez lire *Le cas Dominique*. J'ai écrit exprès ce livre pour que les gens se rendent compte de ce que c'est, une psychanalyse d'enfant. Je ne peux pas vous répondre comme ça.

UNE FEMME : *Parce qu'un enfant est très perturbé ? Qui prend une telle décision ?*

F.D. : Ah bien, la décision est progressive. Souvent ça commence par : « On va faire une rééducation de parole », une rééducation motrice, ou c'est un enfant apathique, ou c'est un enfant hyperagité dans le comportement. C'est quand on voit qu'un enfant commence à être dérangé. Il n'est accepté nulle part, ou il a des troubles digestifs, ou il a otite sur otite à répétition et les médecins ne comprennent pas pourquoi. Il n'y a pas de raison. On dit : « C'est peut-être psychologique », et c'est là qu'on fait un essai de contact avec quelqu'un qui est psychanalysé. Parfois on commence par un bilan avec un psychologue qui n'est pas psychanalysé, qui fait un bilan des performances et qui voit, par exemple, que l'enfant à cinq ans a des réussites de huit ans et par contre il a des échecs de performances de trois ans. Il est chaotique, il n'est pas homogène, vous voyez. C'est gênant pour un enfant de ne pas être homogène dans son développement d'attention, de concentration, de logique, de déduction, d'induction, enfin toutes ces facultés mentales qui sont étudiées par des tests, la mémoire aussi, un enfant sans mémoire, l'enfant a beau être intelligent mais il n'arrive pas à retenir, à partir de quand il est sans mémoire

— il y a eu un traumatisme qui fait qu'il ne veut pas se souvenir à partir de ce moment-là. Il faut une analyse pour qu'il retrouve sa mémoire.

Une analyse, c'est finalement une décision qu'on prend à la suite d'abord d'un diagnostic de perturbations profondes, et deuxièmement d'un échec d'une rééducation légère qu'on a commencé de faire. La personne qui a fait la rééducation dit : « Non, ce n'est pas mon problème » (ce qui veut dire : ce n'est pas de mon ressort). Un enfant bègue peut répondre à une rééducation orthophonique, comme il peut aussi n'avoir rien à voir avec cela. Par exemple, j'ai en analyse un enfant bègue parce qu'il ne peut pas dire un mot quand c'est lui qui le dit. Mais quand il récite une fable de La Fontaine, jamais il ne bégaie. Quand il répète les phrases des autres, il ne bégaie jamais. C'est ce qu'il dit qu'il bégaie. Cela relève d'un traitement.

Par exemple, je pense tout de suite à un jeune homme que j'ai vu quand il avait dix ans. Il est venu à Paris, deux ans de suite, en pension chez des amis de ses parents pour être soigné d'un bégaiement épouvantable. Il était soigné par une orthophoniste qui, affolée de voir deux ans passer sans le moindre progrès, me l'a envoyé. Et justement, je parlais avec ce garçon et je lui disais : « Il y a des moments où vous ne bégayez pas, probablement. » Alors il m'a dit, il a mis longtemps à me dire, en bégayant, que les moments où il ne bégaiait pas, c'est quand il disait une poésie ou même quand il la lisait. Alors j'ai voulu en avoir la preuve, je lui ai donné un livre de morceaux choisis où il y avait une poésie et il a lu son texte avec le ton, comme un acteur, admirablement, et pour parler de lui, à nouveau, il s'est mis à bégayer et il m'a dit : « Il y a encore une occasion où je ne bégaie pas, c'est quand je raconte des histoires avec de l'accent, alors je vais vous raconter une histoire avec l'accent Marius. » Il croyait qu'il avait l'accent et il ne bégayait pas, mais dès qu'il parlait en son nom, le sujet lui-même, il bégayait. Il a fallu qu'il retourne chez ses parents, il est donc resté bègue. Et j'ai dit à l'orthophoniste : « Mais vous ne lui avez jamais fait lire un texte ? — Non. — Qu'il vous lise des poésies, vous verrez. Voilà deux ans que ça ne sert strictement à rien, vous faites des exercices de muscles de bouche, de muscles de respiration. » C'est fou le travail qu'un orthophoniste peut faire faire à un enfant : travail sur le souffle, qu'il inspire comme ci, qu'il expire comme ça. Il était de très bonne volonté, car il était très ennuyé d'être bègue. On a été obligé de le laisser repartir dans sa famille. Il ne pouvait rester éternellement dans la région parisienne.

Je l'ai revu, ce jeune homme, à vingt ans. Il est venu à Paris avec un métier, se faire soigner si possible, pour son bégaiement qui le gênait dans son travail. Eh bien, l'analyse, la psychanalyse qu'il a faite des rêves ont montré une chose qui était bizarre dans son souvenir, tout à fait bizarre : il était devenu bègue (un rêve lui a ramené l'histoire de son bégaiement) en voyant naître sa petite sœur, me dit-il. « Alors, vous avez vu naître votre petite sœur ? (qui avait trois ou quatre ans de moins que lui). — Ah oui, on était à l'école, j'étais avec mon école, on était sur la route, c'était à la campagne, et puis on voit la voiture de maman qui avait un pneu crevé ; alors, avec la maîtresse les grands de l'école, ils ont aidé maman à remettre son pneu, et alors maman est repartie et elle a dit : "Je vais à l'hôpital chercher ma fille." Je suis revenu l'après-midi et ma petite sœur était née. » Alors je lui dis : « Oui, elle était née ta petite sœur l'après-midi, elle était où ? — Elle était mignonne, elle avait une petite robe, on la baptise demain. » Vous voyez les souvenirs bizarres comme ça d'un jeune homme. Alors je lui dis : « Tous ça, ce sont des souvenirs qui sont emmêlés et probablement... — Ah si, je vous assure, c'est ce jour-là, il n'y avait pas de petite sœur à la maison, et maman est revenue à la maison le jour même où elle a accouché. » Le pneu crevé, c'est déjà un symbole de ventre dégonflé ; enfin, quoi qu'il en soit, je lui ai dit : « Je trouve cette histoire curieuse, je pense que votre petite sœur existait avant et que vous n'aviez pas voulu la voir », parce qu'il la décrivait comme un enfant qui marchait presque. « Il y a quelque chose qui ne va pas dans votre histoire », comme ça simplement. Alors il était tout étonné. « Écoutez, vous pourriez écrire à vos parents en disant que vous avez un souvenir : "Est-ce que tu te souviens, maman, du jour où tu es allée à l'hôpital ?" »

Alors il a écrit à sa mère et il a dit : « Ma mère m'a répondu que quand elle me verrait, elle me raconterait ce qu'il y a derrière cette histoire. » En effet, elle est venue deux mois après, il était donc en analyse, et il m'a dit : « Vous savez, ça a été terrible de revoir maman. — Pourquoi ? — Parce que, depuis ma lettre, tout était changé entre nous. — Pourtant vous étiez à Paris, et elle était là-bas. — Oui, mais elle me l'a dit et moi je le sentais, tout était changé entre nous. — Ah bon, et ça venait de quoi ? — Eh bien, ça vient que nous sommes tous des enfants adoptés... » Et il l'avait ignoré. Et c'était le jour de l'adoption de sa petite sœur, sa mère allait en effet la chercher, jamais les parents ne l'avaient dit, et il était devenu bègue sur l'heure. La mère lui a dit : « Tu es devenu bègue d'avoir vu ta sœur à la maison », mais jamais elle ne l'avait dit ni à l'orthophoniste ni à personne.

Voilà un enfant qui, s'il avait été psychanalysé à quatre ans pour son bégaiement, ne serait pas resté bègue. Vous me posiez la question : quand est-ce qu'on fait psychanalyser un enfant ? Il a fallu qu'il attende l'âge de vingt ans pour qu'il fasse une psychanalyse et qu'il découvre la vérité de son histoire. Alors c'était tellement moche toute cette histoire parce qu'il n'avait pas eu sa vérité. Il était l'aîné de quatre enfants adoptés, ce qu'il n'avait jamais su. Alors la mère est revenue me voir — elle m'avait vue quand il avait dix ans — et je lui ai dit : « Mais enfin, pourquoi vous ne lui avez pas dit, il y a dix ans ? » Elle m'a dit : « Je ne pouvais pas, ça ne pouvait pas sortir de là, pour moi c'était abominable de faire cela à des enfants, de leur dire qu'ils étaient adoptés. Les gens croient : "Si, moi, on me l'avait dit, ça m'aurait fait tellement de peine !" » Je dis : « C'est parce que vous ne l'étiez pas (adoptée), mais des enfants dont c'est la vérité, au contraire, ça leur apporte une sécurité de leur dire, avec des mots, ce qu'ils ressentent être le vrai. »

Voyez, la psychanalyse répond à des cas, ce sont les gens traumatisés par du refoulé inconnu, et qui les travaille en profondeur.

UNE FEMME : *Mais vous ne pensez pas que si, inconsciemment, on a refoulé certaines choses, c'est qu'elles doivent rester là où elles sont ?*

F.D. : Sans doute, pourquoi pas, mais quand elles restent là où elles sont et qu'elles vous empêchent de faire votre vie... Il y a des refoulements qui sont positifs dans la vie, qui sont utilisables dans la vie, et il y en a d'autres qui vous empêchent de vivre.

LA MÊME FEMME : *Et ce n'est pas un cercle infernal quand on commence à avoir recours à un psychanalyste ?*

F.D. : Mais au contraire, c'est parce qu'on est dans l'enfer qu'il faut y recourir. On n'y recourt pas si on peut s'en passer. C'est trop pénible, trop long, trop de travail, trop d'argent, trop de temps et beaucoup d'énergie à dépenser. Les gens ne le font pas pour le plaisir, ils le font parce qu'ils n'ont pas d'autre solution.

LA MÊME FEMME : *Ils n'en cherchent peut-être pas d'autres.*

F.D. : Oh si, ils en ont tous cherché d'autres. Ils viennent en dernier ressort.

UNE FEMME : *Il n'y a pas de gens qui viennent comme ça, pour se connaître ?*

F.D. : Ceux-là ne restent pas deux semaines.

LA MÊME FEMME : *Je pense que ce n'est pas mal de se connaître.*

F.D. : Pourquoi pas, c'est comme faire un petit tour de piste chez la voyante.

ODILE DORMOY : *On a parlé des enfants ici avec leur maman et des mamans qui ont des enfants à l'extérieur. Mais il y a aussi des membres du personnel et cela peut parfois poser des problèmes aux enfants que leurs parents travaillent en prison.*

F.D. : Oui, et on leur explique.

O.D. : *Je vais vous raconter une petite anecdote à ce propos. Quelque temps après ma nomination à Fleury-Mérogis, l'institutrice de mon fils, qui avait alors cinq ans, m'a dit qu'elle était inquiète parce qu'il dessinait souvent des prisons. Je lui ai expliqué ce que je faisais, où je travaillais et nous nous sommes mises à rire.*

F.D. : Il voulait qu'on sache.

UNE FEMME : *On a beaucoup de problèmes, et je veux dire*

qu'on ne pense pas tellement aux problèmes des surveillantes.

F.D. : Peut-être que si les surveillantes ont des problèmes, cela vous en donne aussi... Les gens avec lesquels on vit, ils influencent notre attitude...

UNE FEMME : *Le soir, elles rentrent chez elles, c'est comme si elles allaient travailler, je ne sais pas, dans un hôpital.*

O.D. : *Les enfants sont toujours sensibles au métier qu'exercent leurs parents, de même que les parents sont influencés par le type de travail qu'ils font et qui retentit toujours sur les relations familiales.*

F.D. : Mais regardez les enfants de médecins, ils ont des problèmes particuliers.

UNE FEMME : *Je ne pense pas que les enfants aient des problèmes du fait que leurs parents travaillent en prison.*

UNE AUTRE FEMME : *Si, justement, il y a des enfants qui ont honte de dire que leurs parents sont des surveillants de prison.*

F.D. : Il y a des enfants qui ont honte de dire que leur père est chirurgien.

UNE FEMME : *Je crois qu'un enfant a beaucoup plus honte de dire que sa mère est en prison, que de dire que sa mère travaille en prison.*

F.D. : C'est pas sûr.

UNE FEMME : *À cause des médias, à cause de l'école, il y a des gosses qui sont tout à fait fiers de dire que leurs parents sont policiers ou, à la limite, gardiens de prison.*

F.D. : J'ai vu des enfants qui étaient fiers de dire que leur père avait fait un coup et qu'il avait écopé de huit ans.

(Rires.)

UNE FEMME : *Un enfant qui dit : « Je suis fier que ma mère soit en prison », euh, euh...*

F.D. : Cela dépend, un enfant qui aime sa mère, il est fier de tout ce qui lui arrive.

UNE FEMME : *Eh bien, moi, ma fille, elle est pas fière, au contraire, elle est dans un lycée et elle le dit pas.*

F.D. : Elle a raison de ne pas le dire parce qu'elle est assez intelligente pour savoir que les autres... Cela ne veut pas dire que elle, elle ne trouve pas ça bien.

LA MÊME FEMME : *Non, mais elle ne trouve pas ça bien, c'est évident.*

F.D. : Elle est malheureuse parce que cela vous a séparées, je suis sûre qu'elle ne vous juge pas.

LA MÊME FEMME : *Je ne sais pas et je ne suis pas persuadée.*

F.D. : Quand elle se met à la place des autres, elle vous juge, mais quand elle est elle-même, elle ne vous juge pas. On pourrait le savoir si on étudiait ses rêves — en analyse, on étudie les rêves, c'est-à-dire que le vrai des personnes est très souvent exactement le contraire de ce qu'elles disent.

UNE FEMME : *Mais moi, voilà ce qui est arrivé, mon enfant qui se trouve à la D.D.A.S.S. avait dit à son meilleur copain — il ne savait pas à qui se confier, il s'est donc confié à son copain en disant : « Ma maman, je ne la vois presque pas parce qu'elle est en prison », et son copain a été le dire à tout le monde : « Oui, la maman de Lionel est en prison », et en promenade tout le monde s'est mis à crier : « La mère de Lionel est en prison, c'est une voleuse. » Et l'enfant a souffert, il ne pouvait plus aller en promenade.*

F.D. : C'est pour cela qu'il faut les préparer, et préparer avec eux la mouture à dire à la société.

LA MÊME FEMME : *Qu'est-ce qu'on doit dire ? Ça ne regarde personne.*

F.D. : Absolument, c'est comme la vie privée.

UNE AUTRE FEMME : *Je voudrais poser une question un peu difficile, c'est à propos des femmes enceintes qui sont assez angoissées d'être en prison. On ne peut pas en parler.*

F.D. : Et pourquoi ? On peut en parler au fœtus. Lui aussi il est en prison, toujours, jusqu'au moment de naître. Il ressent toutes les angoisses de la mère.

UNE FEMME : *Mais là, on ne peut pas vraiment lui expliquer.*

F.D. : Et pourquoi ? Écoutez, le fœtus, il est aussi intelligent que l'individu le sera à trente ans.

O.D. : *Oui, quand on est incarcérée, il y a tout le problème du sentiment de la culpabilité. Les mères ont toujours peur des conséquences négatives pour leur enfant.*

F.D. : En tout cas, le négatif peut toujours être débordé par l'amour de l'enfant pour sa mère et de la mère pour son enfant...

UNE FEMME : *J'ai cru comprendre qu'il y avait pas mal de femmes enceintes qui avortaient en prison, pas du tout parce qu'elles le souhaitaient, mais parce qu'elles perdaient leur enfant, par choc émotionnel je suppose.*

F.D. : Elles faisaient des fausses couches, quoi. Oui, c'est vrai c'est un fait. Qui sait si elles n'auraient pas « fausse-couché » en liberté ?

LA SAGE-FEMME : *Ça fait partie des rumeurs de la prison.*

O.D. : *Bon, une dernière question parce que nous allons être obligés de terminer.*

UNE FEMME : *J'ai trois enfants, une de seize ans, un de quatre ans et un de sept ans. Quand on m'a arrêtée, au début, je leur ai menti, je leur ai fait croire que j'étais partie à l'étranger. La D.D.A.S.S. les a pris et l'éducateur a informé les enfants que leur mère était en prison. Le plus grand a été choqué, il ne comprend pas.*

F.D. : Parce qu'on ne lui a pas expliqué pourquoi.

LA MÊME FEMME : *Alors qu'au début c'est moi qui avais menti.*

F.D. : Vous n'avez pas écrit la raison pour laquelle vous êtes en prison ?

LA MÊME FEMME : *Non, j'ai pas écrit.*

F.D. : Eh bien oui, un enfant de sept ans est déjà dans la relation de cause à effet, on n'est pas en prison pour rien, alors il faut lui dire pourquoi.

LA MÊME FEMME : *Oui mais voilà, les éducateurs, ils l'ont expliqué et l'enfant a très mal réagi.*

F.D. : Tant que c'est pas vous qui le lui dites, il réagira mal.

LA MÊME FEMME : *Ils ne m'ont pas laissé le temps de lui dire, de lui apprendre.*

F.D. : Il faut lui écrire.

LA MÊME FEMME : *Ben, je lui ai écrit mais il est complètement...*

F.D. : Mais non, ça va se réparer. En tout cas, vous pouvez demander à la D.D.A.S.S. qu'il aille en psychothérapie et ça s'arrangera très bien. C'est un enfant qui a besoin d'une psychothérapie s'il continue à être traumatisé. J'ai en psychothérapie des enfants qui sont dans des situations similaires. Et c'est vrai, vous avez raison, quand ils n'ont personne avec qui ils peuvent en parler, ils se minent.

LA MÊME FEMME : *Mais, par exemple, si je demande à le voir au parloir, vous croyez qu'il me croira ?*

F.D. : Il faut lui dire : « Je te croyais trop petit pour supporter cette idée. » C'est comme cela qu'il faut lui dire : « Je t'ai menti, je te demande bien pardon, mais je ne pouvais pas, je ne savais pas comment te le dire, je ne savais même pas si tu comprendrais et si tu m'excuserais d'avoir fait une bêtise », etc. Il faut lui parler comme à un égal, il ne le montrera peut-être pas tout de suite, mais il n'aura plus de rêves d'angoisse, et il va se rétablir.

LA MÊME FEMME : *Il y a de l'espoir qu'il redevienne...*

F.D. : Mais oui, absolument. Il faut lui dire, lui expliquer pourquoi vous ne lui avez pas dit la vérité, et heureusement que l'éducateur l'a fait, sinon il était mal parti. Qu'est-ce que c'est qu'une mère qui part à l'étranger en se foutant pas mal de ses enfants, c'est bien pire qu'une mère qui est obligée de partir parce qu'elle va en prison.

LA MÊME FEMME : *Donc, je peux demander les parloirs avec eux ?*

F.D. : Mais oui, bien sûr. Et puis, si vous le voyez perturbé, vous demandez à la D.D.A.S.S. qu'on le fasse bénéficier d'une psychothérapie.

LA MÊME FEMME : *Il ne faut pas voir un psychologue ?*

F.D. : Un psychologue ou un médecin. La formation psychanalytique se fait à partir d'études de psychologie ou à partir d'études de médecine. À partir du moment où on est un psychanalyste psychothérapeute, on n'est plus ni un psychologue faisant des normes ni un médecin qui prescrit des médicaments. On est quelqu'un qui travaille avec la relation humaine, et les paroles, avec un être humain. Alors on les appelle comme cela, vous dites : « Une psychothérapie parce qu'il a été traumatisé au moment de mon départ, d'autant que je n'avais pas pu lui dire la vérité », et c'est votre mensonge qui l'a frappé plus qu'autre chose.

LA MÊME FEMME : *Vous croyez ?*

F.D. : Bien sûr, puisque vous partiez à l'étranger, vous oubliiez vos enfants, c'est cela qui l'a frappé et après on lui dit : « Elle est en prison. »

LA MÊME FEMME : *C'est parce que l'éducateur lui a parlé. Ils les ont convoqués tous les trois : « Votre maman, elle est pas partie à l'étranger, elle est en prison. »*

F.D. : Il l'a fait maladroitement parce qu'il a été trop rapide. Mais, pour l'enfant, il était temps que ça se dise. Mais c'était vous qui auriez dû lui dire.

LA MÊME FEMME : *C'est moi qui aurais dû le dire.*

F.D. : Oui. La première fois.

LA MÊME FEMME : *Ah oui, la première fois. D'accord, madame, merci.*

F.D. : Et vous n'auriez pas été amenée à le dire si l'éducateur ne l'avait pas dit ?

LA MÊME FEMME : *Non.*

F.D. : Alors votre enfant en serait toujours au même point, c'est-à-dire en danger de très graves traumatismes pour l'avenir, parce que ça n'aurait pas été dit. Il vaut mieux qu'il en ait souffert consciemment que de ne pas en avoir souffert consciemment et d'avoir refoulé quelque chose dont il avait la perception télépathique : les enfants sont toujours en télépathie avec leurs parents.

UNE FEMME : *Comment un enfant de dix ans peut-il demander, lui-même, d'aller voir un médecin comme cela ?*

F.D. : Mais ce n'est pas lui, c'est elle, c'est la maman qui doit demander.

LA MÊME FEMME : *Mais il n'est peut-être pas d'accord.*

F.D. : Bien sûr, mais c'est le métier du psychothérapeute d'être en contact avec l'enfant et de lui dire : « À la demande de ta mère, tu viens me voir. Je suis quelqu'un qui s'occupe des enfants qui ont eu un gros chagrin et qui ne s'en sortent pas tout seuls. » C'est comme cela qu'on commence. « Si tu ne veux pas revenir, on va se voir deux ou trois fois. Si le mode de travail que nous faisons t'inté-

resse, tu continueras, si ça ne t'intéresse pas, on arrêtera. »
C'est toujours comme ça. On ne force pas un enfant à faire
une psychothérapie. Il faut qu'il sache de quoi il s'agit. Pour
cela, il doit vous avoir rencontré et c'est évidemment toujours à la demande d'un adulte.

UNE FEMME : *Je ne comprends pas qu'un enfant soit perturbé vers dix ou douze ans parce qu'il ne comprend pas
encore.*

F.D. : Mais c'est parce que personne ne lui a fait
comprendre son inquiétude, la mère est inquiète.

UNE FEMME : *Mais l'enfant, il ne veut jamais passer pour
un malade.*

F.D. : Mais ce n'est pas un malade, il sait qu'il souffre.

LA MÊME FEMME : *On met toujours ça par rapport à la
maladie.*

F.D. : C'est les parents qui croient ça, l'enfant, lui, pas du
tout.

UNE FEMME : *Moi je le crois aussi.*

F.D. : Oui, les parents croient que la psychothérapie ça
peut perturber, ça ne fait qu'aider. Un enfant est très
reconnaissant qu'on lui donne l'occasion de parler vrai
avec quelqu'un dans le secret professionnel. Et ceux qui
n'en veulent pas, c'est très bien, ils ne font pas de psychothérapie.

UNE FEMME : *C'est aux parents, peut-être.*

F.D. : Parfois, et l'enfant vous le dit : « C'est pas moi qui en
ai besoin, c'est mon père » (ou « c'est ma mère »), et il a
raison. Et, justement, c'est souvent lui qui entraîne ses
parents. Un début de psychothérapie, pour un enfant qui
n'en a pas besoin, amène très souvent le parent à se rendre
compte que c'est lui qui en a besoin alors qu'il croyait que
c'était l'enfant : « Pour l'enfant je ferais bien le sacrifice du
prix d'une psychothérapie, mais pas pour moi, tant pis. » Eh

bien non, puisqu'il fait souffrir l'enfant par son propre état d'angoisse. C'est l'enfant qui « paie » pour l'angoisse de son parent et qui en est le détecteur.

O.D. : *Je crois qu'il faut remercier vivement Madame Dolto.*

F.D. : Je m'excuse pour tout ce qui n'a pas été dit et que vous auriez pu entendre.

Dangers de l'éducation religieuse

Avec l'aimable autorisation de
Francis Martens et Rachel Kramerman,
mars 1957.

J'espère que je vais pouvoir vous donner le témoignage des réflexions que j'ai faites sur les dangers de l'éducation religieuse. Je n'ai pas du tout l'intention de vous faire une conférence qui fasse le tour de la question ; mais étant donné le point de vue où je me trouve, dans la société, comme médecin psychanalyste, et, en particulier, comme médecin psychanalyste d'enfants, je crois que les choses que je peux vous dire vous feront toucher ce problème autrement que par votre propre expérience.

Il y a des parents qui disent : « Oh, mais moi, je ne veux pas donner d'instruction religieuse à mon enfant, parce que je ne veux pas l'influencer. » Et j'ai vu un cas, de cet ordre, caricatural.

C'était une enfant qui n'avait pas reçu d'instruction religieuse pour ne pas être influencée, qui ne voyait pas d'amies pour ne pas être influencée, qui allait le minimum à l'école pour ne pas attraper de maladies contagieuses, une enfant de l'école communale qui avait un absentéisme extraordinaire, elle allait à l'école à peu près quatre mois par an étant donné les contagions. Et son père ne lisait pas le journal parce que les journaux ont une opinion politique, et qu'il ne faut pas être contaminé par une opinion politique. Je lui ai demandé : « Est-ce que vous lisez quelque chose ? » Il m'a répondu : « J'ai Voltaire en vingt volumes. — Vous les avez lus ? — Ah non, parce que même Voltaire, il ne faut pas se laisser influencer par lui. » Le résultat était une enfant, un clown ambulant, qui savait à peine marcher en mettant un pied devant l'autre, qui donnait l'image même d'un être indécis qu'elle n'était absolument pas.

Le traitement de cette enfant a pu être fait à l'insu des parents quand s'est développée en elle une identification à une petite amie assez pieuse. Cela a été un drame parce qu'elle en a parlé à sa mère, pour qui c'était certainement le vœu secret de son cœur, elle qui avait eu une instruction religieuse et n'aurait rien compris aux vingt volumes de Voltaire, si toutefois elle les avait lus. Il y a eu un entretien entre moi et le père, dans lequel j'ai obtenu de sa part qu'il ignore la religion que sa fille voudrait avoir, mais qu'il lui laisserait avoir si elle le voulait. Il a accepté à condition qu'il l'ignore... Grâce à cela, la petite s'est incorporée à un mouvement de jeunesse. Ce fut le signe de sa guérison. Et cela sans aucune hyper-religion pathologique, mais simplement par le fait qu'elle pouvait désormais mener une vie sociale, c'est-à-dire être assimilée à sa société. C'était même extraordinaire qu'elle sut parler français ! D'ailleurs, je dis aux parents qui ne veulent absolument pas donner à leurs enfants une instruction religieuse, quelle qu'elle soit : « Mais pourquoi alors leur apprenez-vous une langue ? » Ce père-là m'avait dit : « Ah, c'est bien dommage que je sois obligé de lui apprendre le français ! »

J'ai introduit ce cas caricatural, cette situation dramatique du point de vue social, parce que, plus ou moins, les parents qui ne veulent pas donner d'instruction religieuse, sous prétexte qu'elle est dangereuse, font exactement la même chose que ceux qui ne veulent donner aucune instruction sous prétexte qu'elle déforme l'esprit, et aucun langage sous prétexte qu'il trahit la pensée intérieure.

Que nous le sachions ou non, notre rôle auprès des jeunes implique une attitude métaphysique. Si nous refusons consciemment de donner une instruction religieuse, c'est que notre attitude métaphysique propre nous fait peur, et alors nous donnons l'instruction religieuse de la peur. Si nous voulons ignorer notre attitude métaphysique, c'est que nous regrettons d'être des humains, et que nous voudrions vivre comme des animaux qui ne donnent pas un sens au-delà de leurs actes et leurs instincts. Nous donnons donc à nos enfants une instruction à un idéal de vie animale. Si nous voulons ignorer que nous avons une attitude métaphysique, c'est comme si nous leur donnions le conseil venu d'en haut, des parents, donc de très haut pour les enfants : « Surtout, ne vis pas comme si tu avais besoin d'un sens sacré à tes actes les plus humbles. »

Mais que nous donnions consciemment ou non une instruction religieuse à l'enfant, nous devons savoir que nous laissons à l'abandon un sens inhérent à l'être humain qui est le sens du sacré. Du point de vue psychologique, ce sens est celui du fruit, au-delà du visible, que tout être humain possède en lui. C'est comme si nous voulions laisser croire à nos enfants que nos actes n'ont aucune valeur symbolique. Or, nous ne pouvons pas leur faire croire ça, car ils sentent le contraire, et c'est comme si à ce moment-là, ils étaient avec des étrangers.

Que le sens du sacré existe chez les humains, j'en ai des exemples. À sept mois, marchant encore à quatre pattes, notre petit garçon, l'aîné, avait, depuis qu'il était petit, vu sur le mur de notre chambre un crucifix noir avec un corps de Christ blanc en ivoire. Et en le regardant, il en avait appris le nom : car chaque chose que cet enfant regardait, je lui en donnais le nom, le mot qui accompagnait cette chose qu'il regardait. Je lui avais donné le mot « Jésus » qui est devenu vers sept mois, quand il a commencé à parler, « J ». C'était « J » qui voulait dire le Christ, cette croix sur le mur. Or, il avait sept mois quand un de nos amis nous a apporté une icône, une très belle icône, qui est posée dans mon bureau et non dans notre chambre à coucher. Elle est posée sur une étagère à peu près à hauteur d'épaule et pas du tout à une hauteur de deux mètres cinquante comme le crucifix dans la chambre à coucher des parents. L'enfant entre dans le bureau à l'heure où il lui est ouvert, quand les clients sont partis. Il va directement de la porte à la fenêtre à quatre pattes et, à mi-parcours, comme attiré, le visage tourné vers cette icône qui était peut-être pour cet enfant observateur une image nouvelle dans la pièce, il s'arrête et dit : « J. » Peut-être l'avait-il vue. Mais pourquoi l'a-t-il regardée ? C'était une icône représentant une figure d'ange qui n'avait aucun rapport avec le crucifix que je vous ai décrit tout à l'heure, et que pourtant il a appelé « J ». Quelques mois plus tard, vers dix mois, quand il parlait déjà bien mieux et qu'il disait « J.sus » assez bien, il a eu l'occasion de voir une image d'une personne en méditation, une photo. Il l'a regardée, il l'a embrassée et il a dit : « J.sus. »

Ces trois expériences prouvent que l'enfant a le sens du sacré. On pourrait en citer d'autres, mais celles-ci ne peuvent pas avoir d'autre interprétation. En effet, certains pourraient vouloir l'expliquer en disant que l'enfant avait reçu de moi quelque chose. Mais moi, je n'aurais jamais appelé Jésus cette icône ou la photo de la méditation. Ce qu'il m'a dit n'était donc pas lié à moi mais réunissait dans cette expression « Jésus », qui pour lui représentait le sacré, ces trois images qui avaient un sens plus profond que les autres.

Maintenant, voyons quel est le grand danger qui arrive à l'enfant, car, pour lui, ce sens du sacré est, comme vous voyez, un baiser tout direct, tout droit, aimer sans explications le sacré qui apparaît à ses yeux, à son cœur. Il arrive un danger à un moment donné, un danger auquel je n'étais absolument pas préparée. Cela s'est passé quand mon fils avait douze mois environ, un soir, au moment de faire la prière, au moment du coucher. Cette prière, il me semble qu'il faut qu'elle soit toujours une prière liturgique et non un « Petit Jésus, fais que je sois sage », ou une espèce de petite mômerie enfantine, mais au contraire une prière qui, pour nous, adultes, aurait un vrai sens pour le donner à l'enfant. Je crois que cela est important. Au moment de cette prière du soir, donc, l'enfant, qui avait l'air dépressif d'expression, dit : « Jésus fâché, Titi méchant. » Je me demande alors ce qu'il peut bien avoir comme idée. Jamais il n'y avait eu de notion de culpabilité liée à Jésus. Et il dit qu'il a fait pipi dans la salle à manger, par terre. (J'avais en effet entendu vaguement qu'il y avait eu des histoires avec Marie qui venait justement d'astiquer. C'était pendant la guerre, vous savez que l'on n'avait pas beaucoup d'encaustique. Elle venait d'encaustiquer, s'était donnée beaucoup de mal, elle avait dépensé tout ce qu'on lui avait donné d'allocation d'encaustique. Et cela avait fait un drame.) Mais lui, une heure après, au moment de la prière, pense que ce drame avait provoqué une histoire qui l'avait déprimé. Il s'était senti coupable, c'est-à-dire dépressif et pas apprécié par les adultes, et il croyait que Jésus était fâché. C'est cela qui est important. C'est cette confusion à laquelle je ne m'attendais absolument pas : entre une culpabilité vis-à-vis d'une personne et puis un malaise vis-à-vis de cette prière, de l'idée de la prière.

Cet enfant avait plutôt treize, quatorze mois, il a parlé tôt, mais enfin tout de même, nous avons donc pu avoir un échange. Je lui dis, dans son langage : « Titi a fait exprès de faire pipi ou bien... ? — Ah non ! — Eh bien, il n'a pas fait exprès de faire pipi pour embêter Marie, mais Marie était embêtée parce qu'elle avait beaucoup travaillé, que c'était embêtant de recommencer. Marie était fâchée. Jésus aussi faisait pipi par terre et la Sainte Vierge n'était pas contente. » Alors, à cette explication, il me dit, rayonnant : « Oh, tu es une bonne maman... Faire la belle des belles ! » Je ne sais pas ce qu'il entendait par « faire la belle des belles » car je n'ai jamais donné aucun nom aux prières que je faisais, et qu'il répétait plus ou moins maladroitement, qu'il ne savait même pas du tout par cœur. J'alternais à cette époque le *Notre Père* (nous sommes catholiques, je vous le dis en passant, et vous vous en apercevez), le *Je vous salue Marie*, l'*Acte de charité* et le *Gloria* ; je vous dirai que quand je faisais l'*Acte de charité* et le *Gloria*, c'était un peu parce que c'était court, et que j'avais moins de temps. Eh bien, il me dit : « La belle des belles ! » Je lui demande : « Qu'est-ce que c'est ? » Il répond : « Tu sais, celle que j'aime parce que j'aime, que j'aime, que j'aime... » C'est la première fois qu'il donnait un nom à une prière. Il avait remarqué que l'*Acte de charité*, c'était l'Acte d'Amour, au nom du sens sacré. À douze mois, un enfant est capable, parce qu'il a des sentiments de culpabilité, d'associer la culpabilité émotionnelle et humaine née de son comportement à l'idée d'être séparé de Dieu.

Je vais vous raconter quelques petits événements.

À trois ans, Jean faisait sa prière. Il la savait à peu près et la répétait après moi. À ce moment-là, nous entendons Gricha, mon second fils, dire, sur le même ton que nous avions en disant le *Notre Père*, toute une prière qui était : « Té bien to pa na zians... Té bien to pa na zians... » Or, Gricha est le diminutif de Grégoire. À chaque enfant je donne toujours à la fin de la prière le nom de son Saint Patron. Pour Gricha, c'était Grégoire de Nazians, et cela donnait : « Grégoire de Nazians, mon patron, aidez-moi toujours », simplement cela. Et c'était cela toute sa prière : « Té bien to pa na zians. » Il est certain que cette expression de gravité qui était la sienne quand il disait « Té bien to pa na zians » était lié dans son cœur à une image, pour lui, secourable. Le grand m'a fait signe en riant, devant ce que son frère disait comme prière. J'ai fait signe à Jean que c'était très bien. L'enfant, avec le sens du sacré qu'il y mettait, ressentait le véritable sens de la prière et avait dans son cœur un élan vers ce qui lui semblait sacré. Pour lui c'était « To pa na zians », pour l'aîné c'était Jésus, mais « To pa na zians » avait sa valeur, c'était un médiateur. On aurait dit que le second sentait qu'il fallait qu'il prenne une place de second jusque dans cette situation sacrée.

On sait combien la place des enfants dans une famille est importante. L'aîné se met tout de suite du côté du père. Je me rappelle l'aîné disant que son père était le tsar, un jour que les gens lui avaient expliqué que le tsar est le fils du tsar, puis le roi le fils du roi. Il avait dit : « Les tsars et les rois, quand ils meurent, leur fils est roi. Alors papa est mort, et moi je suis le roi. » Comme cela, tout simplement. Il avait trois ans. Mais pour Gricha, qui est le second, qui était toujours le second en tout et toujours suivait son frère pour faire aussi bien que lui, mais toujours en second, c'est assez curieux que le sens du sacré ait pris le nom de « Nazians ». Grégoire de Nazians, car c'était son « To pa na zians », était tout son centre religieux et de secours. Cela pour vous montrer combien les conditions du développement, les conditions de la culpabilité, les conditions contraires de la croissance d'un enfant, se répercutent sur son centre religieux. Il a le sens du religieux, mais il y mêle toutes ces conditions humaines, sociales, affectives. Et je crois qu'il est bon d'assister à ces choses ou d'en témoigner et d'y réfléchir.

Une autre variante du *Notre Père*, qui nous a aussi sidérés, les frères étant plus grands, concernait la petite sœur. La petite sœur a trois ans, sait à peu près son *Notre Père*, sans que je le lui ai demandé. Un jour, elle me dit d'elle même qu'elle le sait, et m'en dit une partie, et elle dit : « Pardonnez-nous nos enfonces comme nous pardonnons à ceux qui nous ont défoncés. » Ça a fait rire, mais moi ça m'a touchée. C'était exactement cela, dont elle se sentait coupable : c'était un refoulement de ses frères qu'elle provoquait, qui faisait tout son drame. Et les frères ont entendu cela. Ils m'ont regardée, car eux qui savaient déjà le sens du terme « offenses » dont nous avions parlé plus tôt, les garçons n'ont jamais demandé qu'on leur pardonne leurs enfonces. Mais il ne faut pas être très profondément psychanalyste pour savoir qu'un garçon, s'il est élevé normalement, se sent très fier de toutes ses enfonces. C'est la fille qui se sent lésée dans les enfonces. Elle comprenait la culpabilité, elle comprenait le drame humain, son drame humain, il était là : « Pardonnez-nous nos enfonces comme à ceux qui nous ont défoncés. » Jamais nous n'avons changé sa prière, et ça s'est changé de soi-même. En famille, nous n'en avons jamais parlé, je n'ai pas voulu déformer le sens de l'enfant en lui expliquant le mot « offenses » qui n'aurait eu aucun sens parce que le sens vécu, c'était celui qu'elle donnait.

Une autre chose intéressante : mon fils aîné avait deux ans, il était, comme je vous l'ai dit, très fixé sur l'image de Jésus qui était l'équivalent de son père, enfin, le plus près de Dieu, après son père, c'était probablement une projection. Le second, c'était plutôt la vie des saints, de son saint et de celui de son frère. Il voulait savoir la vie du saint de son frère, trouvant que le sien était toujours beaucoup mieux. J'étais tout à fait d'accord, et puis sa jalousie envers sa petite sœur s'est montrée en disant : « Peuh ! La sainte Catherine ça ne rime à rien à côté de Grégoire de Nazians qui était le grand. Je sais qu'au Paradis, ils se débrouillent et même ils se disputent, peut-être », etc., toutes ces choses se mêlaient à leur vie émotionnelle. Le grand voulait toujours suivre dans l'histoire la vie de Jésus dans les images. Je crois qu'on a intérêt à montrer de beaux livres aux enfants sur la vie religieuse et non pas des petites images moches. Très vite, quand on leur montre de belles images, ils font tout de suite la différence. J'avais le livre que vous connaissez probablement, qui s'appelle *Le Christ dans l'art* et qui retrace l'histoire de la vie de Jésus jusqu'à la fin. Or je vous donne ce témoignage parce que, vraiment, il vaut quelque chose : c'est que cet enfant aimait regarder ces images dans le sens chronologique sans jamais les mélanger. Il voulait commencer par le commencement. Quand on n'avait pas le temps d'aller jusqu'au bout, on s'arrêtait et on reprenait là où on avait laissé, car, pour lui, c'était un devenir, cette vie. Et quand on arrivait aux images du « Christ aux outrages », mon Jean tapait dessus à tour de bras. Et parfois, à la surprise de la dame qui le promenait, et à qui il demandait de temps en temps de lui montrer les images de Jésus, ça le prenait de regarder ce livre. La première fois que cela s'est passé, j'étais présente. Un coup d'œil s'est échangé entre nous, et je lui ai fait signe de laisser faire et de passer aux autres images. Or, à toutes les images de la vie du Christ, l'enfant suivait l'histoire, s'identifiait à l'histoire au point qu'il était toute béatitude au moment des images de la Nativité. Il avait à peu près l'expression de saint François de Fra Angelico, tout douloureux, quand il se tient la tête. Il était comme cela au moment de la contemplation du Christ qui est mort, mais pas du Christ en croix, du Christ qui est mort quand la maman, la mère du Christ, a de la peine. Au contraire, au moment où le Christ était là, outragé, cet enfant s'identifiait à la masse des gens qui l'outrageaient. Pourquoi ?

C'est un témoignage qui a son importance, parce que, autrefois, grâce à ce qu'on appelait le chemin de croix, malheureusement tombé en désuétude, beaucoup des instincts que nous avons mal intégrés à notre vie pouvaient être intégrés, surmontés, transcendés par la méditation des scènes de violence. Le fait qu'elles allaient vers cette image de pardon total, d'intégration totale de la souffrance que représente le Christ, puisque ensuite il la transcende. Il fallait alors voir la joie du petit à la dernière image qui représentait la Résurrection et l'Ascension. Il retournait à l'image où il avait eu de la peine, puis à celle où l'on était content, et il était heureux. Il avait compris tout cela par l'image, comme dans un conte de fées, car à cet âge-là on s'intéresse aux contes de fées. Mais il ne confondait absolument pas les histoires de contes de fées et les histoires de Christ.

Ces témoignages d'une intégration totale de la vie émotionnelle positive, coupable ou violente dans des images, des incarnations divines qui sont médiatrices du sacré, je crois que c'est extrêmement important dans la vie de tout être humain. C'est par ce moyen que nous préparons l'époque de l'instruction religieuse à proprement parler, en intégrant à la vie quotidienne le folklore de la religion des parents. Et en permettant à l'enfant de se mettre, vis-à-vis des manifestations de cette religion, du même côté que nous.

Ce petit exemple montre bien que l'idée de bien et l'idée de mal viennent chez l'enfant gâcher, troubler, au contraire quand cela se passe bien, valoriser tous ses émois avec les parents et avec les personnes qui leur ressemblent. C'est très important pour l'enfant que nous nous dissocions, nous parents, de la personne de Dieu. L'enfant nous « profile » sur Dieu, et c'est notre rôle de lui montrer que nous sommes, nous, pas plus avancés que lui par rapport à Dieu, que nous sommes au même point que lui devant les images divines et que nous ne sommes pas pour lui un exemple à suivre pour atteindre Dieu. (Nous le sommes, mais nous ne devons pas nous poser comme tels.) En se développant, l'enfant s'identifie beaucoup plus profondément que nous le croyons aux personnes desquelles il reçoit les possibilités de survivre et de croître et il s'identifie au point que ce ne sont pas les gestes que nous avons à son égard, mais notre attitude intérieure qui porte ses fruits. L'être humain, et particulièrement l'enfant, est tout entier un être de valeur symbolique, et ce qui compte est l'attitude intérieure que nous avons quand nous lui donnons ne serait-ce que le biberon, ou ensuite quand nous lui donnons un plaisir, une nourriture. Ce n'est pas la brusquerie des gestes d'une maman qui va être néfaste mais son attitude intérieure si elle n'aime pas dans cet enfant la personne tout entière qui est en lui, celle qui va devenant quotidiennement vers une autonomie totale, mais un objet de possession, de gâteries, de cajolages. Ce ne sont pas les gestes qui sont les plus importants. Je le soutiens parce que beaucoup de personnes croient qu'il faut avoir certaines attitudes, un certain comportement avec les enfants. Il y a des styles de parents complètement différents. Certains sont doux, d'autres violents en apparence dans leurs gestes mais tout à fait positifs intérieurement et respectueux de la personne qui est dans leur enfant. C'est cela qui porte beaucoup plus que les brusqueries du comportement qui en effet peuvent gêner l'enfant un peu mais pas très longtemps.

Je me souviens d'une petite fille que j'ai connue à huit ans dans un orphelinat. J'avais dix ans à ce moment-là. L'usage voulait autrefois que, lorsqu'une fillette allait faire sa première communion, on lui donnât une petite compagne de cœur qui faisait aussi sa première communion en même temps qu'elle. Nous étions à la campagne, toujours au même endroit, et ma mère avait pensé que ça serait bien que j'aie une fillette de cet orphelinat qui, grâce à cette amitié sur un plan spirituel, aurait une petite marraine de son âge, le jour de sa première communion et elle s'était adressée à l'orphelinat qui nous avait donné un être extraordinaire qui peut-être a joué un rôle dans ma vocation de psychanalyste. Ma mère en était bouleversée, furieuse, et a fait des reproches à la directrice de cet orphelinat : « Pourquoi nous avez-vous donné une minus habens ? » Moi qui avais dix ans, je ne m'étais absolument pas rendu compte que cette enfant était diminuée intellectuellement mais au contraire de l'extraordinaire ouverture de cette petite fille qui m'avait surprise, car elle avait été élevée tout à fait autrement. Et je lui avais demandé comment elle était venue là, elle n'était là que depuis six mois. Elle n'avait pas de mère. J'ai appris cela plus tard, à ce moment-là, je ne savais pas. Je sentais seulement une petite fille très positive. Elle avait été élevée par une grand-mère qui s'était noyée un jour dans sa lessive. Elle était venue à cet orphelinat parce qu'elle avait été ramassée par l'Assistance publique, par la Préfecture du lieu où elle était. C'était une ville de province, elle avait huit ans, elle voulait aller chez les Petites Sœurs. Or, elle n'avait aucune instruction religieuse, et ce sont les sœurs qui m'ont plus tard appris cela, elle aussi m'a dit qu'elle voulait venir là, et j'ai dit : « Mais tu ne connaissais pas, ici. » Elle me répond : « Non, je ne connaissais pas, mais il y avait deux petites sœurs en noir qui passaient dans la rue (elle habitait une zone de taudis à Caen) et qui avaient l'air d'être si bonnes quand elles passaient, elles me regardaient avec un air si bon que je me suis dit : "Je veux devenir comme ces dames-là, toujours." » C'est la raison pour laquelle l'Assistance publique l'avait « déversée » là, alors qu'il n'y avait personne pour la recommander et que personne ne la connaissait. Les Petites Sœurs des pauvres connaissaient vaguement sa grand-mère, mais, comme elles n'étaient pas là lorsque la grand-mère était morte, elles n'avaient donc pu jouer aucun rôle, et elle était arrivée chez les Sœurs franciscaines de la région où je me trouvais. Or, cette petite fille soi-disant « minus habens », c'était vrai du point de vue humain, n'est jamais arrivée à passer son certificat d'études. Elle est restée chez les franciscaines et elle est maintenant une petite religieuse. C'est une petite brebis du bon Dieu. Elle est absolument transparente. J'ai toujours continué à la voir, et quelquefois je la vois, c'est vraiment touchant de parler avec elle, elle me dit : « Comment vont mes frères ? » (« Mes frères », ce sont les miens.) « Comment va ma belle-sœur ? » (« Ma belle-sœur », c'est la femme d'un de mes frères.) Elle remplit très bien son rôle de religieuse converse. Elle s'est habituée, c'est une débile, une petite débile, mais elle a une telle charité vivante, une telle charité vécue, qu'à mon avis, c'est un être transparent, rayonnant de Dieu. Quand nous lui donnions des cadeaux, car tous les ans, elle m'écrivait sans aucune vergogne : « J'ai besoin de ceci, de cela... Ça te fera tellement plaisir de me le donner... » Et quand je le lui donnais, elle ne me remerciait pas, elle me disait : « Comme tu dois être contente, comme je suis contente que tu sois contente de me le donner ! » Et c'était vraiment touchant. Je crois que la rencontre de cet être a été pour moi une révélation, car je vivais à l'époque d'une façon tout à fait différente, dans une famille bourgeoise où il fallait passer des examens et avoir des notes valables... Et cela était sur un autre plan quelque chose de merveilleux. Pour moi, passer avec elle une après-midi par semaine pendant toutes les vacances, lors de son jour de sortie, était une joie. Ce que ma mère ne comprenait absolument pas : elle trouvait que j'étais complètement toquée ; mais je vous assure que, moi, je m'amusais beaucoup avec elle. Je la sentais nature et transparente. Voilà : des Petites Sœurs des pauvres sont passées et ont donné à cette enfant complètement inculte et retardée le sens d'une vie donnée, qui a été, jusqu'à son accomplissement chez les franciscaines — où elle vit toujours d'une vie rayonnante —, une œuvre vraiment très valable.

Un autre exemple beaucoup plus fâcheux est celui d'un petit garçon de huit ans, qui m'a été amené avec de gros troubles de caractère : renfermé, inquiet, sournois, méchant par en dessous, troublant toute la vie familiale et la vie scolaire, instruit depuis peu pour la première communion privée et les parents espérant que cela le rendrait sage en cultivant son sentiment de culpabilité (car si les parents espèrent que la religion va rendre sage un enfant, c'est à cause de la culture du sentiment de culpabilité) et catastrophe, il est renvoyé du catéchisme et on dit à la mère : « Nous ne voulons pas de lui, c'est impossible, il détruit tout le groupe. » On m'amène ce petit complètement traqué, qui est soi-disant un être pervers, et je demande ce qui s'est passé au catéchisme. Les parents me disent : « Par-dessus le marché, il est sacrilège ! — Sacrilège ? » Je demande des explications, l'instruction religieuse de ce petit groupe se faisait avec des idées nouvelles, une éducation nouvelle pas si mauvaise que cela après tout, mais enfin... On dit aux enfants : « Eh bien, vous voyez, vous allez parler à Jésus en lui disant toutes les choses dans votre cœur qui vous semblent bonnes. Vous allez l'appeler de tous les noms qui vous semblent beaux et bons. Alors toi... Un Tel, qu'est-ce que tu dis ? — Beau soleil couchant... — Ah, c'est très bien, c'est très joli ! » La dame est très contente. Un autre dit : « Jolie fleur épanouie. — Ah, c'est très bien, c'est parfait, c'est merveilleux ! » Et quand on arrive à celui-là, il dit : « Jésus carotte... Jésus oignon... café au lait. » Alors là, naturellement, évidemment : rire généralisé des enfants. Parce que ce n'était pas du tout conforme à ce qu'il fallait dire. Personne ne trouvait cela admirable. On a dit qu'il se moquait du monde, qu'il fallait qu'il s'en aille du groupe. Or, je questionnais la mère qui ne m'avait pas raconté ce détail-là devant l'enfant. Elle me l'avait raconté avant. Mais comme je fais toujours résumer devant l'enfant les raisons pour lesquelles il est amené, et j'ai vu, quand on disait qu'il était renvoyé du catéchisme, cet enfant devenir de plus en plus voûté, écrasé par le destin qui semblait être le sien. Or, j'avais appris durant l'entretien avec la mère (c'était pendant la guerre) qu'ils vivaient à onze personnes repliés dans quatre pièces. Il y avait deux vieillards et une vieillarde gardée par amitié par les grands-parents, et qui prenaient à eux trois déjà deux pièces. Il restait donc deux pièces pour les huit autres personnes qui étaient cinq enfants, deux parents et une petite jeune fille pour aider. Les parents étaient obligés de faire la cuisine pour tout le monde. Le vieux grand-père rouspétait quand cela sentait les oignons, la vieille dame amie de la grand-mère ne pouvait supporter les carottes, si bien qu'au menu, il y avait toujours des pommes de terre, parce que c'était pendant la guerre, qu'on n'avait pas grand-chose et qu'on ne pouvait jamais agrémenter de rien. Quant au café au lait... La mère avait du mal à en donner aux enfants, parce que ces vieillards avaient besoin de café au lait sucré. Ils n'avaient pas grand-chose, ce qu'on leur donnait était chaque fois pris en douce sur les autres grands-parents et leurs amis. Et comme il y avait d'autres enfants et que lui n'était ni l'aîné ni le dernier, auquel parfois on en donnait plus, ce café au lait, ces carottes, ces oignons représentaient tout ce qu'il aurait eu envie de manger. À la première séance, quand j'ai pris l'enfant seul, l'unique dessin qu'il m'a fait, c'était le symbole de l'hostie. Il l'avait appris. Il s'était instruit de ce qu'il allait faire à sa première communion, c'est-à-dire manger une petite hostie. Il a dessiné cela très timidement, comme il était, aussi timide que ce petit dessin, et je lui demande : « Qu'est-ce que c'est ? » Et il me répond : « C'est Jésus. » Alors je lui dis : « C'est Jésus. Comment c'est, Jésus ? — C'est Jésus dans l'hostie. — Ah oui ? qu'est-ce que tu connais de ça ? — Je ne pourrais pas, moi. J'ai été renvoyé du catéchisme. » Et il m'explique l'histoire lui-même, après coup. La mère m'avait simplement dit qu'il avait dit des choses tellement sacrilèges qu'on l'avait renvoyé du catéchisme, sans que je sache le détail de ces choses sacrilèges. C'est lui qui me les a expliquées. Il m'a dit : « Voilà ce qui s'est passé. On m'avait dit qu'il fallait dire dans son cœur comment c'était. » Et que lui, il attendait de communier comme s'il attendait les carottes, les oignons et le café au lait qu'il n'avait pas tous les jours. Alors j'ai parlé avec lui, en confiance, et je lui ai dit que Jésus était sûrement très content qu'il ait dit ça, parce que ça prouvait combien il l'attendait avec amour et qu'il n'avait sûrement pas fait quelque chose de mal. Enfin, nous avons parlé du pas commode, de vivre à la maison tous ensemble, des grands-parents qui sont grincheux, de personne qui est content, de ce qu'il ne fallait pas faire de bruit... Cet enfant revivait, se détendait de minute en minute en parlant avec moi.

J'ai appris que les choses s'étaient arrangées relativement vite parce que, d'abord, la première communion lui a été autorisée, chose qu'il attendait avec impatience. Il fallait absolument dissocier son comportement caractériel qui n'était que la résonance au comportement caractériel de toutes ces personnes ensemble, dont aucune ne supportait la voisine. La mère, très vite, est partie à la campagne avec ses enfants et sa petite bonne dans des conditions qui pour elle étaient moins agréables qu'à Paris, mais qui, pour les enfants, se sont montrées très favorables, et j'ai eu de très bonnes nouvelles ensuite. Une seule séance avait suffi. Il s'agissait de concentration. Il était sacrilège, et en plus il avait volé deux mille francs (j'avais oublié ce détail). À la séance de gymnastique de l'école, on avait vu de l'argent sortir de sa poche. D'où grande punition : on l'avait privé de manger ce jour-là. Il retourne à l'école, on croit qu'il a compris : de sa poche ressortent encore des billets. Que faire ? Finalement, on décide de l'envoyer chez un médecin. C'est comme ça qu'il est arrivé chez moi. Cet enfant n'avait aucun sens de la valeur de l'argent. Selon lui, pour acheter une sucette, il fallait mille francs. Pour acheter un costume, il fallait quatre sous. Quand j'ai étudié avec lui la valeur de l'argent, il n'en avait aucun sens, mais pour lui, l'argent avait quelque chose de symbolique, une valeur. Cet enfant, qui perdait complètement tout sens de valeur, prenait dans le porte-monnaie de maman une valeur quelconque pour la porter avec lui. Ce cas est typique.

L'enfant soi-disant immoral cherche en fait à tenir le coup dans sa vitalité, comme il le peut dans un milieu qui est très difficile. Voilà comment, au nom de la religion, on peut commettre la faute de détruire le sens du sacré de l'enfant sous prétexte de l'instruire.

Une autre histoire. La petite fille pensionnaire a quitté ses parents. Habitant une ville éloignée, elle est pensionnaire dans un couvent de bonnes sœurs, ses parents sont patrons d'un grand hôtel trois étoiles, et elle est dans un couvent où elle trouve la nourriture très mauvaise en comparaison de ce qu'il y a dans ce palace où elle passe ses vacances. Il y a une petite boîte aux lettres pour les anges dans laquelle les enfants doivent mettre les sacrifices qu'ils font. On n'est pas obligé de le faire, mais : « Tiens, tu ne mets pas ton petit papier ? » Chacun doit mettre son petit papier. On n'est pas bien vu si on ne met pas son petit papier. Alors elle met un petit papier. Elle en mettait souvent quand, un jour, elle est appelée par la directrice. De ce jour date son refus de toute religion, alors que c'était une Bretonne, donc qui avait beaucoup le sens religieux avant et le grand respect des religieuses et des bonnes sœurs qui l'élevaient. Elle était de ces enfants avec une croyance magique, qui découvrent que les bonnes sœurs ont des pieds, comme c'est curieux, parce que les bonnes sœurs, est-ce que ça a des pieds ? Les bonnes sœurs et les anges, c'est presque Dieu. Elle est appelée par la supérieure qui lui « passe un savon » et qui lui dit que c'est épouvantable de se moquer comme cela de la religion. La petite ne comprend absolument rien à l'histoire, et la supérieure lui sort le papier qui était dans la boîte aux anges et qui disait : « J'ai mangé deux fois du dessert tellement il était mauvais pour faire plaisir à Dieu. » Mais la religieuse a pensé que cette enfant, qui était éteinte et qui n'avait pas beaucoup de contacts avec les autres parce qu'elle souffrait d'être séparée de ses parents, voulait se moquer d'elle. Mais que s'est-il passé ce jour-là dans la conscience de cette fille, qui par la suite a fait une névrose obsessionnelle et que j'ai eu à soigner à l'âge adulte ? Il s'est passé un effondrement. À l'hôtel, le courrier des clients était sacré. Personne ne le regardait, et elle-même, en vacances, avait appris à le trier et à le mettre dans chaque case de chambre sans jamais le regarder. Et si un timbre l'intéressait, on lui disait : « Veux-tu ! Ce n'est pas pour toi, c'est au client. » Le client était sacré, et sacré le courrier. Et voilà que le courrier des anges était ouvert par les bonnes sœurs ! Alors les bonnes sœurs étaient curieuses ; mais si les bonnes sœurs étaient curieuses, il n'y avait plus de bon Dieu, c'est qu'il n'y avait plus rien. Pour l'histoire du gâteau, la religieuse lui a demandé : « Pourquoi avez-vous mis ça ? » Et elle a répondu : « Parce que c'était vrai. Le dessert était très mauvais. » Elle avait neuf ans. À cet âge-là, on a un tel sens de la métaphysique qu'on gauchit tout. La religieuse l'a mise en quarantaine ; pendant deux jours, elle n'est pas allée avec les autres. Elle a été heurtée dans son identification religieuse, qui allait pour elle dans le sens de la morale, quand elle a découvert que les religieuses étaient curieuses et croyaient bon ce qu'elles servaient. Elle trouvait normal et elle en parlait à ses parents, qu'on ne puisse pas dans une pension donner de la bonne nourriture comme dans un hôtel trois étoiles, elle trouvait cela normal, elle en souffrait d'autant plus que, lorsqu'elle était jeune, son défaut avait été de chipoter : c'était une enfant qui chipotait sa nourriture, qui ne prenait que ce qu'elle voulait, et comme elle était gâtée, on lui laissait faire ça. Elle avait pris sur elle par vertu, par amour de ses parents, pour faire des sacrifices qui puissent se répercuter sur autrui comme on le lui enseignait. Elle faisait le sacrifice de bien manger, de manger de tout et même deux fois de quelque chose qu'elle trouvait mauvais pour que ça se répercute sur sa mère au loin. Voilà un exemple de gauchissement de la conscience morale qui est irréparable.

Un autre gauchissement de la personne de l'enfant se passe au moment de la croissance : quand les enfants ont tant besoin des échanges kinétiques les uns avec les autres ; j'appelle kinétique : se battre, se colleter, mesurer leurs forces réciproques, trouver quand ils sont en groupe un modus vivendi hiérarchique par rapport à la force corporelle. Tout cela ressenti comme juste sur le plan de la loi morale naturelle. Si la mère ou le père veut voir une intention mauvaise dans le fait que l'acte a apporté un dol à un des enfants, qu'il a fait du mal et que c'est mal du point de vue moral d'avoir fait du mal, tout est gauchi.

C'est ainsi qu'un petit garçon que j'ai eu à soigner encore pour une grave névrose obsessionnelle avait été élevé par un ménage dont le père était instituteur et la mère pas du même niveau, à ne jamais jouer, ne jamais s'amuser. C'était toujours : « Prépare ton avenir. » Ce qui voulait dire s'asseoir sur une chaise devant un papier. C'était cela qui s'appelait préparer son avenir. Cet enfant avait une grand-mère qui était douce, bonne. Sa mère n'avait pas beaucoup de contacts avec lui. Elle était d'ailleurs une femme-enfant liée à sa propre mère, et cette grand-mère était pieuse. Lui, le père instituteur, était le sectaire antireligieux, mais il respectait chez sa femme une vertu d'ignorance qui le ravissait. Il disait : « C'est parce qu'elle est pieuse. Tant mieux, parce que les autres qui ne le sont pas cocufient leur mari. » Laissons donc la religion aux femmes, c'est très bien ! Quant à sa belle-mère, il la respectait parce qu'il la trouvait intelligente. Il y avait souvent à la maison des discussions où on lui disait que c'est parce qu'elle avait été veuve de bonne heure, qu'elle avait besoin de religion, et qu'en fait, la religion des femmes, c'était toujours de la sexualité. Voilà la conversation qui, en même temps que le « Prépare ton avenir », privait cet enfant de toute vie kinétique et de toute vie agréable et de jeux avec les autres. Et comme il était fils d'instituteur, s'il disait quelque chose, il était le cafteur. La vie sociale avec les camarades était en plus très compliquée parce que lui enviait beaucoup ces enfants qui faisaient des bêtises et il les caftait à son père instituteur, lequel les « fourrait » dedans. On voit combien cette situation était difficile pour ce petit garçon, qui n'avait comme seuls moments agréables que ceux où sa grand-mère l'emmenait à l'église le soir, vers cinq, six heures, à l'heure du Salut, quand il avait fini ses devoirs. Il y avait des lumières, l'enfant, assis très sagement dans les jupes de sa grand-mère, regardait, assis là, ces lumières. Il ne préparait pas son avenir mais il était content. Ce petit, d'une sagesse prétendument exemplaire, avait dans sa vie intérieure, depuis l'âge de cinq, six ans, des imaginations qui étaient toutes des imaginations kinétiques : d'Indiens, de cow-boys, de supplices au poteau. Il a préparé sa première communion dans cette apparence de petit ange qui ne bougeait pas et qui était la sagesse même. Et dans son imagination, toutes ses fantaisies lui semblaient exquises, et jusque-là il n'avait jamais pensé que c'était mal. Mais lors d'une leçon de préparation de la première communion, à douze ans, on lui enseigne qu'on « pèche par pensée » (c'est la leçon sur le péché qui vous mène en enfer). Cela deux jours avant la première communion attendue par lui comme quelque chose de merveilleux, de magique, de satisfaisant, parce que ça le réunissait avec cette petite lumière sacrée qui lui permettait de se reposer, le soir, avec ces chants qui le berçaient, qui lui donnaient quelque chose de son enfance retrouvée dans la paix près de sa grand-mère.

Ce péché qui entraîne l'enfer, il avait cru jusque-là que c'était lorsqu'on faisait quelque chose, c'est-à-dire quand on allait « défoncer autrui », et comme il ne « défonçait » jamais personne, comme il ne pouvait pas, il croyait qu'il n'était jamais pécheur. Or, cette leçon sur le péché par pensée provoque un remue-ménage fantastique chez cet enfant, et, deux jours avant sa première communion, il ne peut plus dormir. Je ne l'ai pas vu à ce moment-là, il aurait dû voir un médecin à ce moment-là. On met cela sur le compte de l'énervement de la retraite, c'est vrai, mais enfin, on ne savait pas ce qu'il y avait au fond. L'enfant, le soir même, veut aller se confesser, et il y va, il ne se passe rien de spécial, c'est-à-dire qu'il ne peut pas avouer ses fantasmes à son confesseur tellement il trouve ça mal. Il y allait pour ça, mais il lui raconte n'importe quoi. Le lende-main, dernier jour avant la communion, il va à l'église, il suit la retraite qui ce jour-là était sur un sujet très rassu-rant ; mais lui savait qu'il n'avait pas droit à cette « rassu-rance », car il commettait sans arrêt le péché de mettre quelqu'un au poteau. Ces imaginations-là, il n'avait jamais eu l'idée qu'elles étaient coupables, alors qu'on venait de lui apprendre que les pensées méchantes sur autrui pou-vaient être coupables. Il n'avait jamais fait le rapproche-ment. Il essaie de se reconfesser ce jour-là, le prêtre dit à la grand-mère qu'il est bien nerveux, bien fatigué, et le petit à la maison fait une scène absolument délirante en suppliant de ne pas faire sa première communion. Il dit : « Et puis, papa n'y croit pas. » Personne ne sait ce que veut dire ce « n'y croit pas ». Il aurait voulu que son père ne croit pas qu'il était coupable. Or, pas du tout, ce monsieur sectaire dit : « J'ai payé le costume de première communion, j'ai commandé le gigot. La cérémonie est déclenchée, il n'est pas question que ce petit galopin nous fasse maintenant une comédie. » L'enfant s'en va donc à sa première communion et, complètement affolé, quitte les rangs. Il a un malaise et un des prêtres qui le connaissait va vers lui et le questionne. Il lui dit : « Il faut absolument que je vous avoue quelque chose, il faut que je me confesse. » Le prêtre qui le connaissait pour être un enfant absolument incapable de tout péché et d'une sagesse décourageante pour les abbés et pour le monde entier, tellement il était inhibé, lui dit : « Mais tu n'as rien à te reprocher, vas-y, je t'assure que je te connais bien », il lui donne une absolution de bonne volonté pour lui faire plaisir et il l'oblige à aller communier.

De cette communion, et de ce jour, date la névrose obsessionnelle qui s'est constituée. J'ai vu cet homme de trente-cinq ans dans un état de ravage extraordinaire, car, depuis, cet homme vivait comme quelqu'un qui avait avalé la condamnation, avait avalé le symbole même de sa mort. Ça a été extrêmement long à venir. En analyse, ce sont les choses qui touchent le sens du sacré qui sont les dernières à venir, car ces gens sentent qu'aucun être humain ne peut rien faire pour eux, étant donné la gravité de leur situation. Le plus curieux de l'histoire, c'est qu'il n'avait aucune autre croyance que celle-là, sa religion, c'était qu'il était mort, qu'il était en enfer depuis ce jour-là. Il était venu me voir pour une névrose obsessionnelle tout à fait différente. Lorsqu'il regardait quelqu'un dans la rue qu'il avait remarqué plus qu'une autre personne, si cette personne faisait ce geste de descendre du trottoir au moment où il la regardait, cela voulait dire qu'il allait lui donner la mort un mois après. Si bien que cet homme avait des calepins remplis de noms de personnes qu'il avait suivies, après qu'il les avait vues faire ce geste au moment où il les regardait, et il passait un mois après pour voir s'il y avait une tenture noire à la porte. Il n'était jamais sûr de ne pas avoir tué quelqu'un par la pensée, si bien qu'il évitait, pendant qu'il traversait, de regarder les gens. Imaginez cet épouvantable malade qui par ailleurs faisait son travail avec une figure ravagée. Sa psychanalyse a duré trois ans. Son état s'est amélioré. Il a sans doute vécu d'autres choses, mais le commencement de sa névrose obsessionnelle, le jour où il a été rayé des humains vivants et des humains par-delà la mort, c'est ce jour-là.

Nous pouvons donc faire des fautes quand nous donnons l'instruction religieuse aux enfants, quand nous leur donnons des assurances, sans savoir ce qui se passe en eux, parce que nous ne les écoutons pas. Si nous avons une religion, nous devons leur donner en plus tous les secours de cette religion et non pas aller dans le sens d'une condamnation. Mais si nous amenons un enfant à transcender sa souffrance, à aller par-delà, à la négliger, au nom soi-disant de la religion, nous pensons que nous allons l'aider à atteindre une perfection. Or, nous faisons tout le contraire. L'enfant souffre pour des raisons tout autres que des raisons spirituelles. Il souffre quand il n'est pas d'accord avec la personne qui l'éduque. Il souffre quand il est frustré d'un plaisir et il a un malaise par rapport à lui-même quand il a raté une performance. Un enfant qui tombe d'une échelle ou qui tombe par terre est furieux contre lui-même, ou alors il est dépressif. Cette dépression, nous adultes, nous l'utilisons comme le signe de sa punition par l'invisible : « Tu es puni par Dieu. » J'ai entendu une mère qui disait : « Tu m'as désobéi, Dieu t'a puni. » Dans ce cas, nous lui donnons à croire que la culpabilité humaine se profile sur le sens du sacré, ce qui est complètement faux. Si nous lui disons : « Quand tu es malheureux, comme c'est bien que tu sois malheureux », le « malheur » ou la souffrance étant pris en eux-mêmes comme des vertus, nous lui donnons ainsi le culte de ces malaises que nous ressentons constamment pour des raisons qui ne relèvent absolument pas du sacré. Nous lui donnons ainsi le culte d'écraser ses propres instincts, finalement une perversion, c'est-à-dire la joie de rendre son corps malheureux, la joie de se détourner des lois naturelles qui sont la satisfaction corporelle des instincts. Or, ces satisfactions naturelles se heurtent tout simplement dans la vie, et sans l'intervention de la religion, aux satisfactions du voisin. Là est l'épreuve. L'épreuve n'est pas de se heurter aux lois de Dieu, elle est de se heurter aux lois naturelles. Ces lois naturelles, je ne dis pas que Dieu ne les a pas faites, mais ce n'est pas notre affaire, à ce moment-là, de l'enseigner dans l'instruction religieuse de l'enfant. Il faut lui dire : « Eh bien, tu as trop mangé, ton estomac ne l'a pas supporté », mais pas que Dieu l'a puni de sa gourmandise. Si nous lui disons qu'il est puni par Dieu de sa gourmandise, nous entachons complètement tout l'avenir par de la culpabilité. Si nous lui disons : « Si tu manges des choses mauvaises, ça fait plaisir à Dieu », c'est comme si nous lui disions : « Dieu s'est complètement gouré le jour où il nous a donné du goût », ou : « Toutes les références que tu as de l'esthétique sont des références à revoir », ou encore : « Tout ce que tu sens beau, ce n'est pas vrai, il faut aimer le laid, tu vas voir, ce sacrifice que tu vas faire en aimant le laid, en t'entourant de choses laides, comme ça va faire plaisir à Dieu. » Nous faussons complètement la base du sens du sacré, parce qu'il est toujours relié au sens de l'éthique pour un être humain, celui de son éthique propre et non pas celui qu'il va prendre dans l'identification à sa mère. Il y a des choses profondément biologiques que personne ne peut changer. Il y a des goûts. Par exemple, certains enfants n'aiment pas certains plats. Si nous leur disons : « C'est bon », nous avons tort ; si nous leur disons : « Je trouve ça bon », nous avons raison. Mais nous ne pouvons pas les obliger à trouver bon ce qu'ils trouvent mauvais. Le respect de l'autonomie des goûts, de l'autonomie des aspirations de l'enfant, de ses besoins les plus justes, de sa vitalité, c'est cela que nous devons respecter d'abord pour qu'ensuite une instruction religieuse puisse se faire.

Comment faire cette instruction religieuse puisqu'il y a tous ces obstacles ? Il faut la faire, je crois, en respectant les satisfactions que l'enfant cherche à avoir, en respectant son égoïsme aussi longtemps qu'il a besoin d'être égoïste, tout en lui donnant, nous, l'exemple de ne pas l'être (si nous ne le sommes pas nous-mêmes), mais en ne magnifiant pas sa générosité parce que nous la souhaitons et parce que cela nous vexerait et nous frustrerait qu'il en fût dépourvu. Nous devons repenser, nous, notre propre vie morale et notre vie religieuse avant d'essayer de donner une instruction à l'enfant, mais nous devons d'abord respecter le passage au stade magique. Voilà une chose très importante dans l'évolution de la religion chez l'enfant : il a le sens du sacré et, cependant, il est obligé de passer par le stade magique qui est inférieur au niveau qu'il avait quand il était tout petit. L'enfant est habitué au cours de son évolution à s'identifier à la personne aimée qui lui donne sa nourriture. Ce don de nourriture est ressenti par lui comme la preuve qu'il est né. Donc, quand lui aussi va donner quelque chose, cela va être aussi la preuve qu'il aime. C'est parfois sur un objet qu'il va faire porter la valeur et le signe de ce don. C'est pourquoi les rites magiques, les rites qui heureusement pour les enfants catholiques existent dans leur religion alors qu'ils n'existent pas pour les protestants, sont très utiles pour le développement du sens du sacré. Ce n'est pas que le sens du sacré soit cela, mais si l'enfant de moins de deux ans a le sens du sacré sans rien, à deux ans, son sens du sacré passe par le magique : il semble qu'il ait dégringolé dans le sens du sacré car le sens du sacré, au-delà du magique, il ne l'aura que beaucoup plus tard, quand il sera devenu un être humain très évolué. La notion du magique, c'est la notion de l'objet représentatif en lui-même de l'intention. L'intention n'est pas vue en premier. C'est l'objet qui est vu comme représentant l'intention. Par exemple, le magique est relié au fétichisme, où l'objet est vu comme intention. L'enfant a besoin momentanément de passer par ce stade. Beaucoup d'adultes restent à ce stade magique, mais tant pis s'ils y restent. Je crois que s'il y a des gens qui stigmatisent la magie qui existe dans les religions, c'est parce qu'ils ont une magie sur autre chose. Sinon, ils ne pourraient pas stigmatiser la magie dans la religion, pour la bonne raison que, passé le stade magique, la magie n'intéresse plus personne : on sait bien qu'il y a un au-delà du stade magique mais que ce stade magique est respectable. Je pense, par exemple, à cette vieille bonne femme qui allait prier la Sainte Vierge. Cela se passait en Italie, elle venait marmonner ses prières et elle s'est approchée de la statue qui était à peu près à sa hauteur. Elle lui a donné une gifle pour que la statue l'écoute et lui a dit : « N'écoute pas la voisine, écoute-moi. » Cette femme avait le sens du sacré et elle avait aussi simplement le truchement magique. L'enfant est pareil et l'être humain reste quelquefois toute sa vie enfant. Ce n'est pas une raison pour lui dire : « Ce n'est pas vrai. » Je crois que nous pouvons le mener au-delà du magique à condition de ne jamais dévaloriser l'idée magique. Quant à l'enfant qui veut aller mettre des cierges à l'église, c'est une intention. Laissons-le faire, c'est du même ordre que de mettre son ours dans son lit, comme si mettre son ours dans son lit, cela avait une valeur pour l'ours. Cela a une valeur dans son cœur parce que c'est « nider » quelque chose, de même que d'aller porter une offrande quelconque, une petite chose précieuse, devant la statue d'un médiateur pour lui du sens du sacré. Nous ne devons pas le valoriser, c'est cela qui est important.

Un aîné de trois ans perd son grand-père. Il a un vrai chagrin car il aimait son grand-père. Il sait que, le jeudi précédent, le grand-père est mort. Il semblait en pleine santé pour l'enfant et pour tout le monde : il est mort d'une crise cardiaque. Le jeudi précédent, il était là à déjeuner, très vivant, gai. Il jouait avec les enfants. Le jeudi suivant, l'enfant sait que son grand-père ne viendra pas. Je vais passer sur l'expérience de mort, mais je vais dire comment est intervenu un objet magique, l'objet magique, l'objet fétiche, le truchement dans son acceptation de la mort du grand-père. Le grand-père faisait quelquefois les gros yeux quand l'enfant était trop exigeant. Il y a, vous le savez peut-être, un nain de Blanche-Neige, petit lutin de Walt Disney en caoutchouc, qui fait les gros yeux et qui s'appelle Grincheux. Grincheux existait dans la maison. Personne ne faisait attention à Grincheux, ni à Simplet ni aux autres petits objets qu'il y avait dans les placards. Soudain, Grincheux est mis au premier plan. L'enfant dit : « On emmène Grincheux au Luxembourg. » Pourquoi pas ? Soudain, il flanque Grincheux dans le bassin ; naturellement, une bonne dame bien intentionnée ramasse Grincheux et le ramène au petit garçon furieux, qui dit à la jeune fille qui s'occupe de lui : « Il faut que Grincheux s'en aille. » Elle ne comprend pas mais elle voit que c'est très important pour lui. Il le reflanque dans l'eau. Malheureusement, Grincheux surnage car il avait un petit sifflet en caoutchouc et était plein d'air. L'enfant est absolument angoissé : Grincheux ne rentre pas sous l'eau. La jeune fille dit : « On va le ramener à la maison », l'enfant répond : « Tu vois, il ne veut pas aller sous l'eau, il ne comprend rien du tout. » Elle le laisse faire. Ils reviennent à la maison, et Jean me rapporte cette histoire, vraiment inquiet, et il dit à la jeune fille que « demain Grincheux voudra bien mourir ». On voit le rapprochement avec le grand-père qui était autrefois Grincheux en faisant les gros yeux, il l'avait dit une ou deux fois : « Grand-père fait comme Grincheux », il l'avait dit autrefois quand grand-père faisait ce geste de fâcherie... Après conciliabule entre la jeune fille et moi, la jeune fille dit : « Il faut faire une fente dans cet objet de caoutchouc pour qu'il puisse prendre l'eau et tomber au fond du bassin. » C'est ce qu'on fait et, le lendemain, Grincheux est flanqué dans le bassin avec agressivité, et heureusement, triomphe, Grincheux tombe sous l'eau, et l'enfant tout apaisé, tout heureux, dit : « Grincheux a bien voulu mourir. » Je ne peux pas vous détailler ici toute l'histoire, car l'histoire est plus importante que cela du point de vue psychanalytique, mais cela pour vous montrer le truchement fétichique de la partie néfaste du grand-père. La partie néfaste du grand-père, il fallait qu'elle meure aussi, puisque la partie agréable, faste, si on veut, du grand-père, ne revenait plus. Et sinon, l'enfant aurait été terrorisé de garder une représentation qui avait été associée pour lui au côté grondeur de grand-père, si le côté grondeur de grand-père restait à la maison, il fallait absolument que le côté grondeur meure autant que le côté bénéfique et agréable qu'il aimait beaucoup, car ensuite il est allé à la maison et a parlé à sa grand-mère d'une façon extrêmement chaleureuse et gentille.

Ce fétichisme pour le bon et le mauvais est indispensable à l'enfant, et il mettra dans son sens religieux le fétichisme « bon », il y mêlera son besoin du fétichisme « bon » et du magique « bon ».

Ensuite, l'enfant s'identifie à la personne de ses parents, c'est-à-dire à tout leur comportement gestuel, et il est très important que les parents ne l'obligent pas à suivre les rites que l'enfant les voient accomplir comme si suivre ces rites c'était être religieux. Si les parents vont à l'église et que l'église embête l'enfant, ils peuvent lui dire : « Va nous attendre dehors en jouant, mais ne reste pas à t'ennuyer alors que nous, ça nous fait plaisir », sinon on fausse la compréhension de l'enfant : les parents ont du plaisir et ce qu'ils font a du sens. L'enfant s'embête et pense : « Si les parents veulent que je reste, ce sont des embêteurs. Dieu est comme les parents, Dieu est donc un embêteur. »

Je dirai un peu rapidement, en tant que psychanalyste, que l'enfant, garçon ou fille, s'identifie d'abord à sa mère, puis à son père. L'épreuve vient de ces identifications contradictoires à la fonction corporelle des parents : on ne peut pas être à la fois papa et maman, on ne peut pas être un papa-maman. On ne le peut pas et, pourtant, on voudrait toujours s'identifier à ce groupe papa-maman. L'enfant est le symbole de l'union des deux parents. Il l'est, dans son être, d'une façon si profonde qu'il ne le sait par encore. Il croit qu'il faut qu'il s'identifie à des parents unis ou « neutralisés », c'est-à-dire sans contradiction, afin d'être lui-même sans contradiction. Un des points importants de l'instruction religieuse, c'est d'enseigner à l'enfant la contradiction. L'enfant, en se développant, s'identifie d'abord à sa mère puis à son père. Puis il s'aperçoit qu'il y a une différence fonctionnelle entre les parents. Il perçoit d'abord la différence de costume, puis la différence sexuelle. Le drame, pour lui, c'est de ne pas pouvoir s'identifier à la personne-mère et à la personne-père sans être en contradiction. Il faut absolument qu'il devienne lui-même le symbole de l'union des deux parents, qu'il ne sait pas encore mais dont il a l'intuition. Mais il faut qu'il s'identifie à l'enfant qu'il est « allant devenant[1] » un homme — un autre homme que son père — et jamais une femme si c'est un garçon ; « allant devenant » une femme — une autre femme que sa mère — et jamais un homme si c'est une fille. Cette contradiction entre son besoin d'unité et la contradiction apparente de la complémentarité sexuelle fait que l'enfant se sent en danger de désunion. C'est à cause de ce danger que l'instruction du sacré doit être une instruction à la contradiction.

Je vais vous dire, en tant que psychologue, comment on peut donner cette instruction religieuse positive. Pour préparer cette instruction, enseigner la dévotion, nous pouvons enseigner la confiance à l'enfant en respectant ses attitudes spontanées, sans lui en imposer d'autres. Ensuite vient l'instruction vraie — très tôt dans la vie de l'enfant — qui consiste à enseigner la contradiction apparente entre la volonté de bien faire et le mal qui en résulte parfois. Il ne faut jamais juger un comportement en confondant ce qui est bien d'un point de vue social et le bien spirituel.

Un exemple — je prends encore les exemples de mes enfants, ce sont ceux que j'ai constamment sous les yeux : Jean a trois ans et demi. Il est déjà extrêmement débrouillé et autonome. Une nouvelle personne qui s'occupait des enfants veut, par gentillesse, lors du premier repas avec lui, lui accrocher sa serviette, chose qu'il était habitué à faire déjà tout seul. Il se laisse faire mais, chose épouvantable, elle veut l'asseoir sur sa chaise. Il lui dit alors : « Salope. » Elle était là depuis quelques heures seulement. J'entends un brouhaha fantastique dans la cuisine. Je vais voir, et elle me dit : « Je ne peux rien faire avec cet enfant et il m'appelle "Salope". » Je n'avais jamais entendu dire ce mot.

Je demande : « Mais qu'est-ce qui s'est passé ? », elle dit : « Je voulais l'asseoir sur sa chaise, il m'a dit : "Tout seul, tout seul, salope." » J'étais très ennuyée de cet incident. Jean était tout à fait furieux et tendu et il me dit : « Elle voulait m'asseoir sur ma chaise. Je sais m'asseoir tout seul. » Il grimpe sur sa chaise et je dis d'un air un peu fâché : « Nous verrons cela tout à l'heure, mange », et je dis à Marie : « Écoutez, je ne sais même pas s'il sait ce que ce mot-là veut dire, donnez-lui à manger, nous en parlerons tout à l'heure. » Jean bâcle son déjeuner, vient me voir, furieux, et je lui dis : « Mais tu sais ce que ça veut dire, "salope" ? » Il me répond : « Non. — Eh bien, ça veut dire que Marie est tellement sale, dégoûtante, que tu voudrais même pas la toucher ni être touché par elle, tellement tu trouverais que ce serait sale... » Il me dit : « Mais elle n'est pas comme ça, Marie, elle est très gentille, mais elle ne voulait pas que je monte tout seul sur ma chaise, elle croit que je suis comme Gricha (le second), elle veut me minimiser, elle croit que je suis petit. » Alors je lui dis : « Tu sais, il faudra que tu ailles lui demander pardon, parce qu'elle a été très fâchée, elle avait beaucoup de peine. » Jean va vers la fenêtre, semble ne pas m'écouter, tendu, furieux, tel Napoléon à Waterloo. Je ne dis rien, je ne m'en occupe plus, et cinq à dix minutes plus tard, Jean revient vers moi et me dit : « Je lui ai donné son pardon. » Je lui dis : « Qu'est-ce que tu dis ? » J'avais déjà oublié de quoi il s'agissait, je m'étais dit : « Bon, je laisse faire, je laisse couler la chose, il ne comprend rien, elle non plus, on n'en sortira pas, attendons. » Il répète : « Je lui ai donné son pardon. » Je comprends et je dis : « Ah, oui ! à Marie ! » Il avait de grosses larmes qui coulaient, il ne voulait pas me les montrer, il regardait la fenêtre, et je lui dis : « C'est bien, ça. » Il répond : « Non, ce n'est pas bien, mais elle avait trop de peine, ça m'a fait de la peine. » Il sentait qu'il y avait du « pas bien », je ne lui ai pas dit que c'était bien, je n'ai pas fait de discours. Il avait fait quelque chose qui pour lui était une faiblesse : il était revenu sur un jugement. Il faut écouter ces choses-là : « Non, ce n'est pas bien. » Il avait fait quelque chose qui était nécessaire dans le comportement social mais qu'il ne ressentait pas comme bien.

Nous pouvons, tous, nous sentir, à un moment donné, en contradiction avec des choses que nous faisons et que plus tard, par négligence, nous appellerons des « pieux mensonges », mais chez l'enfant, cette notion n'existe pas. Il existe le vrai et ce que les autres gens veulent que l'on dise. Il y a toujours quelqu'un de salaud, c'est vrai : ou bien eux, ou bien nous. C'est d'ailleurs le drame de la vie, et c'est ce qu'il faut expliquer aux enfants. Il faut les instruire de cette contradiction inhérente au fait qu'il existe la vie en commun et, au-delà de cette vie, un sens sacré.

Les instruire, c'est leur enseigner une autre contradiction, celle qui existe entre la souffrance des corps et celle des cœurs, que la culpabilité nous fait interpréter comme une punition alors que, même si elle est vécue dans la culpabilité, elle est une épreuve initiatique, un triomphe sur une mort, sur un deuil, sur une souffrance, et elle nous était nécessaire pour arriver à comprendre le sens du péché, pour le transcender. Chaque fois que nous sommes déprimés par quelque chose, nous avons en nous un sentiment qui peut être le sens du péché et qui nourrit tous les sentiments du péché. Quand nous souffrons, quand nous avons une épreuve matérielle ou morale, nous en concluons naturellement : « Nous sommes punis, nous sommes coupables. » Il est tellement plus simple de montrer la contradiction entre ce sentiment de péché, ce sentiment d'être puni, et la nécessité de la souffrance pour transcender une expérience. Accepter d'avoir souffert non pas en mettant l'accent sur une culpabilité liée peut-être à cette souffrance, mais en insistant sur le fait qu'on ne peut pas acquérir une expérience sans souffrance. Il faut donc enseigner aux enfants ces deux contradictions, celle d'un bien qui n'est pas celui que l'on ressent intérieurement, et celle du péché qui n'est pas une souffrance de punition, mais une souffrance d'épreuve.

Plus nous étudions, en psychologue, les souffrances, plus nous nous apercevons qu'elles sont bien cela — souffrances de l'épreuve — et qu'elles ne sont pas ce que nous ne voudrions pas qu'elles soient. Nous avons toujours sous cet enfant qui reste en nous — « Maman m'a puni, je suis puni » — une instance au-dessus de nous qui est la plus forte, et nous sommes ceux qui n'ont pas su être à la hauteur de cette instance idéale. Après lui avoir enseigné la contradiction, il faut permettre à l'enfant d'accéder aux sources de la religion, mais aux sources mêmes et non pas aux petites paraphrases. Il faut donner l'accès aux prières liturgiques — il en comprendra ce qu'il pourra — et, ensuite, aux images qui ont été consacrées par le temps, qui ont survécu au temps, car, par l'harmonie qui s'en dégage, elles sont pour l'espèce humaine représentatives du médiateur. Il vaut mieux ne rien montrer à l'enfant que de lui montrer des petites cochonneries d'images saintes. Il faut lui laisser son jugement sur elles.

J'ai visité avec mes enfants l'exposition de la Vierge. Je l'ai visitée, comme je le fais toujours, à l'heure du déjeuner, pour qu'ils ne dérangent pas les adultes. Car, la plupart du temps, les adultes ne comprennent pas qu'on emmène des petits dans les expositions. Mes enfants, dès qu'ils ont eu dix-huit mois, je les ai emmenés à cette heure-là, avec moi. Je les laissais libres, je visitais une salle en leur disant toujours que je les attendrais à la sortie : ils pouvaient prendre tout le temps qu'ils voulaient dans cette salle. À l'exposition de la Vierge, j'ai fait la même chose. Cette fois-là, nous sommes allés voir des tableaux représentant la Vierge. Grégoire avait sept ans et son frère aîné neuf ans. Ces sept ans de Grégoire étaient intéressants parce qu'il s'est passé ceci : nous visitions les salles et, dans les salles des primitifs, Grégoire était enthousiaste. Mais, dans les salles de la Renaissance, je le vois arriver tout dépité alors que sa petite sœur de quatre ans était follement intéressée. Gricha vient me trouver et me dit : « Pourquoi ça s'appelle des Saintes Vierges ? C'est des bonnes femmes. » Alors je lui dis : « Pourquoi des bonnes femmes ? », et je lui en montre une qui était très élégante. Je dis : « C'est pas une bonne femme. » Il répond : « Non, pas une bonne femme, mais c'est une femme » ; ainsi, il faisait la différence. Ensuite, nous arrivons à la dernière salle qui montrait les images des ex-voto, l'art populaire, et immédiatement Gricha dit : « Ah, voilà encore des vraies Saintes Vierges ! » Il avait été très sensible au fait que les images des Vierges de la Renaissance étaient des images de femmes avec leur bébé et pas du tout des images de Vierges. La petite, au contraire, était ravie, et quand son frère, en sortant, lui a dit : « J'aimais pas ces scènes-là », elle a répondu : « Mais les images, elles étaient tout à fait vraies », alors il lui a dit : « Mais vraies comment ? — C'étaient de vraies dames. » Gricha lui a répondu : « Oui, mais la Sainte Vierge, c'est pas une dame. » Gricha avait sept ans et la petite quatre. Elle était contente de voir des images représentant des maternités toutes simples, et lui cherchait au contraire des images de Vierge. Je pense donc que, étant donné leur rôle, nous devons choisir les images parmi les trésors de l'art sacré.

Françoise Dolto rapporte ici un dialogue avec son fils aîné Jean, à propos d'images pieuses qui représentent un Jésus malingre jetant les marchands hors du temple. L'enfant s'étonne devant cette apparence si chétive : « Comment pouvait-il donner des coups de fouet aux marchands, lui qu'un seul petit coup de judo aurait mis en l'air ? »

Jean me dit encore : « Les livres racontent ça, mais tu sais, le dessinateur n'a pas réfléchi. Ce devait être une dame très mince qui a dessiné Jésus. » Voilà ce qu'a trouvé tout seul mon fils quand il a vu un Jésus efflanqué. Je lui ai répondu : « Tu as raison, il n'a pas dû penser que Jésus devait être un monsieur fort. » Mon fils voulait s'identifier, c'était l'âge où il allait trouver les hommes. Un jour, il est allé interroger son parrain et il lui a demandé : « Quand tu étais petit, ton papa, il savait te donner des ratatouilles ? » Le parrain était très étonné. Mon fils a ajouté : « C'est parce que mon papa à moi, quand je suis méchant, il me donne des ratatouilles. » Des ratatouilles, c'étaient des corrections paternelles, et il trouvait ça très bien. S'il était devant une image de Jésus efflanqué, ça ne lui donnait absolument pas le sens de l'identification. Son papa n'avait pas du tout l'habitude d'être violent avec lui, mais l'enfant avait besoin d'un idéal de force relié à son idée du sacré. Il le trouvait dans la vraie peinture telle qu'elle existe depuis que le monde est monde, mais non dans ces petits livres édulcorés avec des images de Jésus à la noix.

Je finis sur le rôle des paroles sacrées données telles quelles ; je crois que les paroles, les écrits, l'Écriture Sainte et l'Évangile ont par eux-mêmes une très grande valeur. Et ils ne sont pas seuls : quand, par exemple, vous lisez à vos enfants une fable de La Fontaine ou une histoire, si vous la leur racontez, ils sont contents ; si vous la leur lisez, ils sont encore beaucoup plus contents. Vous n'avez jamais fait cette expérience parce que vous n'avez pas osé, mais quand vous avez expliqué le sens des mots difficiles d'une fable de La Fontaine, par exemple, l'enfant préfère la fable en elle-même, avec les rythmes qui sont contenus dans cette fable ; au point que si vous n'avez pas le temps d'en expliquer le sens, l'enfant préfère que vous lui lisiez la fable sans en expliquer le sens. Or, pour les paroles de l'Évangile, c'est la même chose. Je me rappelle que j'avais un assez joli livre avec d'un côté les images et de l'autre côté le texte. Ce livre, ils l'aimaient tous beaucoup. Il contenait des aquarelles représentant la vie de Jésus dans la société de son temps. En regard, il y avait le texte, jamais les enfants ne voulaient que je le raconte. Ils voulaient que je lise ce qui était écrit, et quand je changeais un mot, ils s'indignaient. Ils disaient : « Mais tu as changé ! Lis pas tout, mais lis ce qui est écrit. » Il semble que, dans les paroles mêmes de l'Évangile, il y ait un pouvoir qui passe directement et que nous ne comprenons pas. C'est vrai de toute œuvre hautement artistique et de toute œuvre qui va au-delà — c'est le cas des écrits sacrés — et nous ne le savons pas toujours.

QUESTION : *J'ai moi aussi beaucoup ressenti la valeur des textes, en particulier du Nouveau Testament. C'est toujours pour moi d'une grande valeur de lire ou d'entendre lire les paroles du Nouveau Testament. Je suis protestant ; j'ai aussi — pas tellement sur le plan sacré — dans mes souvenirs personnels l'impression d'avoir été traumatisé. Quand vous avez parlé du comportement, de l'attitude intérieure que l'on devait avoir avec les enfants, j'ai pu rappeler des souvenirs, retracer les premières années de mon existence, j'ai eu l'impression que j'avais été très traumatisé, que j'avais dû sentir de la part de certaines personnes comme un abandon. Je me demande cependant si l'attitude extérieure ne joue pas un certain rôle, si certaines personnes, tout en ayant un amour pour moi, ne jouaient pas un certain jeu, je ne sais pas pourquoi. Cet émoi qui je crois est assez important, qui m'a frappé, je l'ai observé autour de moi et je crois que ça doit jouer aussi beaucoup chez les enfants.*

— Je suis très contente de l'occasion que vous me donnez de compléter quelque chose que j'avais noté et que j'ai laissé passer. Je pense que ce dont vous avez souffert est très particulier à l'éducation religieuse, protestante même, quand elle est pensée. Les protestants n'ont pas la chance d'avoir autant de médiateurs, justement fétichiques, de saints, de « To pa na zians » — comme mon fils —, d'ange gardien. Ils n'ont pas cette chance et ils n'ont que les parents comme médiateurs entre eux et Dieu, des parents qui sont malheureusement eux-mêmes des gens qui parlent. Le prêtre protestant est un homme qui parle, qui dit la parole de Dieu en regardant les gens au lieu de le dire tourné vers Dieu comme s'il était l'un d'entre eux. Il enseigne aussi, et je crois que l'absence de médiateurs trouble beaucoup l'être humain. Tout à l'heure, je faisais un développement sur l'impossibilité de s'identifier à papa-maman ensemble, parce que ce n'est pas possible d'être les deux personnes, et sur l'apprentissage progressif ensuite de la solitude. C'est un abandon que vous avez ressenti. Chez les catholiques, nous avons la chance que l'enfant puisse être instruit à n'être jamais seul, même s'il est abandonné de ses parents, parce que nous avons l'ange gardien, nous avons le Saint Patron et nous avons des tas de petits objets fétichiques qui nous relient à ces gens-là. Je pense que ces personnes médiatrices sont indispensables avant la pleine croissance et avant d'accepter la solitude qui est le propre de tout un chacun.

Réflexions sur les problèmes de l'enfance inadaptée

Pratique des mots, mars 1974.

Il y a des mutations. Bien sûr, on pourrait dire : « Ça ne volera jamais » quand on voit une larve : Eh bien si, ça volera. Il faut que ça en passe par là, une chrysalide, avant de devenir un papillon. Et il se passe des choses comme cela dans l'être humain : il se passe des mutations. Ces mutations se passent à l'occasion de la perte d'autres possibilités, c'est certain. Mais c'est le désir qui pousse l'être humain à ces mutations, et c'est ce qu'il y a de plus sacré en lui. C'est son désir à soutenir, et ce désir qui a l'air d'être conscient, s'il n'est que conscient, soyez tranquille, il va changer et évoluer.

Mais nous ne saurons jamais, quand un enfant dit quelque chose, si c'est enraciné dans son inconscient. Et le désir de l'inconscient à devenir, c'est ça qui a fait qu'un fœtus est devenu un nourrisson. C'est ça qui fait qu'un nourrisson devient un enfant de trois ans, qu'un enfant de trois ans va passer ces épreuves de ne pas être des deux sexes, d'accepter son image dans le miroir, et de « faire avec », alors que c'est une énorme épreuve que de s'apercevoir qu'on ne peut pas être papa et maman, qu'il faut être l'un des deux. Ensuite il y a cette épreuve d'aimer un être qui ne vous aime pas, et vous savez que certains vont, quelques fois, dans leur détresse, jusqu'au suicide, quand ils découvrent que ce qu'ils pensaient pouvoir être n'est pas réciproque, et que l'être qu'ils aiment leur est indifférent —

ce qui est pire que de les détester. Toutes ces épreuves, l'être humain les soutient s'il a en lui un désir inconscient de perdurer.

Cet appel de l'enfant, à ce qu'il a à devenir, est aidé par l'imaginaire de l'enfant qui « se voit » dans le monde extérieur, sous la forme des adultes : c'est pour cela, qu'en tant que psychanalyste, je peux vous dire, pourquoi un enfant aime ses parents : parce que pour lui, dans son imaginaire, il voit en cet homme ou en cette femme l'image de lui plus tard. Et c'est avec l'image de lui qu'il croit qu'il parle, et c'est pour ça que c'est si dangereux de culpabiliser un enfant qui n'agit pas comme vous pensez, vous, qu'il aurait dû agir.

Je vais vous en donner une preuve. Il y a des choses comme ça qui peuvent servir à comprendre ce qui se passe dans l'inconscient, et je suis venue pour cela, pour vous témoigner de l'inconscient que vous avez tous et qui reste toujours inconscient, mais que les psychanalystes ont tenté d'éclairer un peu.

Un petit exemple : un film familial. Il s'agit de mes enfants ; mon aîné a dix-neuf mois de plus que le second ; c'était l'été, et il y avait un film familial où il jouait au ballon avec son grand-père ; un monsieur arrosait le jardin, et le petit frère de neuf mois était près de moi, cramponné debout à une chaise. On passe le film familial au mois d'octobre (la scène filmée se passait deux mois avant). On regarde, le grand suit ce film et dit : « Oh, regarde, moi qui arrose le jardin, et N... (le nom de son petit frère) qui joue au ballon avec grand-père. » Voilà le fantasme : il était à l'âge qu'en psychanalyse nous appelons le désir urétral du garçon. Bien sûr, le monsieur qui arrose le jardin avec une lance, c'est vraiment l'image de soi, animée par ce désir inconscient de manifester son désir. Je lui dis : « Mais non, tu sais bien que ton petit frère, cet été, ne marchait pas, il commence à peine à marcher, et c'est toi qui jouais au ballon avec grand-père. » Et voilà mon Jean qui file à toute allure, s'enferme dans sa chambre et claque la porte. On ne l'a pas vu de trois heures. Il est resté dans sa chambre à jouer. Quand il est ressorti, pas un mot ; mais quand, le dimanche, on voulait voir un film, il allait, disparaissait.

À six ans seulement il est resté pour regarder. Le jour où il a vu le premier film, il m'a dit : « Tu te rappelles, maman, que je ne me croyais pas moi, quand j'étais petit ? » Alors je lui dis : « Tu te rappelles quoi ? » J'ai voulu en savoir plus. « Bien, tu te rappelles, oh, c'était terrible, le jour où j'ai cru que j'étais le jardinier, et puis tu m'as dit que non ! Mais je voulais mourir. » Il avait six ans, et il se rappelait, mais il n'en avait jamais parlé. Il en a parlé le jour où il a pu revoir les films pour la première fois.

C'est dangereux de montrer aux enfants des films, si vous ne leur donnez pas la vérité. Si vous la leur donnez, c'est dangereux aussi, mais vous les aidez. Il est certain que de passer du monde de l'imaginaire au monde de la réalité, c'est une énorme épreuve.

Je ne vous ai pas donné ceci pour vous montrer l'épreuve seulement, mais pour vous dire que l'être humain est mû par son désir et qu'il se voit dans l'adulte quand il parle avec un adulte valeureux. C'est pour cela qu'un père valeureux est l'image de l'enfant, lui allant-devenant adulte, et que s'il y a une blessure sociale, physique, psychique ou une manifestation dévalorisée par la société dans un père réel, ou dans un éducateur réel auquel l'enfant s'identifie, l'enfant ne peut qu'être agressif vis-à-vis de lui, ou déprimé dans sa propre personnalité. Un enfant déprimé est un enfant qui n'est plus en droit avec lui-même d'assumer son désir.

Alors, il y a des situations que l'éclairage de l'inconscient vous montre lorsque vous avez, vous, failli en quelque chose, vous mère, vous père, vous éducateur. Il ne faut pas « ne pas vous en apercevoir », soi-disant, il faut dire à l'enfant ce qui s'est passé si vous le voyez être déprimé, ou si vous le voyez caractériel : « Tu as raison, parce que tu m'en veux de quelque chose, et tu as sûrement raison », même si vous, vous n'avez pas compris. Quand un enfant a des réactions d'agression aiguë contre une personne, il a ses raisons, je ne sais pas lesquelles, mais il a ses raisons. Ne l'en blâmez pas ! Ce n'est pas commode, mais reconnaissez-lui sa raison ; et en même temps, soyez humble, il vous donne une leçon.

Cet enfant m'avait donné une leçon : qu'il faut éviter de montrer à des enfants, avant trois à quatre ans, des films où ils sont eux-mêmes, parce que nous ne savons pas ce que nous faisons ; cet enfant a pu le dire, d'autres pas, et ils peuvent s'aliéner dans une image. Ils peuvent s'aliéner dans l'écran sur lequel ils ont été vus, et ne plus savoir s'ils sont à leur place ou s'ils sont dans l'autre.

Un enfant peut s'aliéner dans un autre enfant qu'on lui donne en exemple tout le temps. Ne donnez jamais un autre enfant en exemple à un enfant : ne donnez jamais, jamais, un autre enfant en exemple... Or, nous y passons notre vie ; voilà une erreur considérable ; nous passons notre vie à dire — si nous ne connaissons pas l'inconscient : « Mais fais donc comme celui-là ! » Mais non ! L'imitation est simiesque, elle n'est pas humaine : elle est fatale, mais au moins qu'elle ne soit pas un moyen d'éducation. L'identification est fatale chez un petit enfant parce qu'il voit dans « un-qui-est-bien-vu-dans-la-société », ou qui a l'air de réussir quelque chose, il voit avec ses yeux de chair quelqu'un qu'il voudrait être. Mais c'est à vous de lui dire : « Lui, il est ce qu'il est, à cause de son histoire, de son âge, de ce qu'il a envie de faire, etc. Toi, fais ce que toi tu as envie de faire, et occupe-toi de toi. »

Un enfant, aidez-le à être égoïste ! Non pas que vous lui donniez l'exemple de l'être, mais aidez-le, lui, à être égoïste ! Il deviendra le plus généreux des êtres, s'il pense à ce qu'il désire, s'il va jusqu'au bout de ce qu'il désire, s'il prend le risque de ce qu'il désire, et s'il est soutenu par quelqu'un qui a foi dans ce qu'il a dit, si vraiment il le dit jusqu'au fond... Parfois, il dit un mensonge, et Dieu sait que les enfants ont besoin de dire des mensonges. C'est parce qu'ils sont intelligents qu'ils mentent ; c'est parce qu'ils ont un idéal, qu'ils mentent. Un enfant que vous voyez sur le fait — et ceci encore jusqu'à six, sept ans parfois —, en train de faire quelque chose qui est nuisible, sans même s'en douter, vous lui dites : « C'est toi ! Tu vois bien ce que tu as fait ! » Souvent, il vous répondra : « Ce n'est pas moi. » Mais soyez un peu plus intelligents qu'on ne l'est d'habitude, réfléchissez que ce n'est en effet « pas lui » dans son désir. Ce n'était pas son intention d'arriver à cette catastrophe, son intention était ailleurs.

Cela ne veut pas dire qu'il ne faut pas montrer après que vous êtes, vous, désolés, car il l'est lui aussi. Mais c'est tellement simple de dire : « Mais bien sûr, c'est pas toi le malin, c'est pas toi le Paul... le Pierre... la Jeanne... la maligne, mais c'est tes mains qui n'ont pas obéi à ce qu'il fallait faire pour arriver à ce que tu voulais. » Et un enfant dit : « Mais oui, c'est mes mains, qu'est-ce qu'elles étaient bêtes ces mains ! — Eh bien non ! elles sont certainement intelligentes, mais tu avais oublié de les commander. » Et vous aidez cet enfant à y arriver.

La maîtrise des muscles sains, la maîtrise de l'intelligence qui passe dans l'exécution ne peut arriver que si un enfant n'imite pas un autre, et ne s'occupe pas de ce qu'on le regarde faire. Si un enfant dit à sa maman : « Regarde, maman ! », vous pouvez être sûr qu'il a la moitié en moins de ses dispositions pour faire l'effort qu'il a à faire. Si un enfant fait des acrobaties, surtout ne le regardez pas ! Il faut vraiment être arrivé au talent d'un fil-de-fériste de cirque pour qu'être regardé n'ait pas de conséquences. Or, justement, son talent, c'est qu'il ne s'occupe pas de ceux qui le regardent. Et c'est qu'il est occupé de sa vocation propre (après tout, il y a des vocations de fil-de-féristes). Il est occupé de ce que, lui, désire, il ne veut pas du tout qu'on le regarde.

Un enfant, c'est l'infirmer que de le regarder comme un juge, ou même comme quelqu'un pour qui il est spectacle. Quand l'enfant dit à quelqu'un : « Regarde ce que je fais », répondez-lui : « Fais-le si tu as envie de le faire, et après nous en parlerons. » Si un enfant veut faire une acrobatie, vous lui dites qu'elle est dangereuse. « J'aime mieux ne pas regarder, parce que tu sais, moi, j'aurais peur de le faire, mais si toi, tu n'as pas peur, fais-le. » Quand un enfant en a imité un autre, et Dieu sait que, dans les collectivités — je parle un peu plus aux éducateurs en ce moment — dans les collectivités et aussi dans les familles nombreuses, on a tendance à donner la responsabilité des bêtises du groupe à celui qui a donné l'exemple. Mais c'est une erreur fondamentale dans l'éducation. Celui qui a pris l'initiative d'une bêtise a pris son risque de désir. Mais celui qui l'a imité, qu'il ait imité quelque chose de bien ou qu'il ait imité quelque chose qui finalement se termine mal pour la morale, celui-là a fait une faute. Même s'il a fait quelque chose de bien, il a fait une faute : celle d'imiter l'autre au lieu de faire ce que lui désirait. Alors, je vous en prie, rayez complètement l'identification à autrui. Soutenez le désir, soutenez les risques que l'enfant prend dans le désir, et aidez-le par la parole à devenir ce qu'il a à devenir. C'est très important.

Je parle maintenant aux éducateurs : c'est très difficile, parce que, pourquoi est-on devenu éducateur ? Nous savons, nous, psychanalystes, pourquoi nous devenons psychanalystes. C'est inscrit dans notre histoire : que nous le voulions ou non, il se trouve que nous sommes faits pour ça, et ce n'est pas drôle tous les jours, comme tout métier d'ailleurs. Mais, si nous sommes faits pour ça, eh bien, nous sommes faits pour ça c'est comme ça. Et ceci, c'est tout un travail, et il y aura désormais certainement de plus en plus de psychanalystes. Maintenant, soi-disant, ce sont des gens très bien... c'est encore, hélas, de l'imitation, et sous prétexte qu'ils gagnent de l'argent, certains veulent faire ce métier pour de l'argent. Heureusement qu'au cours d'une psychanalyse, on analyse tout cela, et que, pour la plupart, lorsque c'était cela leur motivation, ils ne continuent pas : je parle des psychanalystes. Sinon, il y a des catastrophes dans leurs enfants, ou dans leur santé, parce qu'il y a un désir qui est enté, greffé profondément sur la nature d'un être humain, et sur son histoire et sur les épreuves qu'il a eues et qu'il a eu besoin de surmonter pour pouvoir vivre.

Les éducateurs, la plupart du temps (la plupart... je ne dis pas tous), sont éducateurs parce qu'ils n'ont pas été éduqués. Oui, c'est très important. Nous donnons ce que nous n'avons pas. Et c'est vrai, quand c'est axé sur le désir génital. (En psychanalyse, on appelle le désir génital, celui qui apparaît au moment de la responsabilité qui peut se réaliser quand les ovules sont fécondables, et le sperme fécondant. C'est le sens de la responsabilité qui peut se métaphoriser dans le caractère et dans l'option sociale d'un être humain.) Si un éducateur est un éducateur de ce fait, c'est-à-dire afin que les enfants dont il s'occupe adviennent à devenir des adultes mieux armés pour la vie qu'il ne l'a été lui-même, cet éducateur est un « vocationné ». Et cela se voit au fait que, dans sa vie d'adulte, il vit sa vie sexuelle en adulte, et n'a pas une passion qui lui supprime sa vie affective et sexuelle. Quand je dis sexuelle, je ne veux pas dire uniquement des contacts corps à corps génitaux avec un être, mais je veux dire une vie de communication et d'échanges avec les adultes des deux sexes de sa classe d'âge. C'est-à-dire que, s'il a dix-huit ou vingt ans, et qu'il est éducateur, c'est avec les êtres de dix-huit, vingt, vingt-cinq, trente ou soixante-dix ans qu'il communique. Mais il a une vie sexuelle avec ceux qui sont à son âge de maturité au point de vue du corps, et il ne vit pas ses états affectifs et passionnels vis-à-vis des enfants qu'il a en charge. Avec eux, il vit du langage, il ne vit pas des passions qui passent dans le physique. Il ne donne ni coups ni caresses, et ne pense pas à eux en dehors du moment de son travail. C'est un travail donné à la société, en échange de quoi il gagne de l'argent pour vivre. Et c'est pour cela qu'il est payé : il n'est pas payé pour donner ce que les parents de cet enfant ne lui ont pas donné. Il est payé pour donner ce que la société tout entière l'a délégué à faire, c'est-à-dire à aider un enfant à s'exprimer à son égard, à s'exprimer à l'égard des autres, et à l'aider à assumer sa famille d'origine, et à penser tout le temps à son avenir en mettant tout le temps en contestation dans son cœur les raisons pour lesquelles il donne pouvoir à cet éducateur de lui donner des conseils ou le diriger.

Si un enfant, à partir de neuf ans, continue d'être comme un petit avec un éducateur et s'il voit dans cet éducateur un bon Dieu comme dans son papa-maman, attention, c'est que cet éducateur lui-même voit cet enfant comme une Vierge Marie adore son bébé. C'est très important : cet enfant dont il s'occupe appartient à ses parents et à son avenir. L'éducateur, lui, n'est qu'un moment dans son trajet ; tant mieux, si, momentanément il est pour lui une référence, mais il est seulement une référence. Ce n'est pas un être à aimer, à qui vouloir tout donner, et c'est pourquoi, éducateurs qui m'écoutez, je vous dis comment il faut faire attention, qu'il y ait toujours un troisième, toujours un troisième, quand vous avez des relations avec un enfant. Nous sommes nés d'une situation triangulaire de parents à l'enfant. L'enfant a besoin de cette situation triangulaire pour continuer de se développer. Et cette situation triangulaire, lorsqu'il va avoir atteint l'âge de la puberté, ça va être l'autre aimé, en vue d'un troisième.

L'enfant peut avoir une relation duelle avec un éducateur : il l'aime, il l'aime, il l'aime. (Je dis un éducateur ou une éducatrice, les sexes n'ont pas tellement d'importance, à partir du moment où il s'agit d'une maison d'éducation.) Et puis, un beau jour, l'enfant va aller à parler à un autre éducateur, et va battre froid son premier éducateur. Réjouissez-vous... parce que cet enfant commence à sortir de la dépendance qu'il avait retrouvée, par régression, dans cette maison d'éducation (la dépendance à sa maman). Au contraire, le fait de parler avec quelqu'un que vous avez « dans le nez », ça lui fait du bien, à cet enfant. Alors, en tant qu'éducateur payé pour être éducateur, bien que vous en souffriez, sachez que, pour cet enfant, c'est bon. Et vous êtes payés pour que lui se développe ; il est en train de se développer, en allant même raconter des choses fausses sur vous à celui-là, pour se faire davantage aimer ; et Dieu sait qu'il n'y a que cela dans les maisons d'éducation, le grabuge provoqué par le désir des enfants qui sont en train de se développer. Si vous êtes éducateur, vraiment fait pour être éducateur toute votre vie (et réfléchissez, parce qu'il y a des éducateurs qui ne peuvent être éducateurs que pendant trois, quatre ou cinq ans, après ils ne sont pas faits pour ça, ayez le courage de changer), si vous êtes vraiment fait pour être éducateur, vous vous réjouirez de cela et vous en parlerez avec l'autre en disant : « C'est curieux, il en a eu besoin parce qu'il sent que nous ne nous aimons pas », et vous verrez alors qu'avec cet éducateur que vous n'aimiez pas, vous trouverez un terrain qui va vous hausser, vous aussi, dans votre talent de devenir éducateur. Car c'est avec ces tensions dans les groupes que l'enfant se développe, en apprenant à vivre, en essayant de créer des tensions, et il en crée, mais c'est par la parole qu'on les dépasse.

Dans ce métier d'éducateur, je vous ai dit : « On donne ce que l'on n'a pas reçu. » C'est vrai et c'est faux. On donne ce que l'on a conquis si on vit de ce que l'on a conquis, et si l'on vit, donné au métier que l'on fait, pour la société, et pas pour soi-même. Et à partir de là, il y a une compréhension d'un rôle social chez chacun.

Accompagnement psychologique d'un enfant handicapé et de ses parents

La Lettre de l'I.D.E.F.[1], avril 1987.

Voici qu'une mère accouche. C'est l'émotion, l'instant de l'apparition d'un nouveau-né dans notre monde. C'est une fille ! C'est un garçon ! C'est « mon enfant », « notre enfant » ! Mère apaisée après l'effort, père heureux, rasséréné après l'inquiétude. Ces parents échangent un regard d'espérance, bain de tendresse vers ce petit corps qui leur doit d'avoir pris vie. Soins à l'enfant, demande et promesse mêlées. À la sage-femme, au médecin, la question : « Tout va-t-il bien ? » On peut se réjouir, applaudir un nouveau venu ? Et c'est parfois l'assombrissement d'un doute que ce petit corps donne à découvrir, après la joie et l'espoir de son premier cri, de ce premier appel de voix à ceux qui l'ont accueilli. Suspicion... ou déjà certitude, parfois vérité plus lente à découvrir. L'enfant est porteur d'un handicap.

Le diagnostic

C'est le choc immédiat ou retardé, la vérité incontournable. Les examens sont formels, disent les médecins porteurs de la douloureuse nouvelle, pour certains bébés dont l'anomalie physiologique n'était pas immédiatement décelable.

Bouleversement du cœur de cette mère, de ce père et aussi, sans nul doute, de cet enfant dont les adultes veulent croire qu'il ne comprend pas le désarroi de ceux qu'il aime et qu'à leur odeur — surtout celle de sa mère — il peut reconnaître siens et déjà angoissés à cause de lui.

Que dire ? Que faire ? Tout mettre en jeu, le possible et l'impossible, pour faire démentir le diagnostic du handicap... J'allais dire annuler l'« oracle » qui frappe si tôt un destin tout neuf.

C'est déjà souvent la séparation du nourrisson d'avec sa mère, l'arrachement pour elle que seul son amour pour son enfant lui permet de supporter, tandis qu'au bras de l'infirmière, au lieu de se nicher, de s'enfouir dans le giron de sa maman, courageusement, le petit handicapé s'en va seul lutter pour survivre, aidé des meilleures techniques, assisté du savoir médical anonyme et empressé autour de sa petite personne fragile, c'est la douleur de ses parents aimants.

C'est à ce moment premier du probable diagnostic, puis de la certitude qu'une anomalie ou un handicap frappe leur bébé que les parents ont besoin d'une aide matérielle et technique, de l'assurance que leur enfant est en bonnes mains, que tout sera fait au mieux pour pallier la déficience, surmonter l'anomalie, guérir leur enfant et le leur rendre bientôt frais et rayonnant de promesse de santé, comme ils l'avaient imaginé, espéré, mais ce dont ils ont besoin aussi, c'est d'une aide morale.

Ce qui étreint le cœur des parents, c'est d'abord un térébrant sentiment de culpabilité d'avoir mis au monde, d'avoir conçu cet enfant, le sentiment d'une faute, la leur ou celle de l'autre géniteur. Faute ? ou fait génétique ? Punition ou conséquence d'un déterminisme aveugle ? Comprendre. Pourquoi cela arrive-t-il à moi, à nous ? Qu'ai-je fait ou n'ai-je pas fait pour mériter cette épreuve ? Assister à la souffrance de son enfant est une épreuve pire que souffrir soi-même.

Comprendre

Ainsi souffrent les parents et ils ont besoin d'être entendus silencieusement tels qu'ils sont dans la peine qui les étreint, d'être entourés de visages qui invitent à dire, à pleurer, à crier leur révolte, leur angoisse, surtout à ne point la taire.

Plus les parents peuvent parler les sentiments contradictoires de confiance et de désespérance, de révolte et d'amour qui se pressent et provoquent images de mort ou images d'infirmités qu'effacent des images magiques d'annulation du mal, plus le handicap que l'enfant a à assumer sera dépouillé de charge d'angoisse imaginaire, et mieux ce bébé pourra vivre et vivre humainement son handicap, voire le surmonter et peut-être en stopper l'éventuelle évolution.

La part psychique surajoutée est énorme. Celle-là, nous pouvons l'éviter. Il y a communication interpsychique des inconscients entre engendrés et engendreurs. Tout ce qui aide ses parents dans leur épreuve angoissante aide l'enfant handicapé à assumer son épreuve, même lorsqu'il est à distance de ses élus qui, de leur amour douloureux, l'enveloppent en lui dédiant leurs pensées. Ce nidage émotionnel à distance, on dira que ce n'est pas scientifique. Et pourtant, les fins observateurs peuvent témoigner de la contamination d'angoisses dévitalisantes ou de confiance revigorante entre les bébés en couveuse, à l'isolement, et leur mère selon qu'elle est aidée ou non par une assistance psychologique personnalisée, une personne qui lui donne des nouvelles de son bébé et transmet à celui-ci l'attention de ses parents.

L'acceptation

Après les premiers temps, après sa révélation, l'acceptation du diagnostic du handicap, c'est, tout au long des étapes plus ou moins difficiles — déjà pour les enfants sains (sevrage, motricité, continence sphinctérienne, relations avec les autres) —, le nécessaire accompagnement psychologique des parents et de l'enfant, aussi important, sinon plus que les soins techniques, c'est la confiance des parents dans les éducateurs spécialisés, les applicateurs de soins particuliers, spécifiques à chaque handicap.

Il y a de très nombreux cas de figure dans le monde du handicap. Il peut s'agir d'handicap global, aussi bien physique que mental, il peut s'agir d'handicaps sensoriels divers, dont souvent la surdité et la cécité qui ne sont reconnues chez l'enfant que tardivement. Cela peut être la séquelle d'une grave maladie.

Quoi qu'il en soit, l'important c'est l'accompagnement psychologique autant de l'enfant atteint que de ses parents, indépendamment des techniques visant à utiliser le mieux possible les moyens de communication restants chez l'enfant et à le soutenir pour qu'il s'en serve dans la fréquentation d'autres enfants et adultes. C'est la relation psychothérapique qui soutient l'enfant dans sa motivation au travail ingrat de rééducation qui lui demande plus d'efforts qu'aux autres enfants mais, semble-t-il, qui lui apporte aussi de très grandes joies à chaque difficulté surmontée.

La tendresse à recevoir, à donner, existe au cœur de tout être humain, aussi handicapé soit-il ; elle est langage d'amour sans lequel aucune vie ne peut se dire humaine, et grâce auquel toute douleur s'adoucit par le sourire d'un visage.

Les troubles psychosomatiques de l'enfance[1]

ΨΥΧΟΛΟΓΙΚΑ ΘΕΜΑΤΑ
(Revue de l'Association des psychologues grecs),
août 1989.

Françoise Dolto est reçue par Monsieur Armangaut, conseiller culturel de l'Ambassade de France et directeur de l'Institut français d'Athènes.

M. ARMANGAUT : *Françoise Dolto, vous êtes un des moments forts d'une semaine où nous essayons d'évoquer un peu quelles sont les mœurs de la société française d'aujourd'hui et peut-être plus précisément le regard qu'elle a sur elle-même. Je sais que vous êtes cette voix qui réconforte, qui a écouté, qui a parlé à tellement de gens, des parents, peut-être également des enfants. Ma première question est : pourquoi les enfants ? pourquoi, depuis l'âge de huit ans, avez-vous eu cette idée de vous pencher sur les enfants ?*

FRANÇOISE DOLTO : D'abord, je voudrais saluer l'auditeur tout petit qui doit avoir sept ou huit mois qui est là-bas. Et c'est une très grande joie qu'un auditeur bébé soit parmi nous parce que justement, on ne le sait pas assez : les enfants sont des « résonateurs » extraordinaires au langage, et c'est dès la naissance qu'il faudrait parler aux enfants une langue parfaite et surtout dire exactement ce qu'on ressent et ce qu'on pense. Car l'enfant, les enfants ont jusqu'à trois ou quatre mois l'entendement « intuitionnel » direct, du sens de ce qu'on leur dit en profondeur, du sens vraiment inconscient, pas seulement de ce que nous disons consciemment, mais de l'intention profonde qui nous anime dans notre désir de communiquer avec eux. Jamais nous ne serons assez sincères, assez humblement sincères devant un enfant, tout au moins jusqu'à trois ou quatre mois. Après, il a besoin d'entendre ce qu'on lui dit dans la langue maternelle, la langue dont il entend les parents se servir pour communiquer ensemble. Il s'initie à la syntaxe même de plusieurs langues. Il ne pense, nous ne pensons, nous, les humains, qu'avec des mots. Il pense avec les mots qui lui ont été donnés. Aussi, si vous pouvez, ce soir, sortez d'ici en disant : « Ne parlons plus jamais bébé avec un enfant. » Lorsqu'un enfant écorche les mots, en français, il dit, par exemple, « dada » pour « cheval ». C'est humiliant pour un enfant d'entendre ses parents ou les adultes reprendre son langage et lui parler des « dadas », car il est convaincu, quand il dit « dada », qu'il dit « cheval ». Il faut donc continuer à lui parler vraiment la langue que nous parlons quand nous parlons à quelqu'un qui est au moins notre égal et peut-être notre supérieur. C'est comme ça que nous serons justes dans notre façon d'être. Pas seulement de parler, mais d'être avec un enfant. Voilà. Alors, je salue cet auditeur.

Maintenant, quand vous dites que, dès mon enfance, je voulais m'occuper d'enfants, c'est vrai. Je disais dès l'âge de huit ans : « Moi, je serai médecin d'éducation. » Ma famille disait : « Qu'est-ce que c'est ? » Je disais : « Je ne sais pas, mais il faut que ça existe. »

C'est au P.C.N.[2] que j'ai rencontré un psychanalyste qui s'appelait Marc Schlumberger, le fils de Georges Schlumberger, qui était écrivain et psychanalyste. Il avait été d'abord ingénieur prospecteur de pétrole. Et il s'est formé à la psychanalyse, ce qui n'est pas très loin du métier de chercheur de pétrole. Parce que sous mer et sous terre — ou « taire » en français — il y a le silence de la planète, à l'intérieur de laquelle on trouve cette force d'énergie sous forme de pétrole. Le « taire », ce sont les mots non dits qui sont tus profondément, les émois, les affects. Les pensées qui sont non dites se communiquent de corps à corps. Elles se communiquent et elles restent malheureusement sans expression. Elles peuvent — lorsqu'elles sont douloureuses — tarauder la conscience et le corps, s'incarner en chair douloureuse, alors qu'au contraire, les choses dites sont ventilées et permettent à l'organisme de se développer parfaitement. Chaque fois que quelque chose est triste ou compliqué ou douloureux, surtout ces choses-là, dans une famille, il faut les dire aux enfants. Il ne faut pas les taire. Ainsi, ils peuvent trouver des moyens verbaux, des moyens imaginaires, des moyens culturels de négocier leurs émois. C'est ça que font les humains. Et alors ça ne fait pas de névroses. Le pétrole est sous terre et sous mer. C'est aussi sous nos relations avec nos mères que beaucoup de choses sont restées non dites, ont été refoulées, parce que la maman ne disait pas à l'enfant ce qu'il vivait, ce qu'elle vivait avec lui, parce qu'elle ne pouvait pas, ne voulait pas, croyait qu'il ne fallait pas le faire ou pensait protéger son enfant. Alors que le protéger du danger, du douloureux, du traumatisme, c'est au contraire lui dire ce traumatisme avec des mots au lieu de le lui cacher ou d'essayer de lui camoufler le sens.

Donc, ce prospecteur, devenu psychanalyste, faisait ses études de médecine pour être libre de pratiquer la psychanalyse en France. Nous étions en 1930. Il m'a dit : « Avec ce que vous voulez faire, il faut que vous connaissiez la psychanalyse. » J'ai dit : « Non, moi, la philosophie, ça ne m'intéresse pas. J'ai travaillé la psychanalyse pour le bac de philosophie... » À l'époque, pour passer le bac, on avait le droit d'avoir deux matières optionnelles à l'oral, c'est-à-dire qu'elles n'étaient pas préparées avec le professeur. J'avais pris les stoïciens et la psychanalyse. Je ne doutais de rien, j'avais seize ans. J'avais pris la psychanalyse, compris l'association des idées. J'avais compris pas mal de choses... L'interrogateur s'était bien amusé à m'interroger sur la psychanalyse. Il m'avait dit : « Mademoiselle, le pansexualisme, qu'est-ce que vous en pensez ? » Alors, un petit peu gênée, je lui ai dit : « Écoutez, je n'ai pas très bien compris, parce que je n'ai pas l'expérience suffisante pour comprendre ce que Freud en dit, alors il a ri, mais, étant donné que ce que j'ai compris me semble tout à fait vrai chez les êtres humains, je pense que ce qu'il dit de la sexualité doit l'être aussi. » Il m'a laissée comme cela, il n'a pas voulu m'ennuyer plus.

M.A. : *Et est-ce que ce n'était pas un peu ce que vous répondiez aussi à Jacques Lacan pour certains mots qui étaient difficiles à comprendre ?*

F.D. : Jacques Lacan a mis en formules des effets énergétiques de l'inconscient, et ces formules, ça me dépassait. Mais quand, par hasard, en suivant sa pensée, je le comprenais, je trouvais fort intéressant ce qu'il disait, parce que ça recouvrait sous un petit nombre de mots une quantité de cas cliniques que je connaissais et qui, moi, m'obligeaient à donner des exemples. Mais quand je faisais mes études, c'était pareil pour les mathématiques : une formule, ça ne me disait rien. Si on l'illustrait par un exemple, alors ça allait mieux. Mais les vrais mathématiciens n'ont pas du tout besoin d'exemples. Ce sont les pauvres gens qui ont besoin d'exemples, les pauvres gens qui sont dans la réalité concrète.

Mais je pense qu'on peut être psychanalyste sans comprendre Lacan. Moi, il me disait qu'il m'estimait — j'avais beaucoup de chance d'être estimée par lui —, et il m'envoyait tous les cas trop difficiles qui l'embêtaient. Il me disait : « Je te supplie de les prendre, je te supplie de les prendre ! — Mais je n'ai plus de place. — Mais ça ne fait rien. — Bon... » Et il avait raison, parce que les gens qu'il m'envoyait étaient des gens qui avaient des névroses infantiles très précoces et qui avaient besoin de rencontrer, dans le transfert, une psychologie féminine.

Lacan me disait : « Écoute, toi, tu n'as pas besoin de me comprendre, tu fais ce que je dis. Moi, je ne peux pas faire ce que je dis. Ce que je dis, je le dis parce que c'est la vérité. » D'ailleurs, il disait : « Je ne crache pas sur l'infaillibilité, je crois que je suis tout simplement infaillible en psychanalyse. » Alors, je disais : « Peut-être bien, mais en tout cas, je ne comprends pas ton infaillibilité. Tu sais, si on a la formule chimique du camembert, on a beau mettre tous les produits chimiques ensemble, je crois que ça ne fera pas un bon camembert si on n'a pas du bon lait au bon endroit, dans les fermes qu'il faut, avec l'ambiance qu'il faut dans ces laboratoires-là... » Alors il riait... Nous étions tous les deux dans la même école, puisqu'il m'avait demandé de venir dans la sienne, et j'étais très heureuse. Parce que, parmi les psychanalystes formés par des gens très différents, c'était parmi les psychanalystes qui se trouvaient là — c'est-à-dire chez les gens psychanalysés par Lacan et avec Lacan — que j'ai rencontré ceux qui étaient capables d'être psychanalystes d'enfants.

C'est beaucoup plus difficile d'être psychanalyste

d'enfants que psychanalyste d'adultes. Cela demande une formation beaucoup plus longue, une analyse beaucoup plus longue que d'autres et, parfois, on doit refaire une tranche d'analyse. Les enfants nous provoquent à une telle vérité intérieure, qu'ils dépassent celle que nous connaissons de nous, et ils nous mettent en cause très profondément. Tous les gens qui s'occupent de psychanalyse d'enfants, à moins de déraper vers la pédagogie, de déraper vers une espèce de relation de conseiller d'éducation qui n'est pas la psychanalyse, connaissent ça. Certains enfants ont absolument besoin de psychanalyse, d'autres peuvent voir des gens éclairés de psychanalyse. Déjà, ça les aide. Mais les enfants psychotiques précoces ont besoin d'une cure psychanalytique et, par ailleurs, ils ont absolument besoin d'éducateurs et de parents que l'on aide à être, pour eux, des éducateurs.

On ne peut pas soigner quelqu'un qui est en cours de croissance et qui, par ailleurs, n'a pas de contact avec des gens qui ont un désir de formation pour lui. Un psychanalyste n'est pas un éducateur du tout. Le psychanalyste n'a aucun désir pour le sujet — c'est là l'originalité de la psychanalyse. Son désir, c'est que la personne — qu'elle ait huit mois, dix mois ou trente ans —, en remontant dans son histoire, retrouve son désir tel qu'il était le jour de sa naissance, puis aux jours des traumatismes qu'elle a pu subir avant de naître, et encore avant, au jour du désir du sujet d'entrer dans la vie en s'incarnant à l'occasion d'une union sexuelle, celle de ses parents. La psychanalyse rend chacun responsable. Et dans la mesure même où elle réveille la responsabilité de chacun et le rend convaincu de sa responsabilité de désirer, elle soulage d'autant les sentiments névrotiques de culpabilité.

Car la responsabilité, c'est justement le contraire de la culpabilité. Je vais vous en donner un exemple parce que, comme moi j'aime les exemples, je pense que vous aussi. C'est pour que vous compreniez la différence entre la responsabilité et la culpabilité. Si vous êtes dans une file de voitures et que, derrière, quelqu'un cogne la file de voitures, votre voiture va abîmer la voiture précédente et vous allez être abîmé par la voiture qui vous suit. C'est un accident en chaîne, nous en connaissons sur les routes de France, et parfois il y a plus que des dégâts de taule, il y a des morts d'hommes. Qui est coupable ? On ne le saura jamais. Qui est responsable ? Vous, des dégâts que votre voiture a fait à celui d'en face. Celui derrière vous, des dégâts qu'il vous a fait. Chacun est responsable de sa voiture, et d'ailleurs votre assurance sera d'accord : elle se retournera sur l'autre responsable, bien sûr. Mais le responsable n'est pas coupable pour cela, bien qu'il puisse être désolé et bouleversé d'avoir été le médiateur d'un drame, sans avoir rien fait puisqu'il était arrêté sur la route. Parfois, c'est comme ça que ça se passe.

C'est une chose très difficile pour les parents d'accepter d'être responsables de leur enfant quand il souffre, quand il est malheureux, d'être responsables et pourtant de ne pas être coupables. Il y a beaucoup de parents — d'ailleurs vous en êtes et j'en ai été aussi, bien que psychanalyste — qui se croient coupables quand ils n'ont pas fait « tout ce qu'ils pouvaient ». Tout ce qu'on peut, on le fait toujours quand on est parent, enfin la plupart du temps. Mais, bien que nous soyons responsables, même de ce que nous léguons en plus ou en moins, en dette ou en héritage, dans l'inconscient de nos enfants, nous ne sommes que responsables et jamais coupables. À moins que nous ne fassions exprès de nuire à cet être humain, par haine de lui, qui a pris vie de nous. C'est exceptionnel et c'est le fait de gens très, très dérangés, qui ne savent pas ce qu'ils font. En ce sens, ils ne sont pas plus responsables que les autres, bien qu'ils soient intentionnellement nuisibles à leurs enfants.

Partout, dans le monde, on s'occupe d'enfants traumatisés par leurs parents, des enfants malmenés, des enfants qui meurent de faim. Je ne sais pas si, en Grèce, vous êtes au courant de choses comme ça. J'espère qu'il y en a beaucoup moins que chez nous. Il y en a beaucoup, beaucoup trop, toujours. J'ai eu l'occasion de voir ce qu'on appelle des bourreaux d'enfants, c'est-à-dire ces gens qui ramènent à peu près tous les deux mois un enfant cassé en morceaux parce qu'ils l'ont battu d'une telle manière que l'enfant s'est cassé, ou un enfant affamé parce que, par punition, on l'a privé de manger pendant quinze jours, ces gens que j'ai vus à la demande de juges quand je faisais de la consultation à l'hôpital, en partie de la simple psychiatrie — j'étais psychiatre sur le papier, j'étais psychanalyste pour ceux pour qui je faisais une cure de psychanalyse, mais je recevais aussi des gens pour étudier un peu la dynamique de leur vie ensemble. La question du juge était : « Est-ce qu'on peut rendre à cette femme son enfant qu'elle réclame ? »

Ces mères et ces pères, bourreaux d'enfants, quand on les voit, sont beaucoup plus aimants de leur enfant que beaucoup d'autres. Et, curieusement, les enfants les regardent avec des yeux énamourés extraordinaires, alors qu'ils ont été trois ou quatre fois amenés à l'hôpital parce qu'ils étaient cassés. C'est très étrange à dire. Les êtres humains qui sont nuisibles à leurs enfants, la plupart du temps les traitent pour en prendre du plaisir et pas toujours pour leur nuire. Mais l'enfant les provoque, justement parce que les parents, il les a « au bout de sa longe », si on peut dire. Il les provoque jusqu'à ce que l'adulte sente la limite : « Ce n'est pas possible d'aller plus loin pour faire plaisir à mon enfant, il me fait trop de déplaisir », et là-dessus, ils se mettent à lui taper dessus.

Il y a aussi les cas de pervers qui sont les conjoints ou les concubins de la mère et que la mère laisse agresser l'enfant pour garder l'homme. C'est vrai que ça arrive ! Mais là aussi, quand vous avez l'occasion de parler avec cet homme, vous découvrez que c'est un enfant qui n'a pas connu ses parents, qui a été maltraité étant petit, qui a toujours vu l'adulte comme celui qui doit se montrer fort et pas se laisser avoir par cette « petite vermine d'enfant » semblable à celui qu'il a été, et qu'il retrouve dans cet enfant qu'il martyrise.

Vous voyez que, lorsqu'on est psychanalyste, on n'a pas les mêmes jugements de valeur que ceux des éducateurs. Heureusement qu'il y a tout de même des éducateurs qui enseignent à l'enfant ce qu'il faut faire et ce qu'il ne faut pas faire, mais le psychanalyste n'est pas là pour ça. Il est là pour retrouver une dynamique saine chez chacun et pour humaniser, si c'est possible, cet être. L'organisme est chez l'animal plein d'instinct et chez l'être humain plein de désirs différents des besoins. C'est cela la découverte de la psychanalyse, la différence entre les besoins et les désirs. On le connaissait peut-être depuis longtemps, mais ça n'a pas été dit comme Freud a pu le montrer.

Car les besoins, comme les désirs, font partie de l'inconscient avant d'affleurer à la conscience. Mais les besoins, s'ils ne sont pas satisfaits, provoquent une « dévi-vance » — ce n'est pas un mot français, je m'en excuse à l'Institut français —, provoquent une nuisance aux forces du développement physiologique. Par exemple, s'il manque certains éléments dans l'alimentation, le rachitisme s'ensuit, et peut-être le scorbut. C'est la même chose au point de vue affectif : si des éléments de l'affectivité dont il a besoin manquent pour nourrir le cœur de l'être humain, il entre en dévivance relationnelle. Il a besoin du regard de parents qui sont attentionnés à lui.

Il en est ainsi des enfants qui sont élevés par des adultes dépressifs qui ne peuvent pas les regarder tellement ils sont dans un état limite pour survivre et qui n'ont plus du tout de désir relationnel parce qu'ils sont trop déprimés. Ces enfants-là ne sont pas atteints par le motif qui rend leur mère déprimée, leur mère ou la personne qui s'occupe d'eux, mais c'est surtout parce que le besoin d'un être humain, comme le besoin d'un animal d'ailleurs, c'est d'être l'objet d'attention des adultes éducateurs, des adultes tutélaires.

Il y a des désirs chez l'être humain. Et les désirs n'ont pas à être satisfaits, directement corps à corps, directement par du substantiel qui est demandé : « Maman, donne-moi un bonbon ! » L'enfant a peut-être besoin de sucre, mais il n'a pas besoin de bonbon. C'est la différence. Peut-être a-t-il besoin de sucre, on a vu pendant la guerre des enfants qui manquaient de sucre. Pour les enfants qui demandent des bonbons, il faut d'abord étudier si c'est un besoin, s'ils ont une carence d'assimilation du sucre dans leur foie, ce qui est de l'ordre de la médecine, ou si c'est une demande de relation à propos du plaisir d'avoir quelque chose qui a un goût particulier dans la bouche. Si un enfant réclame ce dont il n'a pas besoin, ça ne sert à rien de le lui refuser d'emblée, ou plutôt ça ne sert qu'à ce qu'il le réclame à nouveau et qu'il use tellement l'adulte que, pour avoir la paix, celui-ci cède. Or, ce n'est pas du tout ce que l'enfant demande.

L'enfant demande qu'on lui dise : « Ah oui, comment est-ce que tu le voudrais ? Rouge ? Ah oui, alors quel goût il aurait, vert ? Ah oui, il serait à la menthe. Ah, bon, non, ça serait peut-être aux épinards ? » Alors tout le monde rit : les bonbons aux épinards, on n'a jamais vu ça... Et finalement, le citron, l'orange, on rit, on se fait une blague en disant que l'orange c'est marron et que le chocolat c'est orange. L'enfant est ravi, il a complètement oublié qu'il voulait un bonbon. Il a eu ce qu'il voulait, une relation parlée de plaisir partagé et complice à propos de petits mots où on joue à se tromper, où on s'amuse et où on découvre la réalité qui est dite par des mots justes et qu'on découvre être justes, parce qu'on s'amuse à jouer avec ces mots pour le plaisir de se tromper. Parce que c'est un grand plaisir pour l'enfant de dire un mot pour un autre sans qu'on lui dise : « Tu es bête », et qu'on joue ce mot avec lui.

De même, quand on lui interdit quelque chose parce que c'est dangereux, un enfant a toujours besoin de désobéir. En fait, ce n'est pas un besoin, c'est un désir. Et c'est peut-être aussi un besoin. Parce que l'être humain, justement, a tout à fait besoin que soient mis en langage tous ses désirs.

Quand on lui donne un interdit, celui-ci n'est que temporaire, sauf l'interdit de l'inceste, tous sauf celui-là. Tous les interdits ne sont que temporaires et dus à l'impuissance relative de l'enfant par rapport à l'adulte. Ce qu'un adulte peut faire, l'enfant ne le peut pas encore. Aussi les parents, par prudence et parce que l'enfant ne sait pas ses limites, sont là pour veiller aux limites de la liberté d'un enfant. Mais l'important, c'est cette transgression : quand il sait qu'il ne faut pas transgresser — il faut d'abord qu'il l'apprenne —, le jeu extraordinaire qui le rend humain, c'est de bien regarder l'adulte en faisant mine qu'il va transgresser. C'est le moment où il est absolument nécessaire que l'adulte ne se fâche pas, mais remarque et dise : « Ah, j'avais défendu ! » L'enfant est tout content qu'on fasse attention à lui et qu'on lui dise : « Mais c'est parce que tu es un humain que tu veux transgresser l'interdit, car l'animal est dressé et ne transgresse plus les interdits. »

L'humain, on le met en mots. Et c'est grâce à ces mots et à la complicité du jeu que l'enfant découvre que cet adulte est crédible, parce que, à la fois, il reconnaît le plaisir de la transgression imaginaire, et il maintient l'interdit dans la réalité, ce qui est utile à la fois à l'enfant que cela préserve des dangers, et aux autres. C'est important de comprendre que l'enfant a des désirs qui doivent être parlés et toujours justifiés comme désirs, comme preuve de son humanité. Mais pas autorisés dans leur satisfaction dans la réalité. Car si ces désirs sont autorisés dans la réalité et qu'ils n'apportent pas de désagrément ou d'incident grave pour l'enfant ou pour un autre, cela prouve que l'interdit était obsolète. On aurait dû ne plus le lui donner. Souvent, les parents laissent les enfants dans des règlements d'interdits divers que les enfants devraient déjà avoir dépassés. Cela nous arrive à tous.

On connaît cette situation où des enfants désobéissent et où un autre enfant vient dire, comme on dit en français, « cafter », « cafarder », c'est-à-dire « rapporter » : « Ah, il a fait ceci, il a fait cela. » C'est aux parents de dire : « Pourquoi viens-tu me le dire ? Est-ce qu'il est en danger ? — Ah, non, non, ça s'est très bien passé. — Il a de la chance ! En tout cas, pour toi, ça continue d'être interdit. Heureusement que je ne l'ai pas vu, ça m'aurait mis le cœur à l'envers de le voir prendre tant de risques. »

Et puis, on ne gronde pas celui qui a pris le risque, parce que, si on le gronde, on n'est pas tout à fait des humains. On dit : « Tu vois, je ne te croyais pas du tout capable de passer l'interdit. Tu as pris des risques, heureusement que je ne t'ai pas vu, mais puisque tu l'as pris, bravo ! Mais fais attention, parce que je pense que tu as dû passer un moment difficile. » Et l'enfant à ce moment reconnaît que c'est tout à fait vrai, qu'il a eu un moment difficile. Quand un enfant veut transgresser, il faut surtout lui dire : « Écoute, un jour il faudra bien que tu y arrives. Mais fais-le alors en connaissance de cause, en étudiant bien pourquoi les choses sont interdites. »

Il faut maintenant en arriver au seul interdit qui fait l'être humain, qui est l'interdit de l'inceste, qui, malheureusement, dans nos sociétés civilisées, n'est la plupart du temps pas dit aux enfants. Nous voyons des enfants s'enliser dans les difficultés que représente la satisfaction de jeux sexuels entre frères et sœurs qu'ils ne savent pas être interdits. Quand ils les savent interdits, laissez-les tranquilles et répétez l'interdit. Ça ne durera pas. Chaque enfant saura se défendre de l'autre. Entre frères et sœurs, les jeux sexuels doivent être dits « prohibés », mais les adultes ne doivent pas être des voyeurs à tout bout de champ, pour voir ce qu'il se passe. Il faut redire l'interdit mais surtout l'interdit majeur, qui est l'inceste entre parents et enfants, celui-ci doit être dit très précocement, ainsi que l'interdit entre enfants et adultes, même si ces adultes sont des éducateurs ou des professeurs, il faut le leur dire. Car les enfants ne savent pas !

Les enfants provoquent et mettent en difficulté les adultes d'une façon tout à fait innocente parce qu'ils ne savent pas. À partir du moment où les enfants sentent que les adultes peuvent être fragiles (ils le voient bien), ils commencent à les provoquer. Par exemple, un enfant veut se faire donner une correction parce qu'il aime ça. Il y a des enfants qui aiment ça, ça leur donne des sensations fortes. Il provoque l'adulte jusqu'à ce que l'adulte lui tape dessus. Ils sont absolument dans un cercle vicieux. Il y a ainsi des maîtres et des élèves qui passent leur vie à se taquiner dangereusement, à s'agresser et, finalement, cela signe la fin de ce que nous appelons la « sublimation », c'est la fin de la « scolarité réussie », qui donne à un enfant des armes pour la vie. Parce que, chaque fois que quelqu'un satisfait son désir, que ce soit un désir agressif, d'agresseur, de plaisir d'agresseur ou de plaisir d'agressé, le désir ne peut pas se sublimer dans une recherche de négociation, de communication par le langage, par la technologie, par la culture. C'est cela que la psychanalyse a montré.

Satisfaisons les besoins, mais sachons donner aux désirs les castrations successives et nécessaires pour humaniser l'être humain. Il est au départ un être fait pour la parole, mais il n'arrive à la parole et à son épanouissement, il n'est dans le langage créatif avec les autres que s'il reçoit à temps et de personnes crédibles les castrations successives.

Ces castrations, cela commence par la naissance. La naissance est une déprivation brusque de la sécurité existentielle in utero, sécurité qui, à la fin, a ses limites. Et devant ce grand danger de mourir d'asphyxie, l'enfant fait et commence le travail de naissance avec sa mère complice qui a aussi besoin de se débarrasser de lui, parce qu'elle aussi, elle est arrivée à son terme. Mais le moment de leur séparation est quelque chose qui peut être le modèle des castrations, c'est-à-dire des déprivations brusques d'un plaisir connu avec le risque d'en mourir et l'aboutissement à un autre mode de vie. C'est un mode de vie qui est un substitut du premier mais qui nous fait découvrir des potentialités en nous qui n'existaient pas auparavant.

En effet, le fœtus ne connaissait pas la respiration, ne connaissait donc pas le cavum, c'est-à-dire le nez, la bouche, les oreilles et l'expansion pulmonaire, et il n'avait pas non plus le même cœur. Car le cœur d'un fœtus a un rythme pendulaire, et le rythme qu'il a en naissant devient, d'une seconde à l'autre, l'équivalent, au point de vue des rythmes, du cœur de la mère. Cela nous fait réfléchir puisque, avant de naître, l'enfant entend constamment les bruits associés qui se répercutent, qui se rythment les uns les autres, et qui sont faits d'un rythme fœtal qui est comme ça...[3] et le rythme de la mère...[3]. Et même, le fœtus, c'est plus rapide, surtout au moment de la naissance : c'est...[3]. Dans toutes les recherches jazz et autres, rythmes et percussions, c'est un plaisir pour les humains de rechercher ce jeu entre des rythmes différents qui se cherchent, qui se trouvent, qui se séparent, qui se rencontrent, sans compter les mélodies qu'ils peuvent mettre dessus.

La percussion est certainement associée à la première castration, qui doit sûrement être une chose assez éprouvante. Ce doit être éprouvant pour le nouveau-né de ne plus entendre sur l'oreiller qu'un seul battement de cœur, battement qui ressemble, en plus, au battement du cœur de la mère alors qu'avant de naître il entendait les deux battements de cœur, le sien et celui de la mère, toujours compagnons, toujours complices et toujours se rythmant d'une manière jouissive puisque ça permettait de vivre. Et ce qui nous permet de vivre, c'est de « jouir de la vie ». Ensuite, le nouveau-né jouit de la vie avec la mutilation de son rythme fœtal et, dans son oreille, un autre rythme, le sien, son rythme respiratoire, qui est venu nouvellement l'étonner et va l'accompagner toute sa vie. Cela, c'est la naissance.

À la naissance, il entend brusquement. J'ai apporté aujourd'hui un livre qui est écrit par ma fille, que je trouve excellent. Il s'appelle *Neuf mois pour naître*. Ce livre est accompagné d'un disque qui permet d'entendre les bruits que le fœtus entend avant de naître, avant l'ouverture de la poche des eaux, et ensuite quand il naît. La même voix, les mêmes conversations de sa mère avec d'autres personnes, et de la musique. Comme il entend in utero et surtout ce qu'il entend du monde à travers les eaux amniotiques et les parois abdominales qui le séparent du monde par sa mère, le fœtus a déjà une vie sociale extraordinaire, dès le quatrième mois de sa vie. Il entend avant que le cœur ne batte — le cœur bat à un mois de vie fœtale. La vie d'un enfant qui naît est donc déjà une longue vie de désirs partagés et de besoins satisfaits ou non par la perfusion ombilicale.

Mais puisqu'il naît et qu'il est viable, cela prouve qu'il y avait de quoi. À partir de là, il reconduit d'heure en heure, de jour en jour, son contrat avec la vie. Il est à partir de là responsable, et l'adulte est avec lui coresponsable de sa vie. Souhaitons que nous ne le rendions jamais coupable des peines qu'il donne à ses parents. Car cette charge de peines qu'on donne à ses parents est dure pour un nouveau-né. Mais quand on met en paroles cette peine qu'un enfant provoque à ses parents, on la diminue considérablement. Car c'est cela qui est très étrange chez l'humain : c'est que tout ce qui peut se parler et se dire est un baume sur les souffrances.

Ça peut se dire en paroles, ça peut aussi se dire en musique, ça peut aussi, dès que l'enfant perçoit les formes, se dire avec des formes. Et le premier sentiment qu'on voit éprouver par un bébé dans le monde, c'est le sentiment de la beauté. C'est passionnant de voir combien un enfant, dont on ne sait même pas encore s'il voit vraiment, est sensible à la beauté de la végétation. Pourquoi ? On ne sait pas, mais c'est un fait.

Il y a des enfants qui naissent « infirmes moteurs cérébraux ». Ce sont des enfants qui paraissent n'avoir pas de plaisir ni de désir, ils ne peuvent pas le manifester. Il y a des gens qui connaissent l'épreuve d'avoir un enfant qui a été abîmé à la naissance et qui, à cause de cela, est un enfant qu'on appelle « infirme moteur cérébral ». Il n'a pas d'expression visagière alors qu'il a déjà quelques mois. Si on met à la portée de sa vue — si c'est un enfant qui voit — la lumière, par exemple, il perçoit la différence entre la lumière et l'ombre. Si on met entre la lumière et lui des feuilles vertes qui se balancent, on voit cet enfant — comme tous les enfants — exprimer son sentiment du beau, par un sourire et une expansion de la cage thoracique comme s'il faisait une grande respiration. Alors la mère est émue aux larmes parce qu'elle n'avait jamais encore vu le sourire de son enfant dont elle ne savait pas s'il voyait, s'il entendait...

Mais les enfants qui naissent avec leur « sensorialité » en bon état ont le besoin et le désir aussi — qui est à satisfaire — de voir des couleurs et de voir des choses belles. Il n'est jamais trop tôt pour voir des choses belles. Malheureusement, on n'emmène pas les enfants dans des expositions parce qu'ils dérangent les adultes. On ne leur montre même pas de très belles reproductions. On ne les amène pas dans les musées parce que l'enfant se lasse vite. Mais vous pouvez laisser un enfant qui a le sens du plaisir optique, un enfant qui a le sens du plaisir auditif, autour des grandes personnes qui prennent leur plaisir dans une exposition ou autour des grandes personnes qui prennent leur plaisir dans un concert, sans l'obliger à l'immobilité et en lui disant : « Quand ça t'ennuieras, tu sortiras... » Vous avez prévenu la dame qui s'occupe des manteaux et vous lui dites : « Quand le petit ou la petite sortira, vous vous en occuperez, je ne veux pas qu'il s'ennuie dans le concert, je lui permettrai de s'en aller. » Bon, et on donne une petite pièce à cette personne pour qu'elle comprenne qu'il faudra qu'elle s'occupe de l'enfant.

Dans une famille, il y a des enfants qui ne quitteront jamais le concert parce que vraiment, ils y prennent un très grand plaisir, et d'autres qui s'en vont (je vous parle d'enfants de deux ans et demi, trois ans). C'est très possible à partir du moment où l'enfant est autonome, qu'il sait circuler seul et qu'il n'a pas besoin d'être collé à sa maman. S'il a besoin d'être collé à sa maman, il s'endormira sur elle et ce n'est pas si mauvais que ça d'entendre de la belle musique en étant sur les genoux de sa maman. Mais on ne peut pas savoir à quel point l'enfant est sensible à la belle musique, à la belle peinture, à l'art, à une belle architecture. Si seulement on est attentif à cette sensibilité et qu'on la soutient, en lui disant : « Tu es content ici ? Est-ce que tu sais de quoi tu es content ? », vous entendrez un enfant vous dire ce qui lui plaît dans une architecture. Et je ne vous parle pas d'enfants d'intellectuels de gauche. Je vous parle d'un enfant tout simple, de celui qui est au patronage, qui est à la garderie de jour de l'école où on regarde des images parce qu'il pleut. Il est tout à fait capable de vous dire ce qu'il ressent si seulement vous êtes à l'écoute et ne voulez pas lui enseigner quelque chose mais prendre vous aussi du plaisir des choses que vous lui mettez sous les yeux ou que vous lui faites entendre, en disant : « Tiens, moi, j'aime cette musique-là. Je ne sais pas si tu l'aimeras. » Pour certains, on arrête rapidement parce que l'enfant ne peut pas écouter très longtemps. On arrête pour en parler.

Il y a des enfants qui ne cherchent pas du tout à faire plaisir à la dame ou au monsieur mais, vous le verrez sur leur visage, ils reçoivent un message de l'auteur de cette œuvre d'art. Jamais, nous ne ferons jamais vivre assez tôt les enfants dans la culture ! Bien sûr, ne pas la leur entonner comme ça, à longueur d'année, à longueur de journée, en prenant des airs très graves et très embêtants. Non, la culture, l'art, la beauté, c'est joyeux. D'ailleurs, la preuve, c'est que les enfants sont dilatés devant les choses qui leur plaisent, devant des peintures qui leur plaisent. Vous voyez dans les expositions, quand vous y allez à des heures tranquilles, vous voyez certaines peintures vraiment réjouir les enfants, qui s'exclament puis sautent sur place. Ils sont contents, ils courent, reviennent et recourent... Cela leur a apporté quelque chose et ils vous en parlent dans les jours qui suivent. Vous n'avez pas du tout besoin de les questionner pour ça. Qu'est-ce que c'est ? Eh bien, c'est le langage.

C'est le langage qui passe par la médiation sensorielle et qui passe par la créativité d'êtres humains qui se sont dédiés à un art parce qu'ils avaient en eux beaucoup de non-dit qui ne pouvait pas s'exprimer et qui ont trouvé le moyen de l'exprimer par la technologie d'un art ou d'un artisanat. Car le travail artisanal est aussi pour un enfant et pour un adulte l'industrie de ses mains. Pour ceux qui sont doués pour ça, c'est quelque chose de passionnant de coudre, broder, couper du tissu et d'en faire un ornement pour la vie quotidienne ou pour les corps. C'est un langage culturel qui est dû justement aux castrations qui ont été données à temps à l'enfant, c'est-à-dire aux privations de ce qui était pour lui un plaisir pas du tout indispensable mais qui a permis aux adultes qui l'élevaient de lui parler de ce plaisir qu'il voudrait avoir. Une petite fille dont on dit : « Elle est coquette, elle voudrait changer de robe tout le temps » a, en fait, besoin de parler des formes et besoin de parler de la beauté du tissu, de la coupe, de la forme des vêtements. Elle a besoin que les parents lui permettent d'observer sur les statues, sur les images, les différents costumes. L'important pour cette fille ou pour ce garçon, c'est de justifier ce désir au lieu de lui dire : « Ah ! qu'est-ce qu'elle est coquette, celle-là, il lui faudrait une robe tout le temps, changer de robe tout le temps. » Vous voyez comment on détruit parfois chez l'enfant les dons naturels qu'il aurait pour exprimer un désir qui se trouve contré à sa source même par les parents. Parce que les parents, ne pouvant pas satisfaire ce grand désir d'un enfant, croient qu'il faut éradiquer la source de ce désir en le blâmant.

Que serait devenu le monde si des enfants n'avaient pas résisté au fait que des parents leur disaient qu'ils étaient bêtes de vouloir aller sur la lune ! On a toujours dit aux enfants qu'ils étaient bêtes quand ils demandaient d'aller dans la lune : « Est-ce qu'on peut y aller ? — Que tu es bête ! » Heureusement, il y en a qui n'ont pas écouté, qui ont été plus malins que leurs parents et qui se sont dit : « Je veux un jour y arriver. » Ces enfants, parce qu'ils avaient reçu les castrations, c'est-à-dire parce qu'ils avaient été soutenus par des parents ou des éducateurs, à la fois dans leur impuissance et dans leur désir de puissance, ont pu découvrir par l'étude et la connaissance scientifique que d'autres humains qui avaient les mêmes désirs se sacrifiaient pour franchir les étapes nécessaires et arriver, soutenus par des milliers d'autres et des sacrifices incommensurables, à découvrir les possibilités de l'être humain au-delà de son impuissance première. Combien d'enfants, parce qu'ils avaient envie d'atteindre la lune, ont été traités d'imbéciles par leurs parents !

La psychanalyse nous a montré que l'inconscient des désirs, c'est ce qui fait la richesse potentielle de l'être humain. Si cet être humain est éduqué par des parents crédibles qui vivent eux-mêmes ce qu'ils interdisent à l'enfant comme satisfaction courte, brusque, brutale, de corps à corps, de plaisir immédiat, mais toutefois soutiennent ce désir en disant : « Tu as raison de le désirer, je ne te permets pas de le réaliser tout de suite, mais parlons-en », cela permet à l'enfant de soutenir son désir et d'arriver à le satisfaire à long terme, en passant par un circuit long, de plus en plus long, qui est toujours du langage, même s'il n'est pas toujours verbal. Ce langage est toujours une communication avec les autres, une association de désirs avec les désirs d'autres humains, soit dans son ethnie, soit même loin de lui, par l'étude d'un langage différent du sien. Chacun de nous naît avec des potentialités différentes du voisin. Et ce qui fait une éducation humanisante de l'être humain, c'est le fait de soutenir le désir à se satisfaire un jour, pas aujourd'hui, mais en le justifiant d'exister.

Un seul désir est pour nous interdit, et il faut le dire très tôt à l'enfant : c'est l'inceste. Il ne peut pas être réalisé directement, et cependant le fantasme de le réaliser soutient toute la culture humaine. Le fantasme de l'inceste entre frères et sœurs est à l'origine de toutes les amitiés chastes. Le fantasme de l'inceste est à l'origine de tous les désirs qui font démultiplier la force des hommes et des femmes, soutenir des efforts considérables parce que, à travers lui, ils visent l'être humain qu'ils veulent conquérir et que, grâce à ce désir, ils sont portés à s'intéresser à ce qui l'intéresse. Si les enfants n'avaient pas le fantasme de plaire corps et âme à leurs professeurs, ils ne s'intéresseraient pas, ils ne seraient pas motivés pour s'intéresser à la culture. Mais l'important, c'est que la réalisation corps à corps soit dite comme dangereuse parce qu'elle arase les potentialités langagières du désir.

C'est tout simplement ce que la psychanalyse a prouvé, mais c'est très important parce que c'est la clé pour l'éducation, pour l'«élevage» et pour les sociétés. C'est la clé d'une dynamique inconsciente de l'être humain. On le savait plus ou moins, mais on n'avait pas découvert à quel point c'était important. Et c'est enraciné dans les cinq ou six premières années de la vie. Après, nous faisons avec ce qui a été structuré, car toute la base de l'être humain est structurée à cinq ans et demi, six ans. Ensuite, on déplace — c'est une économie —, on aménage plus ou moins bien, on fait avec, mais dans l'inconscient, rien ne peut fondamentalement changer si on ne fait pas une psychanalyse.

La cure psychanalytique peut entrer en jeu quand vraiment cette structuration de l'être humain le rend impuissant, stérile dans sa vie relationnelle. On remonte alors dans le temps jusqu'aux moments mutants qui ont été ratés dans les castrations. Il a peut-être reçu des interdits, mais il lui a manqué l'expérience de quelqu'un qui, ayant les mêmes pulsions que lui, en aurait eu beaucoup de plaisir en obtenant ce plaisir par des voies culturelles, au lieu de le vivre par les voies illicites dans l'immédiat.

Je pense, par exemple, à la pêche. Je pense à ça, pourquoi ? Je n'en sais rien, mais j'y pense. À la manière brutale de pêcher pour manger en faisant des actes contraires à la loi, qui interdit la pêche dans certains lieux. Il y a une raison pour laquelle la pêche est interdite, c'est évidemment pour préserver l'existence des poissons dans un lieu où il y a trop d'humains, où, si tous faisaient comme ils le voulaient, bientôt il n'y aurait plus de vie dans les rivières. On sait que les rivières qui n'ont plus de vie animale sont des rivières qui périclitent et qui sont, du point de vue écologique, un danger pour la société des humains. Il y a donc des règlements pour la pêche. Pourtant c'est passionnant, quand on le peut, de faire comprendre très tôt à un enfant comment il peut arriver à pêcher d'une manière très sophistiquée au lieu de pêcher les truites à la main. Qu'il sache le faire, cela prouve qu'il est intelligent, il faut l'en féliciter. Mais il faut aussi lui dire que si tout le monde faisait ça, il n'y aurait plus de truites, et qu'il faut préserver aussi la vie de ces animaux en ne pêchant pas à l'époque où ils fraient, parce que, sinon, c'est du génocide.

Je prends ce petit exemple. Mais si l'enfant a un père braconnier — c'est la même chose pour la chasse — qui vit dans cette petite délinquance qu'est le braconnage, cet enfant ne peut pas préserver le cheptel sauvage que sont les animaux qu'on chasse et les animaux qu'on pêche et être, de ce fait, au service de la société, de son ethnie, de son village. C'est bien dommage parce qu'on ne lui a pas enseigné qu'il est en train de dépeupler cette rivière et qu'il se prive du très grand plaisir de la préserver, bien plus grand que celui d'embêter le garde champêtre en allant prendre une truite à la main au moment où elle est sans défense parce qu'elle est en train de frayer et de peupler la rivière.

Voilà un détail, un petit détail, puisque je parle d'interdit. Mais il y en a beaucoup d'autres, comme, par exemple, l'interdit de se nuire à soi-même. Voilà un interdit qui n'est pas donné parce que les parents croient qu'ils doivent assumer eux-mêmes ce que l'enfant mange ou ne mange pas, ce qui est une grande erreur. Les parents croient que ce sont eux qui savent les besoins de nourriture et de sommeil d'un enfant. Nous ne savons pas du tout les rythmes de sommeil et les besoins de nourriture. Ce que nous savons, c'est que, très tôt, nous devons donner à l'enfant l'exemple de comment nous nous nourrissons, et que lui fasse l'expérience de se nourrir comme il l'entend. Quand il ne voit pas les parents s'opposer à quelque chose, très rapidement l'enfant prend lui-même ce qui lui est nécessaire. Cela se passe très tôt. Un bébé déjà le sait, et à plus forte raison un enfant un peu plus âgé. S'il sait que ça ennuie sa mère qu'il mange d'une chose et pas d'une autre, alors, parce que c'est du langage, il va uniquement agir pour jouer sur sa mère. Parce que rien n'est plus important pour un enfant que de maîtriser l'adulte. Que l'adulte joue à maîtriser l'enfant, c'est infantile.

Que l'enfant joue, essaie de jouer à maîtriser l'adulte,

c'est régulier. Mais il ne faut pas se laisser avoir. C'est ça l'important, et c'est difficile dans l'éducation. Parce que les parents se sentent responsables : « Ah, mon Dieu, il n'a rien mangé aujourd'hui. Il n'a mangé que des bonbons. » (Pourquoi laisse-t-on les bonbons à sa disposition ?) Mais si on lui laisse la liberté totale de manger ce qu'il veut au rythme qu'il veut, à l'âge de la « sociabilisation », c'est-à-dire au moment où il veut faire comme les adultes, vers trois ans et demi, l'enfant est complètement éduqué. Mais il faut que cette liberté ait été parlée avec lui, non pas en disant le plaisir qu'il fait ou qu'il ne fait pas à ses parents, mais en exprimant les raisons que les parents ont, eux, de se nourrir comme ils le font et de proposer à l'enfant ce qu'ils lui proposent. En tout cas, au plus tard à sept ans, l'enfant prend les rythmes et mange de tout, surtout si on ne lui a pas fait, jamais, de petits plats quand il ne mangeait pas ce qu'il y avait à manger.

Les phobies alimentaires des enfants, ça fait partie de leur vie car ils ont un imaginaire — on ne sait pas pourquoi — qui leur fait supposer que certaines couleurs magiquement sont mauvaises. Ou bien il s'est passé une rencontre fortuite entre le plat d'un menu et une personne très ennuyeuse, ou bien il y a eu un incident en famille le jour où on a mangé tel plat. Ce sont des choses curieuses. Si on peut arriver à débobiner ces phobies, ce qui se passe en psychanalyse, on voit pourquoi il y a une phobie alimentaire qui fond d'ailleurs dès qu'on a découvert le souvenir qui était à la base de cette phobie alimentaire. Mais pourquoi vouloir vaincre cette phobie chez l'enfant qui l'a ? Ça n'a aucune importance, c'est juste pour user d'un pouvoir d'adulte.

De même pour le sommeil : il n'y a pas deux enfants qui ont le même rythme de sommeil. Les adultes ont besoin de préserver le leur. C'est ça qu'ils doivent dire : « Moi, j'ai besoin de dormir, donc tu nous laisses tranquilles. Tu fais ce que tu veux du moment que tu es tranquille. Tu dormiras quand tu auras sommeil. » En attendant, c'est très mauvais de dormir quand on n'a pas sommeil. Vous savez que le sur-sommeil est aussi intoxicant que l'absence de sommeil. Nous en avons tous fait l'expérience. Quelquefois, quand on arrive en vacances, on se dit : « Ah, je suis si fatigué, je vais dormir, dormir... » Et puis, si on dort trop, on est complètement « ensuqué », comme on dit dans le midi de la France (je ne sais pas comment on dit ici). On s'aperçoit que les rythmes du sommeil, ça ne se manigance pas par la volonté intelligente de celui qui croit qu'il va les manigancer. Pas du tout ! C'est la même chose pour les enfants.

Les besoins, nous ne pouvons pas ne pas les laisser à leur rythme, mais les désirs, chez les humains, se déguisent en besoins. Notre éducation très souvent appuie sur la chanterelle et déguise les besoins des enfants, parce que les parents ont le désir qu'ils les satisfassent de telle ou telle façon. C'est cela que la psychanalyse nous enseigne dans l'éducation.

Je pense aux émissions que je faisais à la radio où je répondais aux questions de parents embarrassés dans l'éducation de leurs enfants. C'est cela que j'étudiais dans ces émissions, d'après ce qu'ils écrivaient dans les lettres, la différence entre le désir des parents et celui des enfants, cette différence qui mettait les parents en difficulté. J'écoutais, j'entendais, je recevais des lettres, jamais je ne répondais à des questions orales. Je disais : « Oui, je vous répondrai si vous m'écrivez au moins cinq pages, peut-être dix. Racontez-moi l'histoire de votre enfant jusqu'à aujourd'hui, les choses importantes et la façon dont on vit dans votre famille. » C'est pour ça que j'avais les éléments pour répondre. Et ces éléments pour répondre n'étaient jamais des trucs d'éducation, c'était toujours réfléchir, avec eux, à ce qu'il y avait de gauchi dans la crédibilité des parents pour l'enfant ou dans l'angoisse des parents concernant un désir tout à fait sain de leur enfant qu'ils croyaient très dangereux de laisser satisfaire. Ou bien l'enfant avait un désir très dangereux que les parents n'avaient pas dit à temps, si bien qu'ils se trouvaient maintenant devant une difficulté majeure parce que l'enfant prenait constamment un gros risque. Plus les parents étaient angoissés par ce risque, plus l'enfant, par fronde, s'y complaisait.

Je parle du risque avec l'extérieur mais aussi du risque intérieur, par exemple, celui de ne pas se développer vers sa propre sexualité génitale parce qu'on veut croire — avec la complicité des parents — que le sexe est une question de pipi. D'où tous ces « pipis au lit » que vous voyez dans l'éducation des humains, ce qui est incroyable, étant donné que tous les mammifères sont continents, tous, tous, tous. Il n'y a que les humains qui sont incontinents par langage et par désir d'embêter les adultes en leur posant tout le temps la question « muette » : « Qu'en est-il du sexe ? » Et les parents continuent muettement à répondre : « Ce sont des histoires de pipi. »

La continence chez les mammifères est tout à fait normale et vient quand le système nerveux de la moelle épinière est terminé. Ce qui arrive très tôt chez l'animal survient très tard chez l'humain. C'est à trente mois que ce qu'on appelle la « queue de cheval », c'est-à-dire la terminaison de la moelle épinière, est vraiment achevée et que les sensations fines des plantes de pied et du périnée (parce que cela se passe en même temps) sont perceptibles au cerveau de l'enfant et donc à sa conscience. Et les parents, par fierté, par économie et par paresse, veulent que leur enfant soit propre plus tôt. Bien sûr, un être humain est capable même de se rendre apparemment infirme pour faire plaisir à sa maman. Alors, il peut se rendre apparemment continent. Mais naturellement, ça n'aura pas de suite parce qu'il faudra bien un jour qu'il deviennent autonome et qu'il découvre la sensibilité de ses pieds, la sensibilité de son périnée et qu'il en joue pour voir comment il peut en être maître puisque c'est ça être un être humain, c'est essayer d'être maître de ses besoins.

Tous les enfants essaient un jour de manger trop ou de ne pas manger du tout pour être maître de leur soi-disant appétit. Il faut les laisser tranquilles, ils comprendront par l'expérience. C'est la même chose pour la continence. L'incontinence de l'être humain est due au fait qu'elle lui a été demandée trop tôt. L'enfant n'a pas appris à découvrir des sensations qui sont des sensations génitales, et pas seulement mictionnelles ou excrémentielles, ou bien il n'y a pas eu de langage pour en parler avec lui : ça a été tout de suite ou « bien » ou « mal » ou embêtant ou angoissant pour les parents, mais ça n'a pas du tout été parlé.

Il faut que les adultes parlent les besoins, le rythme et le mode de satisfaction qu'ils en ont, car bien des enfants croient beaucoup de choses. Un enfant a découvert un jour que les bonnes sœurs et les curés allaient eux aussi aux cabinets ; du coup, il n'a plus eu la foi. C'est comme ça, un enfant pense que les gens hors du commun ne sont pas soumis aux impuissances normales des rythmes corporels. C'est tout à fait curieux, mais les enfants sont ainsi ! De même, ils croient que les adultes ont un droit inconditionnel sur leur personne. Ils pensent qu'il n'y a pas de lois qui régissent la vie des enfants vis-à-vis des adultes. Il faut le leur enseigner, parce qu'ils croient alors que n'importe qui a des droits sur eux : un éducateur pourrait les priver de leurs parents, un éducateur pourrait les donner aux gendarmes, à la police.

Combien de parents, encore maintenant, au lieu de parler clairement à leur enfant, répondent à ses questions très intelligentes sur le corps et la sexualité de manière menaçante : « Si tu continues à poser des questions comme ça, je le dirai à ton père et tu verras ce qu'il se passera », alors qu'ils pourraient lui dire : « Tu as raison de poser cette question », et ils verraient alors leur enfant cesser d'être incontinent, parce que l'incontinence est une habitude de s'opposer aux parents. Une habitude si ancrée que l'enfant néglige complètement les conditionnements du corps et l'éducation qui fait que les adultes de chaque ethnie vivent et règlent leur excrémentation d'une manière civilisée entre humains. Ces parents préservent ainsi l'avenir de la sexualité de leur enfant. Parce que, si on lui en parle en même temps qu'on lui donne les règles des comportements sexués, et que les parents sont un exemple de ces comportements pour lui, il peut voir et savoir tout cela bien qu'il n'y comprenne rien : « Quand tu seras grand, tu comprendras. » C'est comme cela que ça se passe.

Vous serez étonnés car ces enfants à qui on parle clairement et franchement continuent de fantasmer de la façon qu'ils veulent. C'est qu'il y a justement ces deux modes de vie : la manière poétique de l'enfant et la manière réaliste, qui ne leur est pas cachée mais qui ne leur est pas non plus inculquée de force en disant : « Qu'est-ce que tu es bête si tu dis des choses imaginaires. » On voit ça ! Par exemple, il y a des enfants qui connaissent tout de la réalité, de la grossesse et de la naissance, et qui continuent d'imaginer qu'on va acheter les bébés sur des collines, très loin, roses et bleues, et qu'il y a des petits anges qui mettent des rubans... Ils savent très bien que ce n'est pas vrai. Comme le père Noël, ils savent très bien que ce n'est pas vrai, mais c'est une telle poésie... Il y a deux mondes, et ces deux mondes se côtoient chez l'enfant. Et nous, notre rôle d'adulte, c'est de laisser l'enfant fantasmer sans nous en mêler, mais en répondant au niveau où nous sommes et sans lui inculquer de force ce niveau.

Mais il faut répondre clairement quand il nous pose la

question. Alors je vous assure qu'une telle éducation changera les humains. Parce qu'on aura compris ce qu'est la structure inconsciente, qui est sur un autre niveau que la structure consciente. La structure consciente est en prise dans le langage, qui est parfois poétique, parfois réaliste, parfois utilitaire, mais chacun s'y retrouve en prenant les moyens qui sont les siens pour négocier ses désirs, n'en satisfaire qu'une part parce nous ne pouvons jamais satisfaire nos désirs, qui sont insatisfaisables tellement ils sont gigantesques, et les satisfaire par le langage et par la complicité, l'amitié, la vie entre les humains et les sports. Tout cela est une manière de satisfaire des pulsions qui ne sont plus directement dans le corps à corps pour le seul plaisir de l'individu, mais pour la joie à plusieurs, et c'est cela le désir qui se transmue en amour. C'est cela que l'étude de la psychanalyse nous a permis de comprendre.

M.A. : *Françoise Dolto, je vous propose de satisfaire, je crois, un désir très profond de la salle qui souhaite certainement vous poser des questions.*

UN PARTICIPANT : *Une question que j'aurais à poser, c'est...*

F.D. : Montrez-moi où vous êtes. Qui parle ?

P. : *Vous voulez me voir, madame ?*

F.D. : Mais oui, j'aime voir qui me parle.

P. : *Vous voyez. Je suis un père de famille. J'ai trois garçons et, dès que j'ai lu l'article dans le journal, je me suis précipité pour avoir une place ici pour vous poser une question. Subitement, mon fils du milieu présente un comportement tout à fait soudain et pas habituel. Il se fâche facilement, il croit que tout le monde lui fait du tort et il a beaucoup de difficultés d'adaptation subites à l'école. Alors, je ne sais si vous aviez... le monsieur a demandé qu'on vous pose des questions par rapport à tout ce que vous avez exposé tout à l'heure. Mais moi, c'est une question qui me brûle, alors je voulais tout de suite vous poser cette question en ayant peur de n'avoir pas à la fin l'occasion d'avoir un contact avec vous.*

F.D. : C'est votre fils qui a la clé de son état et de ce qu'il a souffert, car c'est un enfant qui souffre.

P. : *C'est-à-dire subitement...*

F.D. : Subitement, sûrement pas. Il s'est passé quelque chose que vous ne savez pas.

P. : *Oui, mais comment expliquez-vous que...*

F.D. : Je n'explique pas. Ce n'est pas à moi d'expliquer. C'est à vous d'entrer en relation avec votre fils.

P. : *Je suis en bonne relation. Quand le professeur lui demande : « Qu'est-ce qu'il se passe avec vous, est-ce que vous avez quelque chose contre votre père ou mère... »*

F.D. : Il a quel âge ?

P. : *Il a douze ans.*

F.D. : Douze ans, c'est un tournant énorme. C'est un tournant très, très important. C'est le moment de la découverte de l'amour, le moment où l'imagination est prise par un sentiment très fort pour un ami masculin ou féminin qui est hors famille. C'est très important, douze ans, chez un enfant. Il ne peut pas le dire, c'est inconscient.

P. : *Mais cela devrait avoir des répercussions sur son rendement scolaire ?*

F.D. : Oui.

P. : *Il est parmi les premiers de sa classe.*

F.D. : C'est dommage. Les premiers sont plus en danger que les autres. C'est très dommage.

P. : *Qu'est-ce que vous me conseillez, à moi, comme père ?*

F.D. : D'abord, de dire à votre fils qu'il a sûrement raison et que vous ne comprenez pas.

P. : *Je le lui dis, j'ai une certaine éducation.*

F.D. : Et si vous le voyez malheureux ?

P. : *Non, non, il n'est pas tellement malheureux, pas du tout, je peux dire. Mais après, quand il va à l'école, il trouve là un milieu qui ne me plaît pas. Je discute avec lui, alors il essaie de m'expliquer ce qui se passe. Les autres ne sont pas gentils avec lui, les autres enfants.*

F.D. : Il a sûrement raison.

P. : *Oui, mais que faut-il faire ?*

F.D. : Ça vous ennuie qu'il souffre ?

P. : *Ça m'ennuie beaucoup.*

F.D. : Eh bien, non, il faut lui dire : « C'est bien, tu as raison, tu vas découvrir sûrement les raisons pour lesquelles tu te sens malheureux parmi les autres. » Peut-être, puisque vous dites qu'il est toujours premier...

P. : *C'est-à-dire qu'il n'est pas le premier mais il est parmi les premiers. C'est ce que dit son professeur.*

F.D. : Peut-être que ce garçon croit qu'il faut être premier et que c'est bien et que s'il n'était plus premier...

P. : *Pas du tout, je ne lui demande pas d'être premier.*

F.D. : Mais pas vous ! Pourquoi croyez-vous que c'est vous qui comptez tellement ! Ce n'est pas vous qui comptez à douze ans.

P. : *Je sais, je le laisse tout à fait libre.*

F.D. : Oui, mais c'est lui qui ne se laisse pas libre.

P. : *Ce qui m'étonne, c'est que subitement, parce qu'il a douze ans, et il a déjà passé des années à l'école, n'est-ce pas...*

F.D. : Enfin, c'est ça la vie. Un ver, il est un ver pendant longtemps et, subitement, il entre dans une chrysalide.

P. : *Qu'est-ce que vous me conseillez de faire, parce que je crois qu'il y a d'autres personnes aussi qui auraient voulu poser des questions.*

F.D. : Je vous conseille de garder confiance en votre fils. C'est le premier enfant qui vous fait cela ? L'aîné ne vous a pas fait vivre cette épreuve ? Vous pouvez vous dire que vous avez encore eu de la chance que le premier ne vous ait pas donné cette épreuve de ne pas comprendre votre enfant. Parce que quand vient la puberté, la prépuberté, ce qui est son âge, les enfants ne peuvent plus et ne veulent plus être compris par leurs parents, et ils ont raison ! Ça devient incestueux d'être compris par ses parents en paroles. Faites-lui confiance. Dites-lui : « Tu t'en sortiras. » Et c'est tout !

P. : *À travers tout le plaisir, à travers même toutes les illusions de la réalité, vous parlez indirectement aujourd'hui, et directement il y a peu de temps, je crois, dans un de vos derniers livres, vous parlez du Réel avec un grand « R ». Et c'est une chose qui vous différencie du point de vue psychanalytique même des autres positions analytiques qui s'appellent analytiques. Mais à chacun son inconscient, c'est-à-dire à chacun son accès au réel. Et l'accès au réel de Madame Dolto, si je peux dire quelque chose à travers votre livre, et même à travers votre discours d'aujourd'hui, c'est votre insistance sur le fait que, pendant la conception, un être humain ne participe pas de deux mais de trois désirs. Si vous voulez parler un peu plus de cette joie du réel, de l'impossible toujours.*

F.D. : Oui, cet impossible, tout le monde, tous les gens qui sont ici l'ont ressenti sans pouvoir en parler. La conception d'un être humain n'est pas du tout la même chose que la conception d'un animal. C'est tout à fait autre chose du fait de cette réflexivité que nous avons, et du fait que nous nous considérons comme des gens qui donnons la vie éventuellement. Nous croyons que nous donnons la vie, mais en réalité nous donnons l'opportunité de s'incarner à un esprit qui sera un mammifère parlant, ce qui est tout à fait extraordinaire puisque la parole n'est pas dans la répétition quand elle est créatrice et qu'elle a, par elle-même, un effet créateur par-delà le temps de la rencontre de deux êtres du fait de l'écriture. Et la parole rend possible dans l'espace la rencontre créatrice entre des êtres qui ne sont pas de la même ethnie et qui ne sont même pas — nous le voyons maintenant par la psychanalyse — dans la même image inconsciente du corps, puisque nous arrivons à rencontrer des humains in utero ou des enfants tout jeunes grâce à une compréhension de la logique de l'enfant qu'on n'avait pas il y a seulement trente ans.

Donc ce réel, c'est l'imprévisible qui arrive dans nos vies. Nous étudions tout ce qui peut se répéter. Le savoir, c'est une mise à jour de la connaissance d'un individu, qui fait écho à celle des autres, et on arrive ainsi à des sciences dites « objectives ». On peut parler de sciences de l'homme, parce que les mêmes processus se passent dans l'évolution de chacun au point de vue affectif, enfin de beaucoup, et qu'on en crée des lois relatives. On crée en tout cas un certain dictionnaire des processus de développement ou des processus d'antidéveloppement. On y arrive. Que ce soit d'abord dans la médecine du corps, ensuite dans la médecine psychologique. Tout cela, c'est de la répétition. N'empêche que nous sommes toujours mis tout d'un coup devant un fait extraordinaire qui arrive. Et la première image de ce fait extraordinaire, c'est la naissance d'un être humain doué de la compréhension de la parole qui dépasse de beaucoup, qui transcende tout ce qui est sensoriel, bien qu'il ait besoin du sensoriel pour s'exprimer.

C'est cela, la surprise, et je crois qu'on ne peut pas faire l'économie de cette conception du réel. D'ailleurs, le mot existe. On aura beau étudier tout ce qui peut se répéter chez l'humain, je crois que toujours reculera, augmentera le savoir, et que le réel nous surprendra toujours. Et nous montrons qu'il y a des lois que notre esprit borné ne peut pas arriver à comprendre, justement parce que peut-être le réel est tellement infus en nous, dans notre inconscient, que nous ne pouvons pas l'étudier parce que ce serait étudier ce qui est inétudiable puisque c'est inconscient. Et c'est une source, un greffon, une source de sens. Le réel, c'est le sens auquel on ne s'attendait pas et qui tout d'un coup fait sens.

Voilà ce que je peux dire, c'est difficile de parler du réel. Nous parlons toujours de réalités, au pluriel, lesquelles réalités deviennent par un consensus « la réalité ». Mais, en fait, dans ce que nous appelons « la réalité », il y a toujours les possibilités aussi de la surprise du réel qui vient tout d'un coup chez l'humain abolir tout ce qu'il pouvait prévoir. C'est l'imprévisible et c'est encore inconnaissable. Peut-être que nous le reculerons beaucoup cet inconnaissable, c'est possible, mais alors l'humain changera aussi, ce ne seront pas les mêmes humains.

P. : *Du point de vue lacanien, comme critère de la fin d'une analyse, du point de vue d'une analyse d'adulte...*

F.D. : Écoutez, c'est difficile de vous dire ce que Lacan voulait dire par « le réel », mais on peut dire que la fin d'une analyse, quand une analyse est terminée, c'est d'être à la minute la minute, à ce qui se passe sans pathos imaginaire, sans mémoire anticipatrice et sans souci répétitif d'un passé. En étant constamment dans l'actuel, c'est-à-dire dans l'éternel. Mais qui est vraiment fini d'être analysé ? Nous sommes tous encore névrosés. Nous approchons de la fin de l'analyse, mais c'est quelque chose d'asymptotique. En tout cas, à la fin d'une analyse, au moment où une analyse est terminée, on connaît cela. Cette concordance de notre être avec ce qui se passe et avec quelque chose qui est comme une naissance à une notion, à un mode d'être avec les autres un peu nouveau. Mais, très vite, nous retombons dans les défauts de l'être humain, qui sont peut-être ce qu'il y a de réel dans ce qu'on appelle le péché, sans savoir ce que c'est. Car nous n'en connaissons que des réalités, et pas le réel qui est de l'ordre de l'humain, et peut-être de l'être humain qui veut, qui voudrait maîtriser le monde, au lieu d'être un humain qui utilise au mieux ce monde pour être heureux et rendre heureux les gens autour de lui. Mais je ne sais pas, je ne saurais pas vous dire le réel lacanien, c'est ce qui est imprévisible, c'est ce que personne ne peut prévoir.

P. : *Vous avez parlé d'un passage important à l'âge de douze ans. Est-ce que vous voulez un peu nous expliquer de quel passage il s'agit.*

F.D. : Il s'agit de la prépuberté, monsieur. Il s'agit de cette activité hormonale qui se déclenche chez l'être humain et chacun à son rythme. Elle se déclenche. Je vous donnerai comme image le ver qui entre dans la chrysalide. Pendant un temps, on ne voit rien et, si on ouvre la chrysalide, on ne trouve que de l'eau, mais si on la laisse bien tranquille, un beau jour il en sort un papillon. Quel est le réel du papillon ? Nous ne voyons que des réalités successives. Voilà pour toucher encore le réel. Nous ne savons pas ce que c'est, le réel du papillon. L'enfant est comme ça à douze ans, autour de douze ans, il prépare une mutation. Je dis une mutation, mais c'est une mue.

Je vous donne l'exemple d'une mue, et c'est vraiment comme cela. Il ressent un désintérêt pour beaucoup de choses qui l'intéressaient avant. Exactement comme le ver ne s'intéresse plus à manger les feuilles, et tout d'un coup se sent comme persécuté. Probablement, s'il pouvait parler, il dirait que c'est un rhumatisme qui le prend et qu'il va entrer dans la chrysalide. Mais malheureusement nous, quand nous sommes pris par des rhumatismes, nous n'entrons pas dans la chrysalide mais dans le vieillissement. Mais il est possible que le vieillissement soit quelque chose comme l'annonce d'une mutation vers le réel, justement, au-delà de la forme humaine qui est celle d'un adulte qui a été longtemps dans une période accomplie de lui-même et qui entre en mutation. Le Sujet qui est en lui et qui n'est pas le moi, justement ce Sujet qui a été à l'origine de cette incarnation, maintenant entre dans une mutation qui fera qu'il lâchera cette médiation grâce à laquelle il s'exprimait, qui était ce corps, pour on ne sait pas quoi. Car nous sommes limités. C'est là notre castration d'analystes. Nous ne pouvons étudier que les répétitions que nous observons dans les limites de ce que nous percevons sensoriellement. C'est-à-dire la naissance et la mort.

Bien sûr que maintenant on arrive à l'avant-naissance. On arrive presque maintenant à maîtriser les médiations de la conception. Et on sait qu'un être humain, si on lui donne les conditions pour vivre, vivra, parlera et reconnaîtra comme père et mère ceux qui s'occupent de lui. Mais le réel, qui est le « pourquoi » de la rencontre de deux gamètes, cela, nous ne le savons pas, et c'est justement ce réel imprévisible qui est en chacun de nous. Nous utilisons les réalités que ce réel nous donne à vivre, mais nous ne savons pas ce que c'est, ni pourquoi tant de gens dont les gamètes devraient très bien marcher pour faire un humain n'en font pas. Pourquoi ? D'ailleurs, tous les biologistes parlent de cette surprise devant laquelle ils sont. Pourquoi, dans certains cas, ça donne un embryon ? Pourquoi, dans d'autres, ça n'en donne pas ? On ne sait pas.

Peut-être qu'avec la répétition de ces études absolument farfelues, les humains arriveront à comprendre les secrets de la conception. Mais ils ne comprendront pas pourquoi l'être humain parle, ni ce que c'est que « la parole », qui est un mystère profond chez l'être humain, cette mutation dans une autre dimension de l'expression de ce que nous ressentons, qui peut se dire avec des mots et qui aussi peut s'écrire ou se sonoriser, et être déchiffrée des milliers d'années après par d'autres humains. Cette communication entre les humains, à travers le temps et à travers l'espace, est un très grand mystère, où le réel a son mot à dire. Nous étudions ce qui surnage comme réalité, mais ce sont des modalités de fonctionnement. Ce n'est pas l'essence et le réel de ce fonctionnement. Ce n'est que l'utilisation de la découverte des lois de fonctionnement.

P. : *Vous avez parlé de l'avant-naissance, de la perception de l'enfant avant sa naissance. Moi, je voudrais savoir ce que pense la psychanalyse de l'interruption volontaire de la grossesse.*

F.D. : Mais qu'est-ce que vous voulez qu'elle pense ? Elle pense que c'est un fait.

P. : *C'est un fait, oui. Mais quand est-ce que l'enfant... ? Vous avez dit le quatrième mois.*

F.D. : Mais ce n'est pas la psychanalyse qui peut vous le dire. La psychanalyse ne peut rien dire. L'interruption volontaire de grossesse peut être due à un très grand amour d'une mère pour son enfant.

P. : *Oui, sans doute.*

F.D. : Ça peut être dû aussi à une très grande peur de la vie. Nous ne savons pas. Mais cela a existé de tout temps. Tous les humains ont, à toutes les époques, maîtrisé l'enfantement en l'évitant ou en faisant mourir les fœtus ou en faisant mourir les nouveau-nés. Ça a toujours existé de tout temps. C'est aussi un très grand mystère. Les humains veulent tout maîtriser, y compris leur génitude. Nous avons l'angoisse que l'agressivité soit trop grande entre les humains s'ils sont trop nombreux et que la vie soit impossible. C'est ce que nous montre l'expérience des sociétés. Il est possible cependant que les humains soient capables d'utiliser les ressources de la planète pour se nourrir, mais on croit que ce ne serait pas possible si on laissait les gens avoir autant d'enfants qu'ils le souhaitent. En effet, l'étude des animaux qui vivent en société montre que, quand ils deviennent très nombreux, ils se suicident en masse. C'est peut-être cela qui arriverait aux humains...

Les psychanalystes n'ont pas d'idée morale sur la question. Ils étudient la dynamique à travers ceux qui font des cures analytiques. Mon opinion n'a aucun intérêt. En tant que psychanalyste, je ne sais pas, et en tant qu'être humain, je ne sais pas pour le voisin. Alors, je ne peux pas vous répondre.

P. : *Vous avez évoqué tout à l'heure des expériences qui ont été faites sur des enfants quand on leur fait passer des bandes sonores avec des sons tels qu'ils les percevaient quand ils étaient dans le ventre...*

F.D. : Mais non, mais non, je n'ai pas parlé de ça du tout. Je vous dis que dans le livre *Neuf mois pour naître*, il y a un disque qui permet d'entendre ce que les oreilles d'un fœtus entendent. C'est une équipe de psychologues de Lille qui a autorisé Catherine Dolto-Tolitch, ma fille, à mettre ce disque dans ce livre pour que le public comprenne ce que perçoit le bébé in utero et la différence avec ce qu'il perçoit une fois la poche des eaux ouverte et après, quand il est sorti tout à fait des voies génitales maternelles. Mais il ne s'agit pas de faire entendre des bandes sonores.

P. : *Il ne s'agit pas d'un moyen thérapeutique?*

F.D. : Non, pas du tout.

P. : *Je voudrais vous poser une petite question sur un sujet pratique. Vous me voyez? Je ferai appel à votre côté de psychiatre d'enfants. Je suis aussi psychiatre d'enfants. Nous avons souvent le problème : est-ce qu'il faut faire de la psychothérapie — analytique, bien sûr — aux mongoliens, aux*

*enfants qui ont la trisomie 21 ? Est-ce qu'il faut en faire aux
enfants encéphalopathes ? Est-ce qu'il faut en faire aux
enfants psychotiques ou même autistiques ? Est-ce que, dans
le cas où les problèmes relèvent effectivement de la sphère
affective, vous croyez qu'il faut faire de la psychothérapie
analytique ? Est-ce qu'il faut commencer assez tôt ?*

F.D. : Écoutez, c'est une question du nombre de personnes
disponibles, parce que si l'on suppose que l'enfant mongo-
lien, l'enfant psychotique, l'enfant autiste, l'enfant infirme
moteur cérébral... est anxieux, on peut — s'il y a quelqu'un
de disponible et que les parents veulent bien s'impliquer —,
on peut lui donner l'opportunité de l'écouter en psychanalyse. Ce qui ne veut pas dire que cet enfant va s'y intéresser. Moi, je n'ai jamais fait de psychothérapie à un enfant
qui, au bout de trois ou quatre séances, ne désire pas sa
séance. Et d'ailleurs, vous avez peut-être entendu dire que
j'ai institué il y a déjà au moins vingt ans le paiement
symbolique de l'enfant. Celui qui m'a payé le plus tôt, le
plus jeune, c'était une enfant de neuf mois qui allait vers la
psychose et qu'on croyait psychotique ! Parce que je le
disais à chaque enfant, et je ne m'attendais pas du tout à ce
qu'une enfant de neuf mois qui ne marchait pas encore ait
enregistré que je lui demandais de m'apporter un caillou
pour me montrer qu'elle désirait me parler. Ni d'ailleurs
me parler pour me raconter son histoire qui faisait qu'elle
ne pouvait pas se développer comme les autres. C'était cela
que je lui avais demandé. Je le demandais toujours, à tous
les enfants. Et j'étais prête à voir cette enfant amenée par la
pouponnière de la D.D.A.S.S. comme les autres enfants
abandonnés.

Ils sont toujours ennuyés quand ils ont un enfant qui va
être un asilaire à vie. Ils font donc l'effort de mener l'enfant
à un « pédopsychiatre », comme ils disent, et ils savent que
s'il est psychanalysé, ce ne sera pas par un psychiatre
(parce que les psychiatres ont déjà vu l'enfant, et se sont dit
qu'il n'y avait rien à faire). Un enfant qui involue et qui veut
se laisser mourir, en tout cas qui n'est plus en relation, c'est
étonnant de voir que lorsqu'on lui parle directement de sa
souffrance (alors qu'on n'est pas sûr qu'il souffre, on peut
penser qu'il involue simplement), à ce moment-là on voit
son œil s'éveiller et on lui dit : « Oui, mais tu es libre. Et
moi, je ne veux pas parce que tu souffriras. Ça va être très

douloureux. » Car un traitement psychanalytique chez un enfant est quelque chose de très angoissant, autant que chez l'adulte. C'est à la fois une cure, et c'est à la fois apaisant après, mais le travail est un travail angoissant. La plupart des enfants qui sont en cure analytique attendent avec impatience leur séance parce qu'ils en ont vraiment besoin, et, en même temps, ils ont très, très peur d'entrer dans la salle, et c'est pour cela qu'il ne faut pas les prendre sans qu'ils aient payés pour leur souffrance de travail avec l'analyste.

Ils en sortent totalement apaisés. Il y en a pour huit à dix jours, et puis ils recommencent à être tendus, à ne pas dormir, à ne pas manger, à être mal à l'aise, angoissés. De nouveau ils viennent à leur séance sous une très forte angoisse, et en même temps ils peuvent exprimer ce passé qui revient dans la relation avec l'analyste, et peu à peu vous les voyez qui guérissent. Les mongoliens, bien sûr que, s'ils sont angoissés, on peut les faire profiter d'une psychanalyse si ça les intéresse, mais il faudrait que ça les intéresse. Moi, il m'est arrivé de soigner des enfants psychotiques très angoissés. Puis, à partir d'un certain moment, ils n'étaient plus angoissés du tout et très heureux de la manière de vivre dans un hôpital psychiatrique humanisé, et il n'était plus question à ce moment-là de venir pour évoluer. Évoluer comment, puisqu'ils sont heureux là et qu'ils ont tellement peur de la relation avec la vie à laquelle ils ne sont pas du tout préparés. Ils ne sauraient pas se défendre. Et avec leur famille, ils ont perdu pied aussi parce que les frères et sœurs ont continué à vivre ; ils sont des étrangers quand ils reviennent par hasard. Donc, s'ils ne sont plus anxieux et s'ils acceptent le fait que leur état soit différent des autres, ils arrivent à avoir assez de satisfaction pour continuer à vivre détendus, riants, souples, élastiques, pas tout le temps dans la peur, pas tout le temps dans l'angoisse, avec des besoins normaux qu'ils entretiennent. On les voit être heureux, détendus, contents, à l'heure l'heure... Enfin, ils vivent. Pourquoi s'entêter ? Il ne s'agit pas de normaliser les gens par une psychanalyse, il ne s'agit pas de ça du tout.

En tout cas, la prévention des troubles, je parle des enfants mongoliens, c'est extraordinaire. Quand, à la naissance, on leur dit qu'ils sont trisomiques 21 ou 18, que c'est pour ça que les parents sont angoissés et qu'ils ne peuvent pas les recevoir avec la joie qu'ils auraient si leur enfant était né parfaitement sain, les enfants sont alors merveilleux avec leurs parents. Ils les aident à les élever et ils sont exceptionnels pour des mongoliens. Tout enfant qui naît infirme, ça doit lui être dit tout de suite à cet enfant. C'est une prévention extraordinaire des troubles, cela se sait aujourd'hui. Il faut lui dire qu'il y a des difficultés puisqu'il n'est pas comme les autres, et que tout être humain voudrait entrer dans la danse des autres. Il faut lui expliquer que son impuissance, il n'en est pas coupable, qu'il n'en est même pas responsable, que c'est un incident génétique ou que c'est un accident de l'accouchement. L'enfant est tout à fait capable d'entendre cela et d'aimer ses parents, au lieu de souffrir de ce que les parents ne peuvent pas lui montrer la même joie qu'ils montrent à un autre nouveau-né sain qu'il voit naître après lui.

Mais si nous étions assez nombreux, c'est certain que tous les enfants qui ont souffert dans le petit âge pourraient profiter d'une psychanalyse. Ce qui n'a rien à voir avec l'éducation. C'est autre chose. Voilà.

P. : *Je voudrais vous demander d'expliciter pourquoi un enfant premier de la classe est plus fragile qu'un autre enfant.*

F.D. : Parce qu'un enfant premier de la classe met quelquefois sa fierté à ne pas perdre cette place de premier qui le met en vedette parmi les autres et qui, pour lui, est nécessaire : ça arrive souvent pour un second. Un second a souvent besoin d'être premier parce qu'il voudrait, depuis qu'il est petit, avoir la place de premier. On peut aider les enfants quand ils sont jeunes, en leur donnant l'exemple d'un train dont le deuxième wagon arrive tout à fait aussi vite que le premier. Et il a beau vouloir prendre la place du premier, il va y perdre son latin, ce pauvre deuxième wagon, à vouloir être le premier. Alors que sa place est excellente et qu'il arrivera même beaucoup mieux que l'aîné parce qu'il a entre lui et le père un aîné comme tampon, ou entre lui et la mère, un aîné comme tampon, ce qui est très agréable parce que ça lui donne un but à vaincre, celui-là qui est juste devant lui, alors que pour l'aîné, vaincre le père, c'est impossible et il se casse les dents très souvent. Le deuxième très souvent désire dépasser son aîné, et cela s'exprime par le fait qu'il est très bon en classe.

Malheureusement, à douze ans, il y a justement un remaniement complet de l'énergie inconsciente. Le travail scolaire dans le primaire est surtout dû aux sublimations de pulsions orales et anales — dans notre jargon psychanalytique, les pulsions d'absorption et les pulsions du faire. Absorber des connaissances, c'est une métaphore dans la psychologie de l'absorption du corps ; en garder et, par l'excrémentation, faire un résultat de cette digestion qui va plaire à la mère. Exactement comme une mère qui change son bébé et qui répond au médecin qui lui dit : « Comment ça va ? Est-ce qu'il a de belles selles ? — Ah oui, il a de belles selles. » Bon, tout le monde est content !

Dans le primaire, un enfant qui fait de bons devoirs est premier. Dans le secondaire, ce ne sont pas du tout les mêmes enfants qui sont premiers. Mais c'est rarement les mêmes enfants qui sont premiers. Parce qu'être premier de temps en temps, pourquoi pas ? C'est rare qu'ils puissent conserver cette place de premier, c'est-à-dire de locomotive de la classe, dans le secondaire. Parce que le secondaire demande d'avoir un sens critique à propos de l'absorption et de l'agir. Il faut agir en fonction de ses motivations personnelles et absorber avec du sens critique. C'est-à-dire en laisser et en prendre. Mais pas tout prendre ! Or, dans le primaire, on prend tout et on fait tout ce que le maître nous demande. Il faut obéir à un adulte qui — hélas — nous demande ce qu'il sait déjà. Beaucoup d'enfants qui ne sont pas premiers dans le primaire le disent : « Pourquoi est-ce qu'il me demande ce qu'il sait ? » Ils trouvent ça complètement idiot ! Alors qu'ils trouveraient très intelligent que le maître cherche avec eux et qu'il ne sache pas la réponse. Alors ils seraient dans les conditions du secondaire. Et ils seraient des enfants parmi les meilleurs de leur classe avec l'esprit allumé, voulant intéresser le maître, à trouver plus vite que lui la réponse. Quand un maître demande ce qu'il sait, pour un enfant, c'est minable, mais pas pour un second qui veut être le premier. Parce qu'il veut dépasser le premier, alors il s'accommode de ce mode d'enseignement très bête qui est que le maître demande quelque chose qu'il sait.

L'intérêt, c'est de chercher ensemble. Il est possible que cet enfant sente qu'il est en train de tirer sur la corde pour être le premier et que, s'il devait n'être plus le premier, il ne puisse pas se le pardonner. Et il met tout, tout là-dedans, au lieu de mettre toute son attention et son intérêt dans les attractions amoureuses « homosexuelles » ou « hétérosexuelles », et dans cette lutte pour la conquête et la découverte des humains qui sont faits pour s'articuler avec son mode d'intelligence et de recherche. Parce que avec la vie prépubertaire, la mutation qui se fait, c'est l'intérêt que l'on éprouve pour les pulsions génitales. Or, les pulsions génitales ne sont pas seulement génitales au niveau du corps avec cette extraordinaire efflorescence gonadique, cette richesse et ce développement très brusque des signes de la maturité gonadique, de la maturité sexuelle. C'est également l'âge où l'on aime à critiquer le but des actions. Mais si on se mettait à réfléchir à la critique des buts d'un travail, ou à la critique d'une discipline, des buts d'une discipline, on pourrait s'en désintéresser complètement. Alors, ce qui va porter ses fruits, c'est cet intérêt qui, au-delà du travail, des devoirs, est le but qu'il recherche auquel on s'intéresse momentanément parce qu'on a une passion pour le professeur qui est un type formidable ou une femme extraordinaire, et qu'on fait dans le sommeil des rêves où l'on est dans le lit avec le professeur. Et alors, grâce à cela, on essaie de lui faire plaisir et on est très bon en maths parce que la dame est prof de maths ou on est très bon en anglais parce que le monsieur est un très bon prof d'anglais. Mais l'année d'après — heureusement d'ailleurs qu'on ne garde pas les mêmes professeurs —, on s'aperçoit que l'anglais ne nous intéresse plus du tout parce que le professeur d'anglais a une tête qui ne nous revient pas. C'est très bien comme cela.

À douze ans, tout est remanié autrement. On agit dans un but tout à fait différent, on agit pour le plaisir des pulsions génitales, c'est-à-dire à long terme. Ce n'est plus du tout parce qu'on veut, par rivalité, dépasser un autre. Dépasser un autre pour quelque chose qui ne nous intéresse pas, pourquoi le faire ? Ou bien l'enfant qui était bon dans le primaire s'intéresse, dans le secondaire, à autre chose, quelquefois pas du tout scolaire d'ailleurs, et alors, il est obligé de laisser les bonnes places aux autres qui continuent à travailler comme dans le primaire. Car il y a des gens qui continuent d'étudier dans le secondaire comme dans le primaire. Cela donnera dans la vie des gens qui seront dans le répétitif. Il en faut pour soutenir les cadres, mais ce ne seront pas les enfants les plus intelligents. On croit que les premiers dans le primaire sont les enfants intelligents. Peut-être le sont-ils ! Mais, peut-être pas ! Et il y a un creux de la vague au moment de la prépuberté qui est très difficile à supporter pour l'enfant qui avait à cœur de dépasser l'aîné et qui avait transféré sur le travail scolaire.

M.A. : *Françoise Dolto, pour terminer, puis-je vous demander d'évoquer la Maison Verte[4], qui est votre activité de maintenant, quotidienne ?*

F.D. : Oui, la Maison Verte, c'est la création d'un lieu d'accueil pour les petits avec leurs parents, pour les préparer à aller dans les institutions faites pour les enfants, des institutions qui ne les acceptent qu'à condition de les séparer de ce qui fait leur sécurité et de ce qui est l'enracinement de leur identité. C'est pour cela que nous avons eu l'idée, avec des psychanalystes — surtout Pierre Benoît et Bernard This, des psychanalystes d'adultes et d'enfants —, que c'était de la prévention qu'il fallait faire chez les enfants petits, quand ils n'ont pas encore de symptômes repérables par les médecins, ni par la famille, ni par la société et chez les enfants avant la crèche. Car j'ai vu beaucoup d'enfants qu'on amène chez le psychanalyste parce qu'ils ont des troubles et des symptômes de désadaptation relationnelle, des enfants de sept ou huit ans, quand ils ont fait leurs preuves d'inadaptation à l'école. Quand on interroge les parents sur l'évolution de cet enfant, on s'aperçoit que c'est soit au moment du sevrage, soit au moment de l'entrée à la crèche, ou qu'il a fait otite sur otite, qu'on ne s'en sortait pas et que la mère avait dû lâcher son travail, par exemple. Ou bien c'est la naissance d'un puîné qu'il n'a pas surmonté, ce qu'on appelle la jalousie du puîné, qui est un syndrome très grave de flottement de l'identité et de la valeur de l'identité de cet aîné qui, tout à coup, voit arriver un plus petit que lui dans la famille, voit le bouleversement occasionné par ce nouveau, cet amour subit, cette transformation de la famille autour de ce bébé. Et il pense qu'il avait plus de valeur quand il était petit que maintenant.

Combien d'enfants réagissent d'une façon extrêmement douloureuse à la naissance d'un puîné, on appelle ça « la jalousie », bien souvent on en tient peu compte. C'est une chose qui se ventilait dans les familles très nombreuses autrefois, parce que la mère n'avait pas tellement le temps de s'occuper de tous les enfants. Il y en avait beaucoup. Et il y avait toujours, à ce moment-là, quelqu'un qui prenait le relais de la maman pour le « préné », celui qui n'était pas tellement plus grand que l'autre. La mère ne pouvait pas s'occuper autant de celui-là que du bébé, si bien qu'il y avait une grand-mère, une tante, quelqu'un qui s'en occupait, et il était, de ce fait, aidé à passer ce cap. Maintenant les enfants qui naissent planifiés, c'est-à-dire pas trop rapprochés, souffrent énormément de cette épreuve. C'est une épreuve de doute sur la valeur de leur identité sexuée ou de leur identité par rapport à l'âge qu'ils ont. Quand cette étape ne se passe pas bien, cela laisse à l'enfant des troubles du langage, des troubles de la motricité, parfois des troubles de la continence sphinctérienne, qui reviennent alors qu'il était propre jusque-là, des tics, des bégaiements, des signes fonctionnels de désadaptation des fonctions symétriques du corps : loucher, ne plus accommoder avec un œil, devenir sourd ou demi-sourd d'une oreille. Toutes ces choses-là sont des troubles que nous savons arriver par la jalousie du puîné.

Ce ne sont pas des choses pour lesquelles les parents viennent consulter, parce qu'ils ne s'en doutent pas. Ils voient simplement que leur enfant devient grincheux : « Ah, il devient difficile, il faut que je fasse attention au petit ; sans cela, il lui flanquerait des trucs sur la tête », des trucs comme ça : « Ah, ce n'est pas beau d'être jaloux », ou : « On ne comprend pas ce drame. » Ce drame, chez ceux qui s'en sortent — quand ils n'ont pas été compris, ils s'en sortent tout de même avec l'âge —, laisse des traces de blessures qui sont comme des failles, des fêlures dans la structure. Et quand il se passe une épreuve après, dans la vie, ça touche cette zone de fragilité. Une épreuve de perte d'un être cher, par exemple, renouvelle la perte de la connaissance de soi-même avec les êtres chers de la famille qu'on a éprouvée au moment de la naissance d'un puîné. Quand vous voyez des malades mentaux sérieux, adultes, et que vous étudiez finement leur histoire, il y a toujours une histoire de jalousie de frère ou de sœur qui a traîné tout le temps de leur enfance et qui a éclos d'une façon grave à partir du premier amour sérieux génital dans la vie, et qui a rendu dramatique la relation, par jalousie, par sentiment de persécution. C'est enraciné dans une jalousie du puîné.

Alors j'ai pensé en effet à un lieu où les bébés pourraient

venir, avec leur mère, pour les préparer à être séparés d'elle en deux mois. Quand un enfant vient à la Maison Verte cinq ou six fois, et que la mère se met à parler de sa nécessité de le mettre en nourrice, avec beaucoup de peine parce que c'est une grosse épreuve de mettre son enfant en nourrice, et pour l'enfant aussi c'est une épreuve de quitter le corps de sa mère qui est toute sa médiation au monde, et sa voix qui était toute sa médiation aux autres... S'il n'y est pas préparé, c'est pour lui un choc, et les enfants très sensibles sont ceux qui réagissent le plus de façon pathologique. Au contraire, préparés à la Maison Verte, comme nous le faisons, par la parole simplement, ces enfants comprennent le langage et ils supportent la vie en crèche. D'ailleurs, les personnes des crèches le disent : « Ah, il n'est pas comme les autres, il écoute et il ne pleure pas quand on ne lui donne pas son biberon, il suffit que je lui dise : "Mais je ne t'oublie pas, je pense à toi." »

Je ne dis pas que les autres enfants ne s'accommodent pas à la crèche. D'ailleurs, on appelle ça un « syndrome d'adaptation ». Ils s'y accommodent mais il se crée alors deux modes de vie : il y a le mode de vie à la crèche, où l'enfant se développe en espèce d'objet partiel, porté par le groupe maternant dans lequel la maternante elle-même a un rôle paternant, et le groupe familial qui est porteur du rôle maternant. Quand l'enfant est à la maison avec sa mère, il ne mange même pas tout seul, alors qu'à la crèche, à quatorze mois, il le fait déjà. Il ne sait pas s'amuser seul, il faut tout le temps qu'on s'occupe de lui. Il a deux personnalités : à la maison une personnalité très dépendante, comme un beaucoup plus petit que lui, dépendante de sa mère ou d'un aîné, et au contraire, quand il est avec les autres, il est débrouillé. C'est très important parce que ça crée pour l'avenir un enfant qui suivra le leader d'un groupe, quel qu'il soit, pourvu que le groupe soit porteur. Et c'est dangereux ! Ça fait certainement le lit de la moyenne délinquance chez les adolescents qui, pourvu qu'il y en ait un qui soit le chef de bande comme était la maîtresse de la crèche — elle faisait marcher tous les petits comme des enfants pavlovisés —, suivent sans aucun sens critique, parce qu'ils ont pris l'habitude depuis qu'ils sont petits de suivre et de faire tous pareil. Alors que l'être humain, il faudrait toujours l'élever à : « Il fait pareil, tant pis, tant mieux, mais ce n'est jamais bien. » Il faut que chacun, selon ce qu'il a à faire dans un groupe où il anime par son originalité, son inventivité, sa participation, fasse le plaisir de tous en même temps que le sien. Or, si l'enfant n'est pas préparé à la vie sociale, il ne sait pas du tout qui il est et il perd son identité dans les crèches.

Donc, cela, c'est pour avant deux mois. Ensuite, c'est tous les petits troubles qui se passent quand l'enfant reste avec sa mère et qu'il est mis en garderie — vous savez qu'il existe des garderies où l'enfant est mis pendant quelques heures parce que la mère doit faire des choses sans lui. Il y a des expériences de garderie qui sont dramatiques pour certains enfants. À partir de la première garderie, ils ont perdu le sommeil et ils ont peur de la société. Ils sont phobiques. Nous en avons récupéré à la Maison Verte.

Alors, ce lieu, la Maison Verte, qu'est-ce que c'est ? Les parents viennent avec leur enfant de moins de quatre ans, parce que c'est un lieu de loisirs où les enfants rencontrent d'autres enfants et où les parents se reposent et rencontrent d'autres parents, s'ils le souhaitent, et d'autres enfants. Ce lieu est original en ce sens que c'est un lieu de parole et c'est un lieu anonyme. Personne ne sait qui est qui, ce sont simplement le père ou la mère d'Un Tel, mais on ne sait ni l'adresse, ni le nom, ni le statut économique et social des parents. Ils sont parents d'un enfant. Et nous, les personnes d'accueil, nous sommes tous — il y a trois personnes par jour — psychanalysées. Sur les trois personnes, il y a au moins un homme et un ou une psychanalyste qui a au moins vingt ans d'expérience et qui a l'expérience de l'inconscient dans les familles, c'est-à-dire des relations inconscientes entre un enfant et ses parents, les parents et la fratrie. Les autres sont psychanalysés personnellement et ont des métiers différents. Ils ne travaillent là qu'un jour par semaine. De cette façon, les parents et les enfants, dont certains viennent tous les jours, sont chez eux, alors que le personnel d'accueil est à leur service mais ne se sent pas chez lui.

C'est aussi intéressant car cela a été organisé de façon à ce qu'aucun de nous ne dirige. C'est collégial au sens où chacun est responsable de ce qu'il dit, et qu'il ne répète pas à un autre ce que quelqu'un lui a confié. Rien de ce qu'une mère nous dit n'est répété. C'est seulement toujours dit à l'enfant qui est présent pendant que sa mère parle. L'enfant est toujours introduit à la relation de parole que la mère a avec une des personnes de l'accueil. Même à l'accueil, c'est toujours l'enfant que nous questionnons : « Comment t'appelles-tu ? » S'il a dix jours, la mère répond, bien sûr, mais ensuite, c'est à l'enfant que nous répondons, et c'est l'enfant que nous présentons à d'autres, c'est à l'enfant que nous présentons les lieux, et c'est à l'enfant que nous nous présentons.

Cette manière de faire, peu à peu, fait que les parents eux-mêmes s'adressent à leur enfant tout à fait différemment, et que ça change vraiment les relations. De même, entre enfants, nous nous apercevons que la relation qui va devenir positive avec le social, se passe toujours en une lutte de force entre un agressé et un agresseur. C'est toujours ça, la société. Ne serait-ce qu'à cause de la différence de taille et d'âge entre un enfant château branlant qui commence à marcher, et un qui court et le renverse comme il renverserait n'importe quoi qui se trouverait sur son chemin. C'est à nous de ne jamais dire « en bien » ou « en mal » ce qui se passe, mais seulement de nommer « en fait », c'est-à-dire de dire avec des mots ce qui s'est passé d'agréable ou de désagréable. Et lorsqu'un enfant est ainsi agressé dans un jardin public, ce sont les mères qui se disputent. Quand un enfant va arracher le jouet d'un autre, et le renverse par-dessus le marché, la mère de l'agresseur est toujours mise en cause par la mère de l'agressé.

Il y a des enfants qui viennent à la Maison Verte parce qu'ils ne peuvent plus fréquenter les grandes surfaces car ils renversent tout, parce qu'ils ne peuvent plus aller dans un jardin public parce que tout le monde ramasse ses enfants et s'en va quand arrive « l'enfant-danger ». C'est l'enfant qui mord, qui tire les cheveux ou qui renverse. À la Maison Verte, c'est signe du désir d'entrer en relation avec les autres, désir raté puisque le résultat est que tout le monde s'en va. Ce désir est mis en paroles et n'est jamais blâmé. Et le résultat vient très vite, car l'enfant comprend le langage qui était derrière son comportement, alors que jusqu'à présent tout ce qu'il savait c'est qu'il faisait du grabuge. Alors, il se met à avoir le sens que tout est langage dans un comportement, et recherche d'un autre, intérêt pour les différences et souffrance de manque, et l'enfant dit tout cela en mots.

La Maison Verte a fait ses preuves puisqu'on a commencé en 1979. Nous sommes en 1986, ça fait déjà sept ans, et nous avons vérifié que cette méthode empêchait les troubles précoces inter-relationnels des enfants. Non seulement c'est vrai, mais beaucoup plus que ce que nous croyions. Et surtout, on voit des couples qui étaient en train de se désunir du fait du drame qu'avait créé l'arrivée d'un bébé, eh bien on voit des couples qui se réparent. Ce sont les pères qui viennent nous le dire : « Ah, vous savez, heureusement que la mère de l'enfant a trouvé la Maison Verte, parce que moi, j'étais revenu chez ma mère et je ne fréquentais plus la maison. J'allais prendre mes repas chez ma mère (quand par chance elle n'était pas trop loin) tellement c'était un enfer à la maison. Ma femme angoissée était toujours après moi, elle n'avait jamais le temps de s'occuper de la maison, le bébé l'occupait complètement. Depuis qu'elle vient à la Maison Verte, j'ai retrouvé une femme, et j'ai un enfant qui dort, qui mange à des heures régulières, qui n'est plus tout le temps un paquet de nerfs qui épuise sa mère. » Et c'est vrai !

Cette vie sociale précoce est tout à fait nécessaire aux humains. Je le pensais et nous en sommes tous maintenant convaincus, à tel point que beaucoup d'autres lieux analogues ont été créés. Au début, ça s'appelait « Petite enfance et parentologie », et les enfants l'ont appelé « la Maison Verte » parce qu'elle était peinte en bleu, allez comprendre ! C'est comme ça. On en crée dans d'autres villes, pas toujours avec les mêmes impératifs que nous, mais c'est déjà beaucoup. Je ne sais pas comment c'est chez vous, mais en France, quand on pense qu'on ne peut amener un enfant nulle part ! On peut emmener son chien à condition qu'il soit en laisse, mais on ne peut pas emmener son enfant dans un restaurant, on ne peut pas l'emmener dans beaucoup de magasins surtout quand il est un peu bruyant, un peu moteur. C'est quand même extraordinaire qu'il n'y ait pas de lieux où les enfants puissent être accueillis par la société, en même temps que leurs parents, à un âge où ils ne sont pas encore autonomes et que, pour le devenir, il faut justement que la société les accueille comme interlocuteurs aussi valables que les adultes. C'est ça qui se passe à la Maison Verte.

J'en ai parlé, j'ai fait un chapitre dans *La cause des enfants*, j'ai fait un autre chapitre dans un livre qui s'appelle *La difficulté de vivre*, et j'en ai peut-être aussi parlé à d'autres moments. En tout cas, dans ces deux livres, il y a deux articles où j'ai essayé d'exposer ce que c'était. Pour les enfants, c'est temporaire ; une fois qu'ils ont appris à vivre en société, il n'en ont plus du tout besoin. Quelquefois, c'est les parents qui voudraient revenir à la Maison Verte, et les enfants y viennent pour accompagner leurs parents. Ils restent dans l'entrée en disant : « C'est papa qui avait besoin de venir, mais moi maintenant j'aime bien aller à la garderie sans les parents. » Des enfants de deux ans et demi, trois ans qui vous parlent comme ça, c'est très intéressant. Ce monde qui prend conscience de lui-même et de ses responsabilités quand seulement ça lui est possible, dans un lieu où il n'y a pas de jugements de valeur, qui est un lieu de paroles où tout ce qui est comportement, on sait que c'est langagier. Ça ne veut pas dire qu'on le comprend toujours, mais nous cherchons à en comprendre le sens.

M.A. : *Merci, Françoise Dolto.*

F.D. : Merci beaucoup.

M.A. : *Pourquoi pas une Maison Verte en Grèce ?*

F.D. : Oui, pourquoi pas ?

M.A. : *En tout cas, le livre de votre fille sera, dès demain, à la bibliothèque de l'Institut français, le livre avec le disque.*

F.D. : Ce livre, c'est *Neuf mois pour naître*, et l'autre, qui est aussi merveilleux pour les enfants, s'appelle *Comment ça va la santé* ?

Notes

Quelles questions les parents se posent-ils sur les enfants et les enfants sur les parents ?

1. Il s'agit d'une conférence-débat faite à la 33ᵉ session nationale des aides familiales rurales.

Les mères

1. Titre de J.-B. Pontalis.
2. En 1956, la firme allemande Chemie Grohe Gruenenthal mit sur le marché un calmant hypnotique aux propriétés sédatives et tranquillisante. En vente libre dans les pharmacies, ce médicament, le Softenon, fut largement prescrit aux femmes enceintes. En 1958, on découvrait que ce médicament était nocif pour le fœtus et entraînait un nombre important de naissances anormales. Les malformations atteignaient le plus souvent les membres et le tube digestif à des degrés variables. En 1961, tous les médicaments contenant de la thalidomide furent retirés de la vente, d'abord en Allemagne, puis dans les quatorze pays concernés. Mme Vandeput, une Liégeoise de vingt-cinq ans, ayant utilisé ce « calmant », accoucha le 19 mai 1962 d'une fille phocomèle : les mains attachées directement au corps. Bouleversée, la jeune femme, avec l'aide de sa mère et de sa sœur, et l'accord de son mari, obtint du médecin prescripteur le poison nécessaire pour mettre fin aux jours de son enfant. Les cinq personnes dénoncées et jugées, furent en définitive acquittées. Ce procès, qui eut un énorme retentissement, provoqua un débat sociologique moral et médical sur l'euthanasie des enfants infirmes.

L'enfant unique

1. Ces tests ont pour but de mesurer le développement intellectuel. Ils peuvent être utilisés à partir de l'âge de deux ans.

2. Les procédés anticonceptionnels, tels que nous les connaissons aujourd'hui, n'existant pas en 1950, on peut penser que Françoise Dolto fait allusion à des stérilités consécutives à des avortements.

3. Françoise Dolto fait sans doute référence ici au rapport présenté par Jacques Lacan aux « Journées psychiatriques » organisées à Bonneval le 28 septembre 1946 par Henri Ey sur le thème de la psychogenèse. Lacan développe l'idée de l'importance chez l'être humain de l'identification et de l'imago, et il soutient qu'on rencontre cette imago dans le règne animal chez les animaux grégaires. Il appuie sa démonstration sur les travaux d'un scientifique britannique, Harrison, qui montre que la femelle du pigeon ne peut pas ovuler si elle ne voit pas l'un de ses congénères ou, à défaut, sa propre image dans un miroir. Cf. Harrison in *Proceeding of the Royal Society*, 1939, et J. Lacan, « Propos sur la causalité psychique », *Écrits*, Le Seuil, 1966 (p. 151-193).

Introduction à une page d'éducation

1. Pendant plus d'un an, de janvier 1946 à mars 1947, Françoise Dolto collabore régulièrement à l'hebdomadaire *Femmes françaises*. Elle y tient la rubrique intitulée « La mère et l'enfant ». Son premier article paraît dans le numéro du 18 janvier 1946. Elle y explique ses intentions : faire de cette page une consultation psychopédagogique ouverte à tous et en particulier aux futurs parents. L'éditorial de ce journal qui veut parler aux femmes de leurs problèmes quotidiens a, ce jour-là, pour titre : « Nous aurons de la viande ! », allusion au retour de la viande à un prix abordable.

Femmes françaises est le journal de l'Union des femmes françaises. Créée en juin 1945 et issue des Comités féminins de la Résistance, l'U.F.F. s'était fixé comme objectif le combat des femmes pour « la défense de leurs droits, pour la paix et pour l'égalité de leurs droits de citoyennes et de femmes ». Les militantes communistes y jouaient un rôle prépondérant, mais l'accent était mis sur l'union. Ainsi, à sa création, l'U.F.F. se donnait trois présidentes d'honneur, toutes trois mortes au combat : Berty Albrecht, chrétienne, Danielle Casanova, communiste, et Suzanne Buisson, socialiste. La première présidente fut Eugénie Cotton, scientifique et directrice de l'École normale de Sèvres. Jenny Aubry — qui s'appelait alors Jenny Roudinesco — écrira aussi dans *Femmes françaises*.

L'U.F.F. poursuit aujourd'hui ses activités et publie une revue, *Clara Magazine*. Son siège se trouve à Paris, 25, rue du Charolais, dans le XIIᵉ arrondissement.

2. « Docteur Marguerite Fradeau » est le pseudonyme sous lequel Françoise Dolto signe le premier article qu'elle publie dans *Femmes françaises* du 18 janvier 1946. Elle s'explique ainsi : « L'Ordre des médecins n'avait pas encore officiellement permis aux médecins d'écrire sous leur nom sans soumettre d'abord leurs manuscrits à l'Ordre des médecins. » Ses articles qui paraissent dans les numéros du 25 janvier et du 8 février sont encore signés « Docteur Marguerite Fradeau ». Le 15 février 1946, elle signe « La Doctoresse », et, à partir de mars 1946, son nom figure au bas de chacun de ses articles : « Docteur Françoise Dolto ». Le Code de déontologie des médecins n'ayant pas changé, on suppose que Françoise Dolto a décidé de passer outre aux obligations liées à sa fonction.

Les punitions

1. Françoise Dolto introduit la métaphore du gorille, qu'elle retiendra plus tard, à l'exclusion de toute autre, pour décrire la partie non encore humanisée de l'enfant.

Amour, mariage, bonheur

1. Cf. *Introduction à une page d'éducation*, p. 103 du présent volume.

L'âge des parents

1. Pour Françoise Dolto, l'enfant a besoin, pour grandir, d'avoir en lui une image de père et une image de mère qui puissent lui servir de repère. L'enfant ne construit pas ces images sur le seul exemple de ses parents, mais aussi sur toutes les paroles de père et de mère qu'il reçoit dans son éducation, et qui peuvent, éventuellement, compenser ce que ses parents, à cause de ce qu'ils ont vécu dans leur enfance, ne peuvent pas lui dire.

Les grands-parents

1. Françoise Dolto estime qu'il est important que l'enfant, dès son plus jeune âge, sache que, avant sa naissance, ses parents ont eu des relations charnelles et qu'il est né de ces relations.

Dialogue avec les mères à Fleury-Mérogis

1. Françoise Dolto s'est rendue à la Maison d'arrêt des femmes de Fleury-Mérogis pour rencontrer les mères incarcérées, le 26 mars 1987, à l'invitation d'Odile Dormoy, médecin-chef du S.M.P.R. (Service médico-pénitentiaire régional) du Centre pénitentiaire de la Maison d'arrêt de Fleury-Mérogis.

La Maison d'arrêt des femmes de Fleury-Mérogis, ouverte en 1973, est dotée d'un « Quartier des nourrices » ou « Nursery », mis en service en 1977 et réservé aux mères qui peuvent garder leur enfant auprès d'elles jusqu'à l'âge de dix-huit mois. Il comporte treize cellules, une salle commune, un espace de jeux et une cour. Les conditions de vie ont donc été aménagées pour tenir compte de la présence des enfants, mais les contraintes carcérales demeurent, dont l'enfermement cellulaire de la mère et de l'enfant entre 18 h et 8 h 30 du matin et entre 12 h et 14 h. Depuis 1983, une puéricultrice, une éducatrice de jeunes enfants et une psychologue sont attachées au Quartier des nourrices. Cf. « Dossier : Mères en prison », *Nervure*, n° 9, décembre 1989.

2. Le nom même de « Maison Verte » est la création du collectif d'enfants. La Maison Verte a été inaugurée le 6 janvier 1969, place Saint-Charles, dans le XVe arrondissement de Paris, le jour des Rois. Selon le

vœu de Françoise Dolto, le tout jeune enfant (de zéro à trois ans), toujours accompagné d'un parent, en compagnie d'autres enfants et d'une équipe d'accueil de trois personnes (dont un homme au moins), devait trouver un lieu d'épanouissement, de « parler vrai », de partage dans un champ de paroles et de langage qui lui permettait de se structurer et de trouver ses repères avant le passage à la crèche ou à la maternelle. Cf. *Les troubles psychosomatiques de l'enfance*, p. 339 du présent volume.

Dangers de l'éducation religieuse

1. Françoise Dolto crée ce signifiant « allant devenant » pour qualifier un être humain, dans son trajet, toujours en mutation.

Accompagnement psychologique d'un enfant handicapé et de ses parents

1. Institut de l'enfance et de la famille.

Les troubles psychosomatiques de l'enfance

1. Lors de la semaine que Françoise Dolto a passée en Grèce en avril 1986, elle a donné cette conférence, a passé une matinée à l'hôpital des Enfants malades d'Athènes, a débattu avec le personnel de l'hôpital et a accordé une interview à la radio « Le Troisième Programme ».

C'était le deuxième voyage que Françoise Dolto faisait en Grèce. La première fois, elle s'y était rendue juste avant de soutenir sa thèse de médecine.

Après la conférence *Les troubles psychosomatiques de l'enfance*, un article la concernant, écrit par E. Kouki, a été publié dans la revue *Politis*. Plusieurs ouvrages de F. Dolto ont été traduits en grec : *Le cas Dominique*, éd. Rappa, Athènes ; *Séminaire de psychanalyse d'enfants*, t. 1 et 2, éd. Hestia, Athènes, 1989 et 1992 ; *Quand les parents se séparent*, éd. Hestia, Athènes, 1993 ; *L'image inconsciente du corps*, éd. Hestia (en cours) ; *Lorsque l'enfant paraît*, t. 1, 2 et 3, éd. Yallelis, 1993.

2. Équivalent de l'actuel P.C.E.M. : première année des études de médecine.

3. Françoise Dolto avait l'habitude de scander les rythmes du cœur du fœtus et ceux du cœur de la mère du bout des doigts, sur la table.

4. Cf. *Dialogue avec les mères à Fleury-Mérogis*, note 2.

Index

Index des notions et des thèmes

Index des noms propres

Index des cas et exemples cités

Table des matières

Bibliographie Françoise Dolto

AUX ÉDITIONS GALLIMARD
dans la même collection

Articles et conférences :

1 — Les étapes majeures de l'enfance
2 — Les chemins de l'éducation
3 — Tout est langage

Essais :

Solitude

Entretiens :

Destins d'enfants — Adoption, Familles d'accueil, Travail social

CHEZ D'AUTRES ÉDITEURS

Le cas Dominique, *Le Seuil*, coll. « Le champ freudien », 1971 ;
coll. « Points Essais », 1974.
Psychanalyse et Pédiatrie, *Le Seuil*, 1971 ; coll. « Points Essais », 1976.
L'évangile au risque de la psychanalyse (en collaboration avec Gérard
Séverin), tomes 1 et 2, *Delarge*, 1977, 1978 ; *Le Seuil*, coll. « Points
Essais », 1980, 1982.
Lorsque l'enfant paraît, tomes 1, 2, 3, *Le Seuil*, 1977, 1978, 1979 ; tomes 1,
2, 3 reliés, *Le Seuil*, 1990.
La foi au risque de la psychanalyse (en collaboration avec Gérard Séve-
rin), *Delarge*, 1978 ; *Le Seuil*, coll. « Points Essais », 1983.
Au jeu du désir. Essais cliniques, *Le Seuil*, 1981 ; coll. « Points Essais »,
1988.

La difficulté de vivre, *Interéditions*, 1981 ; *L.G.F.*, 1988.

Séminaire de psychanalyse d'enfants, tome 1 (en collaboration avec Louis Caldaguès), *Le Seuil*, 1982 ; coll. « Points Essais », 1991.

L'image inconsciente du corps, *Le Seuil*, 1984 ; coll. « Points Essais », 1992.

La cause des enfants, *Laffont*, 1985 ; *L.G.F.*, 1986.

Séminaire de psychanalyse d'enfants, tome 2 (en collaboration avec Jean-François de Sauverzac), *Le Seuil*, 1985 ; coll. « Points Essais », 1991.

Enfances (photographies Alecio de Andrade), *Le Seuil*, 1986 ; coll. « Points Actuels », 1988.

Dialogue québécois (en collaboration avec Jean-François de Sauverzac), *Le Seuil*, 1987.

L'enfant du miroir, Françoise Dolto, Juan David Nasio, *Rivages*, 1987 ; *Payot*, 1992.

Sexualité féminine (en collaboration avec E. Simion), *Carrère*, 1987 ; *L.G.F.*, 1988.

Tout est langage, *Vertiges-Carrère*, 1987 ; *L.G.F.*, 1989.

La cause des adolescents, *Laffont*, 1988 ; *L.G.F.*, 1991.

Inconscient et Destins, Séminaire de psychanalyse d'enfants, tome 3 (en collaboration avec Jean-François de Sauverzac), *Le Seuil*, 1988 ; coll. « Points Essais », 1991.

Quand les parents se séparent (en collaboration avec Ines Angelino), *Le Seuil*, 1988.

Autoportrait d'une psychanalyste (1934-1988) (en collaboration avec Alain et Colette Manier), *Le Seuil*, 1989 ; coll. « Points Actuels », 1992.

Paroles pour adolescents ou Le complexe du homard (avec Catherine Dolto-Tolitch, en collaboration avec Colette Percheminier), *Hatier*, 1989 ; *L.G.F.*, 1992.

Solitude, *L.G.F.*, 1989.

L'échec scolaire : essais sur l'éducation, *Presses-Pocket*, 1990.

Correspondance (1913-1938) (en collaboration avec Colette Percheminier), *Hatier*, 1991.

Composition Euronumérique.
Impression B.C.I.
à Saint-Amand (Cher), le 15 juin 1995.
Dépôt légal : juin 1995.
1er dépôt légal : septembre 1994.
Numéro d'imprimeur : 1/1499.

ISBN 2-07-073941-4./Imprimé en France.